PLESERAU'R PLISMON

Pleserau'r Plismon

Helyntion Heddwas Cefn Gwlad

John Alwyn Griffiths

Diolch

Hoffwn ddiolch yn fawr iawn i Mr Cledwyn Jones, Penrhosgarnedd,
Bangor am roi trefn ar y deipysgrif wreiddiol ac i Myrddin ap Dafydd
am ei ddiddordeb yn y llyfr. Diolch yn fawr hefyd i'r canlynol
am roi benthyg lluniau i mi ar gyfer y llyfr: Goronwy Evans, Ken Owen,
Phil Evans, Alan Pierce, Mrs Jose Owen, Dr Barry Corps, Cledwyn Davies,
Huw Vevar, Esmor Williams a Charles Beckett.
Diolch i'r Daily Post *am ganiatâd i ddefnyddio toriadau o'r papur*
a hefyd i George Lewis am wella rhai o'r lluniau. Hoffwn ddiolch hefyd i Nia Roberts.

Argraffiad cyntaf: 2011

Rhif rhyngwladol: 978-1-84527-330-9

Mae'r cyhoeddwr yn cydnabod cefnogaeth ariannol
Cyngor Llyfrau Cymru

Cynllun clawr: Sion Ilar

Cyhoeddwyd gan Wasg Carreg Gwalch,
12 Iard yr Orsaf, Llanrwst, Conwy, LL26 0EH.
Ffôn: 01492 642031 Ffacs: 01492 641502
e-bost: llyfrau@carreg-gwalch.com
lle ar y we: www.carreg-gwalch.com

Argraffwyd a chyhoeddwyd yng Nghymru.

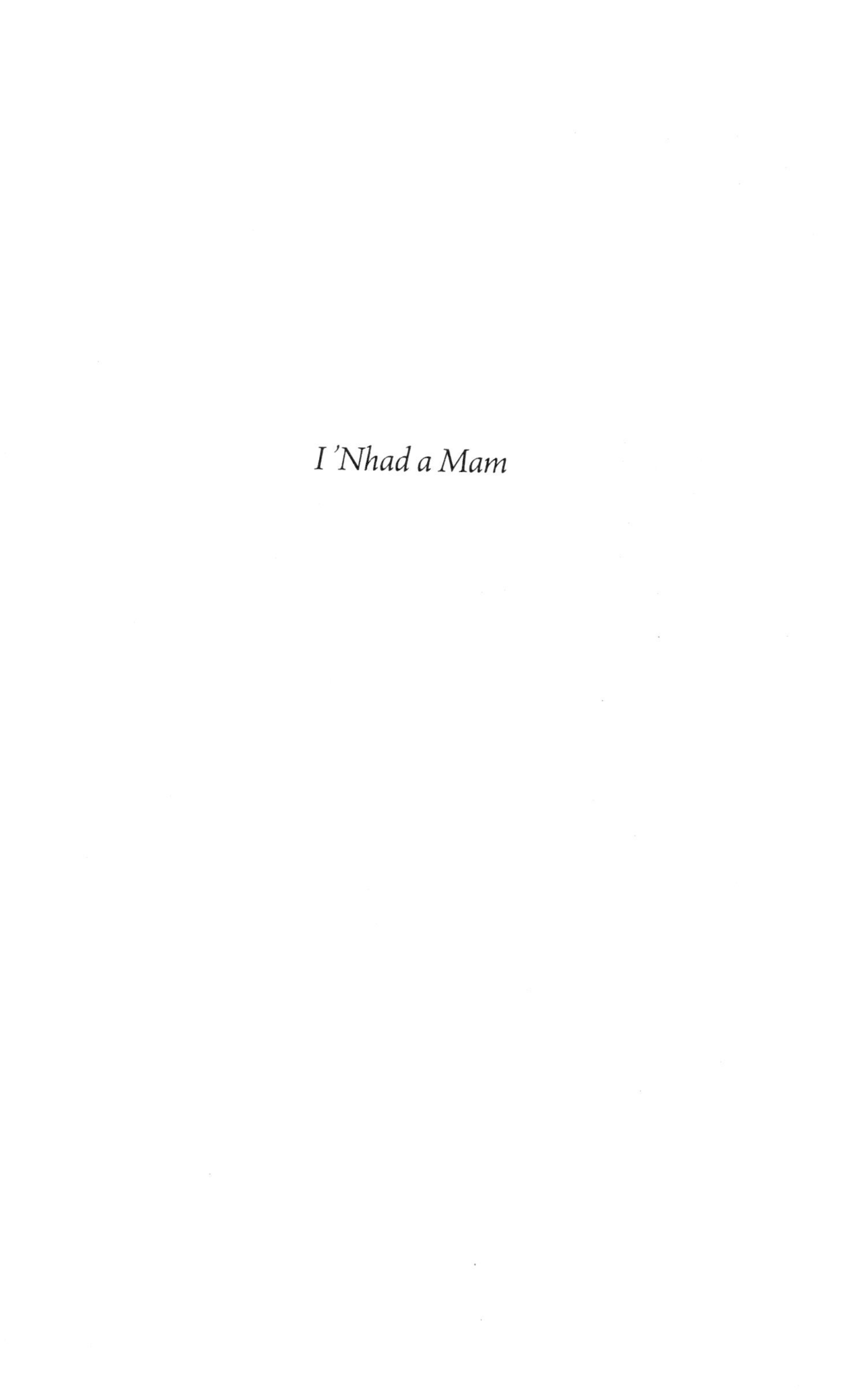

I 'Nhad a Mam

Rhagair

Mae gwaith plismon yn anoddach heddiw nag erioed, ond ni fu erioed yn swydd hawdd. Wrth edrych yn ôl mae'n llawer gwell cofio'r pleserau, hynny yw, y cymeriadau a'r digwyddiadau doniol, na'r cyfnodau anodd, caled a thrist.

Bûm yn gwasanaethu fel heddwas yng ngogledd Cymru am yn agos i dair ar ddeg ar hugain o flynyddoedd rhwng 1966 a 1998, a thrwy fy ngwaith cefais y fraint o gyfarfod â nifer o gymeriadau difyr a phrofi digwyddiadau sydd wedi gwneud i mi chwerthin.

Lawer gwaith ar ôl ymddeol, rydw i wedi mwynhau adrodd, ac ailadrodd mae gen i ofn, nifer o atgofion sydd wedi fy niddori ar hyd y blynyddoedd. Fel y gwelwch mae fy nghymar, Julia, wedi'm perswadio o'r diwedd i'w rhoi ar bapur.

Er mai yng nghyd-destun fy ngyrfa yn yr Heddlu mae'r cyfan o'r hanesion, llyfr am y cymeriadau a'r digwyddiadau ydi hwn. Does gennyf ond diolch iddynt oll am wneud fy mywyd yn un mor ddifyr, ac ymddiheuraf ymlaen llaw nad oedd modd cynnwys mwy.

John Alwyn Griffiths
2011

Cynnwys

Pennod 1

Y Dechreuad

1966 – 1967

Mae'n anodd cofio'n union pryd y penderfynais geisio ymuno â'r heddlu, a hyd yn oed sut ddaeth y syniad i 'mhen. Chefais i fawr o lwyddiant yn yr ysgol, a gadewais Ysgol Friars ym Mangor yn ddwy ar bymtheg oed yn 1966 hefo pum lefel O. Ar y pryd, doedd mwy o addysg na mynd i'r brifysgol yn apelio, hyd yn oed pe bai'r gallu gen i.

Pan oeddwn yn blentyn, roeddwn i'n adnabod dau dditectif gwnstabl. Y cyntaf oedd Eirwyn Jones, perthynas i mi, ac ychydig ar ôl iddo gael dyrchafiad a gadael Bangor, cyrhaeddodd Goronwy Evans. Bu Goronwy a'i wraig, Olwen, yn ffrindiau mawr â Mam a Nhad o ganol y pumdegau ymlaen, yn galw acw'n aml. Byddwn yn edrych ar Goronwy gyda pharch mawr, ac yn gwrando'n astud arno yn adrodd ei hanesion wrth fy nhad. Dyn smart a thwt oedd Goronwy bob amser, yn gwisgo siwt dywyll, coler a thei, a het am ei ben; fel y byddai pob ditectif y dyddiau hynny. Mae pethau wedi newid dipyn erbyn heddiw – yn aml iawn, gwelwch dditectifs mewn jîns a chrys T – ond efallai mai gofynion y gwaith sy'n gyfrifol am hynny.

O gwmpas yr un adeg, cawsom deledu yn ein cartref, ac roedd nifer o raglenni a ffilmiau yn gysylltiedig â'r heddlu i'w gweld. Roeddwn wrth fy modd pan ddaliwyd lleidr neu lofrudd gan dditectif ar ddiwedd rhaglen (ond sylweddolais yn ddigon buan ar ôl dod yn blismon fy hun nad oedd hynny'n bosib bob tro!).

Dyna oedd yr hedyn a'm cychwynnodd ar y daith, ac wedi penderfynu gwneud cais am gael ymaelodi, cefais faint fynnir o gefnogaeth gan fy nheulu, yn enwedig Nhad a Mam.

Yr oedd fy nhad yn cadw siop fferyllydd ar Stryd Fawr

Bangor ac uwchben y siop yr oeddwn i, fy chwaer, Eleri, Mam a Dad yn byw. Un o'm cyfeillion ysgol oedd Dafydd John Hughes, neu D.J. i ni'r hogiau, mab O. P. Hughes, arolygydd yr heddlu ym Mangor. Roeddwn i'n ei adnabod o ran ei weld ac aeth mam â fi i'w weld rhyw ddiwrnod i ofyn sut oedd gwneud cais i ymuno â'r heddlu fel cadét. 'Dw i'n falch o ddweud nad oeddwn wedi bod y tu mewn i unrhyw orsaf heddlu cyn y diwrnod hwnnw, a gallwch fentro sut yr oeddwn yn teimlo. Roedd fy mhen-gliniau yn crynu fel jeli. Gofynnodd i mi pam oeddwn eisiau ymuno â'r heddlu.

Nhad a Mam

'I ddal pobl ddrwg, Syr,' atebais.

Hyd heddiw, 'dw i'n dal i gredu fod hwnnw'n ateb eithaf da. Mae'n rhaid fy mod wedi bod yn agos i'm lle, oherwydd y peth nesaf 'dw i'n ei gofio yw mynd i lawr i orsaf heddlu Bangor un diwrnod i sefyll arholiad mynediad.

Cyrhaeddais yn gynnar, ac aed â fi trwodd i ystafell fawr – ystafell Llys Ynadon Bangor. Fi oedd yr unig un a oedd yn sefyll yr arholiad y diwrnod hwnnw ac roedd bod yno yn ddigon i godi ofn arnaf, heb sôn am beth ddigwyddodd nesaf. Agorodd y drws, ac yno'n sefyll roedd Sarjant Robin John Owen – dyn mawr iawn, ei wallt du cwta'n cychwyn gwynnu, gyda'r aeliau du mwyaf trwchus a welsoch erioed. Gwenodd yn braf arnaf. Nid hynny a'm dychrynodd, ond y ffaith fy mod ym mar gwesty'r

Castell ychydig o wythnosau ynghynt pan ddaeth o a phlismon arall i mewn i chwilio am fechgyn yn yfed o dan oed. Coeliwch fi, nid oeddwn yn yfed – helpu allan yn yr ystafell tu ôl i'r bar oeddwn i, yn glanhau gwydrau efo merch y ddynes a oedd yn gwasanaethu tu ôl i'r bar. A dweud y gwir, y ferch dlos honno oedd yr unig reswm 'mod i yno. Roeddwn wedi cuddio y tu ôl i'r cyrten ond doeddwn i ddim yn siŵr a oedd Sarjant Owen wedi fy ngweld ai peidio. A dyma fi rŵan yng nghwmni'r dyn ei hun yn Llys Ynadon Bangor. Os oedd o wedi fy ngweld y noson honno, ddywedodd o ddim. Mae'r dywediad, '*yr euog a ffy heb neb yn ei erlid,*' yn dod i'm meddwl. Euog ai peidio, eistedd wrth anferth o fwrdd pren lle byddai'r cyfreithwyr yn sefyll fel arfer oeddwn i, ar ben fy hun bach yn ystafell fawr y llys, yn edrych i fyny at fainc yr ynadon. Nid oedd hwn yn lle da i gadw meddwl bachgen ifanc ar unrhyw arholiad!

Yn ystod y ddwyawr nesaf, ysgrifennais ddau draethawd, un yn Gymraeg a'r llall yn Saesneg, ac wedyn cefais brawf rhifyddeg. Pan oeddwn bron â gorffen y prawf, daeth Sarjant Owen yn ei ôl, gafael yn y papur arholiad a dechrau ateb pob cwestiwn ar ddarn o bapur glân. Wedi iddo orffen, cododd ar ei draed.

'Dyma'r atebion 'dw i'n eu cael,' meddai. 'Edrych a

Goronwy Evans pan oedd yn dditectif ifanc ym Mangor

gefaist ti'r un rhai.' Yna, heb ddweud gair arall, gadawodd ei bapur o ar fy nesg. Roeddwn wedi fy syfrdanu, ond yn falch o weld bod fy atebion i yn cyd-fynd â'i rai yntau.

Pan glywais fy mod wedi llwyddo yn yr arholiad, cefais wahoddiad i fynd i weld yr Arolygydd Alfred Pozzi Roberts, pennaeth adran hyfforddiant Heddlu Gwynedd ar y pryd, yn y pencadlys yn Maesincla, Caernarfon. Daeth Nhad hefo fi, a chawsom ein harwain i'w swyddfa. Roedd yr Arolygydd Roberts yn smart a thwt, ei ben yn hollol foel ac yn sgleinio fel pishyn swllt newydd. Edrychai fel petai wedi ei eni i wisgo'r iwnifform, mor smart ag unrhyw filwr a welsoch erioed. Siaradai'n yn gyflym ac yn dra-chywir, a chofiaf pa mor foneddigaidd oedd o. Roeddem yn ei gwmni am beth amser cyn iddo ein tywys o gwmpas y pencadlys, a sylweddolais yn ddiweddarach mai cyfweliad oeddwn wedi ei gael. Yn ei ffordd broffesiynol ei hun, roedd yr Arolygydd Roberts wedi llwyddo i gael yr holl wybodaeth yr oedd o'i angen heb wneud y cyfarfod yn debyg i gyfweliad.

Yn fuan ar ôl hynny cefais alwad i fynd yn ôl i'r pencadlys am gyfweliad hefo'r prif gwnstabl, cael archwiliad gan feddyg yr heddlu ac yna, os byddwn yn llwyddiannus, cael fy ffitio am iwnifform cadét.

Roedd dau neu dri o fechgyn ifanc eraill yno'r diwrnod hwnnw ac roedden ni i gyd yn edrych mor nerfus â'n gilydd. A dweud y gwir, rhyw ddiwrnod felly oedd hi. Robert Rowlands o Lanfairfechan oedd un o'r bechgyn eraill. Roedd Bob a finnau wedi treulio pum mlynedd yn yr un dosbarth yn Ysgol Friars ym Mangor, ac yn ffrindiau da yn barod. Roedd hi'n braf gweld wyneb cyfarwydd – ac er nad oeddwn yn gwybod hynny'r diwrnod hwnnw, byddai'r ddau ohonom yn dod ar draws ein gilydd o dro i dro yn ystod y blynyddoedd i ddod.

Yn gyntaf, gyrrwyd ni i gael tynnu ein lluniau, ac ymlaen i roi olion ein bysedd.

'Rhag ofn i ni gael ein chwythu i fyny rhyw dro a dim byd ond llaw yn dod i'r golwg,' meddai'r Arolygydd Roberts, gan hanner gwenu.

Yna cawsom ein cludo mewn car heddlu i lawr i Gaernarfon i weld meddyg lle cefais fy nychryn eilwaith pan gyffyrddodd â mi mewn man personol dros ben a gofyn i mi besychu. Doedd gen i ddim syniad ar y pryd beth oedd gan y naill beth i'w wneud efo'r llall, ond roedd yn amlwg bod gweddill y bechgyn wedi cael yr un driniaeth.

'Ffordd ryfedd i weld os oedd annwyd arna' i,' meddai un o'r hogiau dan chwerthin.

Yna aethom yn ôl i Faesincla i baratoi am gyfweliad hefo'r dyn mawr ei hun, y Prif Gwnstabl, Liwtenant Cyrnol Syr William Jones Williams. Ni wyddwn fod y ffasiwn deitl yn bod. Roedd yn rhaid ymarfer cyn mynd ato, meddai'r Arolygydd Roberts.

Yn y dyddiau hynny, roedd yn angenrheidiol bod pob heddwas yng Ngwynedd yn gallu siarad Cymraeg a Saesneg yn rhugl. Cawsom wybod y buasai'r prif gwnstabl yn troi o un iaith i'r llall yn ystod y cyfweliad ac roedd o'n disgwyl i ni wneud yr un peth – nid bod hynny'n anhawster o gwbl. Roeddem yn sefyll mewn rhes pan ofynnodd yr Arolygydd Roberts y cwestiwn pwysicaf i ni fesul un, a gwrando'n astud ar ein hatebion.

'Pam wyt ti eisiau ymuno â'r heddlu?'

Yr un ateb oedd gen i'r tro yma hefyd:

'Am fy mod eisiau dal pobol ddrwg, Syr.'

Ond nid oedd ateb un o'r bechgyn llawn cystal.

'Am fod yna bensiwn iawn ar ôl darfod,' meddai.

'Ia, ateb digon da,' meddai'r arolygydd. 'Ond mi fuaswn i'n meddwl am ateb gwell cyn mynd o flaen y Prif Gwnstabl.'

Ar ôl disgwyl yn annioddefol o hir, fy nhro i oedd mynd i mewn i swyddfa'r Prif Gwnstabl. Dyna lle'r oedd o yn eistedd tu ôl i ddesg fawr a thop lledr arni, yn edrych i lawr arna' i fel petawn yn damaid o faw. Gallwch fentro, erbyn hyn, roeddwn yn gryndod trwyddaf. Mi oeddwn yn ei chael yn anodd iawn ei ddeall yn siarad ond atebais bob cwestiwn gystal ag y medrwn. Nid oedd yn ymddangos fel pe bai'n fodlon iawn â mi am ryw reswm, ond dywedodd ar derfyn y cyfweliad 'y buasai yn fy nhrio fi'. Digon di-hyder oeddwn i, ond ar ôl tyngu llw o flaen un o ynadon heddwch Caernarfon, deuthum yn gadet yn Heddlu Gwynedd.

Dechreuais weithio yng ngorsaf heddlu Dinas Bangor ar Awst 16eg, 1966. Roeddwn yn teimlo'n hynod o hunanymwybodol wrth gerdded i lawr y Stryd Fawr y bore hwnnw, gan fy mod yn gwisgo fy iwnifform plismon am y tro cyntaf. Beth petai yna helynt, a phobl yn disgwyl i mi wneud rhywbeth ynglŷn â'r peth? Hogyn bach ysgol oeddwn i fis ynghynt! Cyrhaeddais orsaf yr heddlu yn ddiogel, heb ddod ar draws yr un digwyddiad amheus, diolch i'r nefoedd. Dyma lle'r oeddwn yn mynd i fod yn gweithio am y pymtheg mis nesaf.

Yn Ffordd y Garth oedd swyddfa heddlu Dinas Bangor y dyddiau hynny, gyferbyn â gorsaf y bysus a chanllath i lawr o'r cloc. Erbyn heddiw siop *Marks & Spencer* sydd ar y safle, ond yn y chwedegau, adeilad carreg mawr llwyd oedd yno. Roedd swyddfeydd y plismyn a'r dderbynfa ar y llawr isaf, swyddfa'r arolygydd a'r ditectifs i fyny'r grisiau wrth ymyl yr ystafell fwyta, ac i lawr o dan y swyddfeydd roedd y celloedd; pedair, os ydw i'n cofio'n iawn. Lle digon tywyll ac oer yr olwg oedd y fan honno, hefo drysau trwm a chlo anferth ar bob un, ond buan y dois i arfer â'r lle. Yn aml, roeddwn yn gorfod mynd i lawr yno i roi bwyd i'r carcharorion – ac ambell dro cefais orchymyn i aros a chuddio yno er mwyn gwrando ar y carcharorion yn siarad rhwng un gell a'r llall, gan obeithio clywed eu sgwrsio cynllwyniol.

Roedd dau blismon o'r enw Pritchard yn gweithio'n

gyson yn y swyddfa yr adeg honno. Gwynfor Pritchard oedd un, a Gordon y llall. Hefo Gordon Pritchard, PC 101, yr oeddwn yn gweithio fwyaf. Un dim ag un, neu 'un twll ac un' fel yr oedd yn galw ei hun yn aml. Dysgodd lawer i mi.

Un o gyfrifoldebau Gordon Pritchard 'un twll ac un' oedd cadw llyfr yn y swyddfa ym Mangor i gofnodi taith pob ffeil a adewai'r orsaf neu a gyrhaeddai yno. Deallais yn gyflym fod yr heddlu yn hynod o sensitif ynglŷn â cholli pethau, felly roedd y gwaith yma'n bwysig dros ben ar y pryd. Llyfr anferth, trwm oedd o, ddwywaith gymaint â'r Beibl mwyaf a welais i erioed (ac mae'n siŵr bod ei gynnwys i blismon ar y pryd yr un mor bwysig â chynnwys y Beibl i bregethwr). Cychwynwyd cofnodi yn y llyfr hwn, os cofia i'n iawn, ugain mlynedd ynghynt yn fuan ar ôl diwedd y rhyfel, ac nid oedd mwy na thri chwarter llawn.

Un diwrnod, pan oedd Pritch wrthi'n brysur yn cofnodi, rhedodd llygoden fach yn gyflym ar draws llawr y swyddfa. Roedd yna amheuaeth bod llygod o gwmpas ers i'r ddynes a oedd yn glanhau honni iddi weld un rhyw dro. Heb air o gelwydd, fe welodd Pritch hi trwy gongl ei lygad, caeodd y llyfr mawr yn sydyn ac fe'i taflodd ar draws yr ystafell mewn un symudiad, gan daro'r llygoden yn farw ar unwaith. Welais i erioed y fath beth – fuasai John Wayne a'i wn ddim wedi gallu anelu'n well! Pwy gafodd y gwaith o gario corff y llygoden allan? Ia, y cadét, wrth gwrs.

Un o'r pethau cyntaf y bu'n rhaid i mi ei feistroli oedd y teleffon. Roedd yno switsfwrdd mawr a phlygiau a gwifrau i gysylltu'r naill â'r llall. Dwy lein allanol oedd, a'r lleill i gyd yn rhai mewnol – nid o fewn yr adeilad, ond i gysylltu'r swyddfa ym Mangor â swyddfeydd eraill yn Llandudno, Llangefni, Caergybi a'r pencadlys yng Nghaernarfon. Pe byddai angen cysylltu â gorsaf Pwllheli, dyweder, byddai'n rhaid cysylltu â'r pencadlys gyntaf a gofyn am gysylltiad o'r fan honno. Yn yr un ffordd, os oedd rhywun ym Mhwllheli eisiau siarad â rhywun yn Llandudno, cysylltwyd hwy trwy'r switsfwrdd yng Nghaernarfon, yna Bangor ac yna drwodd i Landudno. Fel y gallwch ddychmygu, roedd y switsfwrdd yn brysur trwy'r dydd, a doedd fiw i neb wneud camgymeriad a thynnu'r plygiau anghywir allan, yn enwedig pan oedd swyddog pwysig ar y ffôn. Mi fuasai ymholiad i edrych pwy oedd yn gyfrifol yn dilyn hynny yn siŵr i chi.

Roedd angen cysylltu â'r plismyn ar y stryd fawr yn aml iawn ond yn y dyddiau cynnar yma, doedd ganddynt ddim radio bob un. Roedd yn rhaid felly i'r heddweision fod mewn lle arbennig ar amser a drefnwyd drwy'r dydd a'r nos – wrth ymyl ffôn cyhoeddus fel arfer – a dyna'r unig ffordd i gysylltu â hwy. Cofiaf ffonio ciosg teleffon ychydig cyn i'r plismon gyrraedd neu funudau ar ôl iddo adael lawer gwaith pan oedd angen plismon yn rhywle. Yn aml iawn atebwyd y ffôn gan rywun a oedd yn digwydd pasio, ac ar adegau felly, roeddwn yn egluro pwy oeddwn i a gofyn a oedd yna blismon yn y cyffiniau. Byddai'r sawl a atebodd y ffôn wedyn yn rhedeg i fyny ac i lawr y stryd fawr i chwilio am yr heddwas. Tybed a fyddai pobol mor barod i wneud hyn heddiw?

Roedd radio ym mhob car heddlu ers peth amser, ond o'r pencadlys yng Nghaernarfon y byddai'r cysylltiad hwnnw'n cael ei wneud. Roedd hyn yn hwylus iawn gan y byddai'n amhosibl plismona ardaloedd gwledig ac anghysbell Gwynedd fel arall.

Ymhen ychydig fisoedd daeth radio fawr i'r swyddfa ym Mangor yn ogystal â rhai personol i'w cario gan blismyn a oedd yn gweithio yng nghanol y ddinas. Roedd pethau dipyn yn haws ar ôl hynny – nid yn unig er mwyn cysylltu â'r plismyn, ond er mwyn i'r plismyn gysylltu â ni pan fyddent angen cymorth i ddelio â meddwon neu lanciau'n cwffio, er enghraifft.

Roedd y cyfnod hwn ymhell cyn oes y cyfrifiaduron a hyd

yn oed y telecs, a'r unig ffordd o drosglwyddo gwybodaeth ar frys oedd dros y ffôn. Yn aml iawn, roedd neges yn cychwyn ei thaith ym mherfeddion Lloegr, a byddai'n rhaid ei throsglwyddo i bob gorsaf heddlu yn y tair sir pe byddai'r neges yn berthnasol i ogledd Cymru. Ni'r cadéts oedd yn gwneud hyn ac yn aml iawn roedd pob cadét yn Heddlu Gwynedd, hyd at saith ohonom, ar y ffôn ar yr un pryd. Roedd yn cymryd amser maith ar adegau i ysgrifennu'r neges yn union fel y'i hadroddwyd gan y cadét ar ochr arall y ffôn.

Yn fuan iawn, deuthum i adnabod lleisiau'r bechgyn eraill er nad oeddwn erioed wedi'u cyfarfod – hogiau rhwng un ar bymtheg a deunaw oeddem i gyd, a'r unig un a oeddwn yn ei adnabod i gychwyn oedd Bob Rowlands, oedd yn gweithio yn Llandudno erbyn hyn. Wel, sôn am fwstwr ar adegau, a chwerthin mawr.

'Dal dy wynt, y diawl. 'Dw i'm yn medru *short hand* 'sti. Be' oedd y frawddeg ddiwetha 'na, eto?'

'Tyrd yn dy flaen. Paid â blydi cysgu,' meddai un arall.

Cadets Gwynedd ar gwrs gweithgareddau ym Mrynrefail yn 1966. O'r chwith i'r dde – David Morgan, Alwyn Thomas, Emyr Griffiths, Phil Evans, Gwyn V. Jones, Robin Thomas, Bob Rowlands, David Evans, Elis John Williams, John Griffith, Ronnie Jones, John A Griffiths a Ken Owen.

Ymhen ychydig fisoedd, cawsom i gyd gyfarfod ar gwrs gweithgareddau allanol ym Mrynrefail am bythefnos. Wel, mi gawsom ni hwyl yn fan'no. Roeddem i gyd yn gorfod cysgu mewn un ystafell fawr, a'r golau i fod i gael ei ddiffodd am hanner awr wedi deg. Sôn am gadw reiat! Doedd dim ots faint o gerdded, dringo neu ganŵio yr oeddem wedi'i wneud yn ystod y dydd, nid oedd cwsg ar feddwl neb, ac roedd y direidi a'r tynnu coes yn parhau tan oriau mân y bore. Cyn gadael, tynnwyd llun o'r criw, ac mae'n bleser edrych ar hwn o dro i dro a chofio'r hwyl.

Yn fuan iawn ar ôl cychwyn fel cadét, deuthum i adnabod llais dyn arall a oedd yn gyson ar y ffôn yn y pencadlys, sef Arthur Rowlands. Roedd Arthur yn adnabod llais rhywun yn syth bin, ar y ffôn neu wyneb yn wyneb, a gwnaeth i mi deimlo'n gartrefol yn fy swydd newydd yn sydyn iawn.

Plismon yn ne Meirionnydd oedd Arthur pan saethwyd ef yn ei wyneb hefo gwn dau faril a chollodd ei olwg. Mewn dim o dro, fe ddysgodd sut i ddefnyddio'r switsfwrdd yn y pencadlys gystal ag unrhyw un – ac nid dyna'r unig beth a ddysgodd ar ôl cael ei ddallu chwaith. Mae hanes amdano'n cneifio defaid, pysgota â phluen a theithio'r wlad yn hel arian at achosion y deillion. Cofiaf fel y dywedodd wrtha' i un tro:

''Dw i wedi gweld cymaint mwy ers i mi golli fy ngolwg.'

Doedd ganddo ddim drwgdeimlad tuag at y sawl a'i saethodd; dyna'i natur.

Yn ogystal â meistroli'r ffôn, roedd angen dysgu sut i ddelio â'r cyhoedd, gan y byddai pobl yn dod at y cownter yn aml i wneud cwyn neu i ddangos eu dogfennau gyrru. Daeth bachgen yno rhyw ddiwrnod hefo gwylan fôr wedi ei hanafu yn ddifrifol.

'Be wna' i hefo hon?' gofynnais i Pritch.

'Cer â hi i lawr i'r seler,' medda fo, a'i ben yn y llyfr mawr. 'A thrïa ei gwneud yn gyfforddus.'

A dyna wnes i. Cyn pen yr awr mi es i lawr i'r seler eto, ond erbyn hyn roedd yr wylan wedi marw. Allwn i wneud dim ond cael gwared â hi. Agorais ddrws y boiler, ac fe'i teflais i mewn i'r tân heb feddwl dim mwy am y peth. Ar ôl dychwelyd i'r swyddfa dywedais wrth Pritch beth oeddwn newydd ei wneud a dyna, feddyliais i, oedd diwedd y mater.

Roedd Llys Ynadon Bangor yn cyfarfod y diwrnod hwnnw ac ymhen ychydig funudau daeth gair o'r llys i ddweud bod cadeirydd y fainc eisiau eglurhad am yr oglau mwyaf ofnadwy oedd yn treiddio i'r ystafell. Rhywbeth tebyg i gig yn llosgi... a phlu hefyd! Ddeallodd neb beth oedd wedi digwydd – neb ond Pritch a fi.

Roedd un neu ddau o bobl y tu allan i'r heddlu wedi dweud wrtha' i mai dim ond gwas bach i wneud te fyddwn i fel cadét ym Mangor, ond sylweddolais yn fuan nad felly oedd hi. Cyn bo hir roeddwn yn teimlo fy mod yn rhan o holl ymdrechion y swyddfa, er fy mod yn cydnabod mai rhan fechan oedd hi. Roeddwn yn awchu am ddyletswyddau newydd ac yn mwynhau pob peth a ddisgynnai ar fy mhlât o ddydd i ddydd – wel, bron iawn.

Roedd ffurflen i'w llenwi bob wythnos ar ôl sesiwn Llys yr Ynadon ar Ddydd Mawrth. Ffurflen 77 oedd hon a'i phwrpas oedd cofnodi canlyniad pob achos. Wel, sôn am drafferth a miri. I ddechrau, roedd yn hanfodol bod y ffurflen yn cyrraedd y pencadlys o fewn dau ddiwrnod. Roedd angen pum copi a chan mai maint A3 oedd y papur, prin y gellid ei chael i mewn i'r teipiadur. I wneud pethau'n waeth, dim ond papur carbon A4 oedd i'w gael, hanner maint y ffurflen, ac roedd yn rhaid felly rhoi dau ohonyn nhw rhwng bob ffurflen yn union yn y lle iawn. Yna llenwi pob colofn yn gywir gan ddefnyddio'r wybodaeth a oedd wedi ei gynnwys rhywle yn ffeiliau trwchus y llys – enw'r diffynnydd, ei oed a'i ddyddiad geni, ei waith, manylion y drosedd, yn groes i ba ddeddf, os oedd wedi pledio yn euog neu beidio, y canlyniad, nifer y tystion a mwy. Dychmygwch pa mor dorcalonnus oeddwn i ar ôl teipio gyda dau fys am dros awr ar un dudalen. Ar ôl meddwl fy mod wedi gwneud gwaith da un tro, sylweddolais fy mod wedi rhoi un o'r papurau carbon yn ei le yn chwithig a bod yn rhaid ail wneud y cwbwl. O gongl fy llygaid, gwelais wên ar wyneb Pritch 101 ond gwenu oedd y peth diwethaf oeddwn i eisiau 'i wneud!

Peth arall nad oeddwn yn hoff o'i wneud oedd 'canslo'r gasets'. Roedd copi o'r *Police Gazette* yn cyrraedd y swyddfa bob bore, a hwnnw'n cynnwys manylion am bob person roedd yr heddlu yn chwilio amdano trwy'r wlad. Byddai nifer fawr ar y rhestr bob dydd hefyd, rhai wedi troseddu'n ddifrifol, rhai wedi dianc o garchar, eraill wedi methu â thalu dirwy. Pan fyddai un o'r rhain yn cael ei ddal, roedd yn rhaid chwilio am y copi o'r *Police Gazette* gwreiddiol, rhoi dwy linell ar draws y cofnod hwnnw a'r llythyren 'C' (*Cancelled*), a'r dyddiad, er mwyn dangos pryd cafodd ei arestio. Dyma'r unig ffordd o gofnodi pwy oedd ar ffo, neu'n *wanted* drwy Brydain. Roedd cwpwrdd mawr yn llawn o'r gasets yma ac yn aml iawn roedd angen tynnu nifer ohonyn nhw allan i wneud y gwaith. Doedd neb yn hoffi gwneud hyn ac felly i ddwylo'r cadét y byddai'r gwaith yn dod.

Roeddwn wedi rhyfeddu cymaint o droseddau oedd yn cael eu cyflawni ym Mangor, lle cefais fy magu. Roedd y celloedd ym mherfeddion yr adeilad yn cael eu defnyddio yn aml a hynny ar gyfer troseddwyr reit gas weithiau.

Roedd hyn cyn cyfnod cyffuriau a'u dylanwad difrifol ar y gymdeithas ond eto, roedd y ddinas yr oeddwn i yn dod i'w hadnabod yn frith o fwrgleriaeth, cwffio, ymosod ac hyd yn oed troseddau rhywiol. Ar adegau, roedd gofyn i nifer o blismyn wneud shifftiau ychwanegol fin nos yn eu dillad eu hunain, gan guddio yng nghefnau'r strydoedd tan oriau mân y bore i geisio dal y lladron. Gwirfoddolais yn syth.

Cyrhaeddais yno tua deg un noson yn barod am y brîff

gan y Ditectif Sarjant Eric Evans (a ddyrchafwyd yn Ddirprwy Brif Gwnstabl cyn diwedd ei wasanaeth yn yr heddlu). Rhoddodd gyfarwyddiadau i bawb a'i gyrru allan fesul dau. Yn y diwedd, dim ond fi oedd ar ôl, a theimlais yn siomedig nad oeddwn i am gael bod yn rhan o'r ymgyrch.

'Reit, John. Rwyt ti'n dod hefo fi,' meddai.

Cododd fy nghalon ar unwaith, a chofiaf y noson honno hyd heddiw. Nid mynd i guddio yng nghefnau'r siopau fel y plismyn eraill wnaethon ni, ond mynd ati i siarad hefo pawb oedd o gwmpas er mwyn darganfod pwy oedd allan y noson honno, a beth oedd ar droed yn y ddinas. Synnais faint o bobl yr oedd o'n eu hadnabod, a dechreuais ddeall y noson honno beth oedd bod yn dditectif go iawn.

Er na ddaliwyd yr un lleidr yn ystod y shifft honno, fe ddysgais lawer yng nghwmni Sarjant Evans. A dweud y gwir, teimlaf fy mod wedi bod yn lwcus o gael y profiad o weithio hefo fo a dysgu ganddo sawl gwaith yn ystod fy ngyrfa.

Y ddau arall yn adran dditectifs y CID ym Mangor oedd Arthur Peters a Bill, neu Wil Rees. Gweithiais lawer tro gydag Arthur yn ystod yr ugain mlynedd wedi hynny – roedd yn ddaliwr lladron a siaradwr heb ei ail. 'Dw i'n siŵr y byddai ei helyntion o yn llenwi llyfr cyfan, ac mi soniaf fwy amdano fo eto. Gorffennodd Wil Rees ei wasanaeth yn Dditectif Uwch-Arolygydd, yn ddirprwy i bennaeth y CID tros ogledd Cymru. Cefais y fraint o'i adnabod yn dda yn hwyrach yn fy ngyrfa, ond ar yr olwg gyntaf, dyn difrif yr olwg oedd o, ac anaml y gwelid gwên ar ei wyneb. Serch hynny, bu ambell eithriad...

Un diwrnod, roeddwn yn y swyddfa pan glywais sŵn dychrynllyd yn dod o'r llawr cyntaf; sŵn rhywbeth yn disgyn ac yna bloedd uchel. Rhedais i fyny'r grisiau a gweld bod rhywbeth wedi digwydd yn y lle chwech, y drws nesaf i swyddfa'r CID. Safai Sarjant Frank Dale yn ddigon llipa a swil yr olwg, a'i drowsus a'i drôns o gwmpas ei ben-gliniau. Wrth ei ochr roedd caead haearn y tanc dŵr, a oedd i fod uwch ei ben. Mae'n rhaid ei fod wedi disgyn i'r llawr wrth i'r hen Frank dynnu'r gadwyn, ac roedd y bowlen lle bu'r creadur yn eistedd eiliad ynghynt yn deilchion. Roedd Wil Rees wedi cyrraedd yna o 'mlaen i, a dyna lle'r oedd o, ar ei gwrcwd yn chwerthin, ei wyneb yn goch a dagrau'n llifo i lawr ei fochau. Diolchais nad oedd Sarjant Dale wedi ei anafu, ond dyna un o'r pethau rhyfedda' welais i erioed.

Un cydwybodol oedd Sarjant Frank Dale. Y dyddiau hynny, roedd ym mhob gorsaf lyfr mawr a elwid yn *Occurrence Book,* lle nodwyd pob digwyddiad o ddydd i ddydd; arestiad, rhywun yn marw'n sydyn neu blentyn ar goll, er enghraifft. Ni feiddiai unrhyw sarjant fynd adref ar ddiwedd ei shifft heb wneud yn siŵr fod y gofrestr wedi ei llenwi yn gywir ac yn llawn. Bu Sarjant Frank Dale yn fwy trylwyr na'r disgwyl un noson.

Nos Sadwrn ar ddechrau'r gaeaf oedd hi, ac fe gofnododd yn y llyfr droi clociau gorsaf yr heddlu yn ôl awr. Wel dyna i chi gamp! Ymhen ychydig ddyddiau, darllenodd y Prif Arolygydd W R T Griffith yr *Occurrence Book* a gweld y cofnod hwn. Ysgrifennodd wrth ei ochr mewn inc coch, 'Fe'r ydych yn sicr o gael canmoliaeth fawr am wneud hyn.'

Yn y dyddiau hynny, pan fyddai gyrrwr modur wedi meddwi, roedd angen galw ar feddyg yr heddlu i'w archwilio er mwyn penderfynu a oedd o'n ffit i yrru, cyn dyddiau'r prawf anadl wrth gwrs. Byddai'r meddyg yn siarad â'r gyrrwr yn y lle cyntaf, yna'n rhoi prawf corfforol iddo – sefyll ar un goes neu gerdded yn syth – er mwyn asesu ei gyflwr. Byddai'r canlyniad a thystiolaeth y meddyg yn ddigon i gondemnio'r gyrrwr a'i gyhuddo o yrru dan ddylanwad alcohol neu, ar y llaw arall, ei ryddhau o'r ddalfa.

Cafodd gyrrwr wedi meddwi ei arestio un noson ac fe

alwyd Dr Lyn Thomas, meddyg yr heddlu, i'r ddalfa er mwyn penderfynu a oedd i'w gyhuddo ai peidio. O flaen yr Arolygydd O P Hughes a'r Sarjant Efan Glyn Jones, dechreuodd y meddyg ei holi.

'Lle ydach chi wedi bod yn y car heno?'

'Llangefni,' atebodd y gyrrwr.

'Be fuoch chi'n ei wneud yno?'

'Pysgota.'

Edrychodd yr Arolygydd ar y Sarjant ac yntau yn ôl arno. Roeddynt yn gwybod bod y meddyg yn hoff iawn o bysgota ac yn mwynhau oriau yng nghwmni pysgotwyr eraill.

'Yn lle fuoch chi'n pysgota, yn yr afon ynteu yn y llyn?' Roedd yn ddigon hawdd gweld yn awr bod y meddyg yn dechrau cymryd diddordeb.

'Yn y llyn,' atebodd y gyrrwr.

'O, 'rwy'n aelod o glwb pysgota'r llyn fy hun,' meddai'r doctor.

Edrychodd yr Arolygydd ar y Sarjant unwaith eto, cystal â dweud, ''Da ni wedi colli'r achos yma'.

Aeth y meddyg ymlaen i ofyn. 'Ddalioch chi rywbeth?'

'Crancod,' atebodd y gyrrwr.

Gwylltiodd y meddyg yn syth a throdd at y plismyn gan ddweud,

'Arolygydd, rhowch y dyn yma yn y gell ar unwaith, 'tydi o ddim yn ffit i fynd yn agos at gar. Mae wedi meddwi'n lân.'

Yr oedd y cyfweliad yn ddigon i gyhuddo'r gyrrwr o yrru dan ddylanwad alcohol. Oedd, yn y chwedegau roedd tystiolaeth y meddyg yn ddigon i gloi'r achos.

Yn ystod y blynyddoedd cynnar hynny ym Mangor, deallais ei bod yn arferiad i bob cadet fynd i wylio *post mortem* yn ystod ei hyfforddiant. Doedd o ddim yn rhywbeth yr oeddwn yn edrych ymlaen ato, ond roedd yn rhaid mynd. Pan ddaeth fy amser, dysgais fod dynes ganol oed wedi marw a bod amheuaeth ei bod wedi ei lladd ei hun gan fod potel dabledi wag wedi ei darganfod wrth ochr y corff. Euthum i'r corffdy gyda'r Heddwas Arthur Parry, ond wnaeth ei brofiad helaeth ef hyd yn oed ddim gwneud i mi deimlo'n llai pryderus. Mi oeddwn yn fwy ansicr fyth pan welais gorff dynes yn gorwedd ar y slabyn metel o'm blaen. Mae'n rhaid i mi ddweud bod y profiad wedi bod yn un diddorol er mai dim ond deunaw oed oeddwn i, ond cefais sioc fawr pan welais enw fy nhad ar y botel dabledi wrth ei hochr. Ia, o'i fferyllfa o yr oeddynt wedi dod.

Ym mis Hydref 1967 unwyd yr hen Heddlu Gwynedd, sef siroedd Môn, Arfon a Meirionnydd, gyda Sir Ddinbych a Sir y Fflint i ffurfio Heddlu Gwynedd Newydd. Fis ar ôl hynny roeddwn yn bedair ar bymtheg oed, a chefais fynd i Ben-y-bont ar Ogwr am dri mis o hyfforddiant fel cwnstabl – cwnstabl tri un chwech.

Cyrhaeddodd dau ddosbarth o ugain darpar-gwnstabl o bob rhan o Gymru y diwrnod hwnnw. Roeddem i gyd i gael ein lletya mewn sied fawr bren â rhes o welyau bob ochr iddi, a phwt bach o gwpwrdd i gadw dillad wrth ochr bob un. Bob bore, byddai pob un yn gwneud ei wely'n dwt a sefyll wrth ei ochr tra byddai sarjant yn ei arolygu – nid yn anhebyg i wersyll milwrol. Un ystafell ymolchi fechan oedd yno, a phawb yn ymolchi mewn shifftiau. Un ystafell oedd yna i fwyta hefyd, ond roedd hon yn anferth a'r bwyd yn dda, mae'n rhaid dweud.

Roedd cefndir y myfyrwyr yn amrywiol; rhai yn gyn-filwyr, eraill wedi bod ar y môr ac un neu ddau, fel fi, heb lawer o brofiad y tu allan i'r heddlu. 'Dw i'n cofio un o'r enw Benjamin Davies o Heddlu Canolbarth Cymru. Roedd o wedi bod ar y môr am flynyddoedd ac oherwydd ei brofiad, gwnaed ef yn arweinydd ein dosbarth.

Roedd Bob Rowlands, fy nghyfaill o Ysgol Friars gynt, yno'r un pryd â mi ond mewn dosbarth gwahanol. Cafodd Bob a minnau ein gyrru o flaen prif swyddog y coleg un bore Llun am ein bod yn hwyr yn cyrraedd yn ôl y noson cynt. Penderfynu mynd am beint i'r dref wedi'r daith hir o'r gogledd yn ôl i'r ganolfan hyfforddi wnaethon ni. Efallai nad oedd hynny'n beth doeth, gan gofio na welais neb erioed yn llyncu cwrw fel Bob. Nid llyncu ydi'r disgrifiad gorau, wedi meddwl, ond tywallt. Gallai wagio gwydr peint mewn eiliadau, a phrynai pawb ddiod iddo er mwyn cael gweld y sioe. Ar ôl dangos y tric sawl gwaith cychwynodd y ddau ohonom tua'r coleg, ond roedd Bob wedi colli ei goesau a bu'n rhaid i mi ei gario. Nid tasg hawdd mohoni gan fod Bob yn hogyn nobl iawn, ac roeddem bum munud yn hwyr yn cyrraedd yn ôl. Yn anffodus, roedd rhywun wedi ein gweld, a'r bore trannoeth roeddem o flaen yr uwch arolygydd a hwnnw'n rhoi'r drefn go iawn i ni – y cerrydd cyntaf i ni'n dau ei gael yn yr heddlu. Ond os mêts, fel mae'r dywediad yn dweud – fedrwn i ddim ei adael o, na fedrwn? Ddeng mlynedd ar hugain yn ddiweddarach, honno oedd y stori gyntaf a adroddodd Bob yn ei barti ymddeol. 'Dw i'n falch nad oedd wedi anghofio, ond yn sicr, wnaeth y gerrydd ddim drwg i'r un ohonon ni.

Sarjants o bob rhan o Gymru oedd yn ein hyfforddi, a phob un gyda faint fynnir o brofiad. Roedd modd i unrhyw sarjant wneud cais i fod yn hyfforddwr, ac os oedd yn llwyddiannus, byddai'n treulio tri mis ar gwrs i ddysgu'r swydd. Tydi hyn ddim yn ymddangos yn amser hir iawn i ddysgu sut i fod yn athro, ond roedd y cwrs yn ddwys ac roedd gofyn iddynt ddarlithio o flaen amryw o brif gwnstabliaid cyn llwyddo. Mae'n rhaid i mi ddweud eu bod i gyd yn athrawon heb eu hail.

Y sarjant a oedd yn gyfrifol am y rhan helaeth o'n hyfforddiant oedd dyn o'r enw Thomas Henry Rees Mathias o Sir Benfro. Dechreuodd, yn ystod yr wythnos gyntaf, dynnu arnon ni i gyd mewn gwahanol ffyrdd. Tynnodd gymaint ar un bachgen fel na ddychwelodd i'r ganolfan ar ôl y penwythnos cyntaf.

'Wel,' meddai Sarjant Mathias. 'Os na fedr o gymryd ei bryfocio gen i yn y fan hyn, does dim siawns o gwbl iddo fo allan ar y stryd.'

'Dw i'n siŵr, erbyn hyn, ei fod yn agos i'w le.

Un o'r hyfforddwr eraill oedd Sarjant Anderson o Forgannwg. Wna' i fyth anghofio sut y bu'n ein dysgu sut i ddefnyddio pastwn.

Pastwn hen fasiwn oedd yn cael ei ddefnyddio bryd hynny, nid y pethau duon a welwch ar felt plismyn heddiw. Yn y chwedegau, roedd gan drowsus plismon boced hir, gul ar ochr allan y goes dde, a honno'n mynd yr holl ffordd i lawr at y pen-glin. Dyna lle cariwyd y pastwn – o'r golwg.

'Peidiwch â tharo corff neb, dim ond breichiau neu goesau,' meddai.

Tynnodd ei bastwn o'i boced a tharodd damaid o bren go drwchus gan ei falu'n racs, er mwyn dangos i ni pa mor beryglus oedd yr arf. Ymhen eiliad, daeth â'r pastwn allan o'i boced eto, a chan ddefnyddio'i holl egni, fe drawodd un bachgen a oedd yn eistedd yn y blaen ar draws ei ben. Roedd pawb wedi dychryn, yn enwedig y bachgen a drawyd, ond erbyn gweld, roedd Sarjant Anderson wedi ffeirio'r pastwn am un plastig. Deallais fod pob dosbarth newydd yn cael yr un driniaeth.

Fo hefyd fyddai'n mynd â ni i nofio unwaith yr wythnos i faes y llu awyr yn Sain Tathan, gyda'r bwriad o'n dysgu sut i achub bywydau yn y dŵr. Nid oedd byth yn nofio ei hun, dim ond cerdded yn ôl ac ymlaen ar hyd ochr y pwll yn gweiddi cyfarwyddiadau. Dechreuodd y bechgyn amau a oedd o'n gallu nofio, ac mae'n rhaid ei fod wedi sylweddoli hyn, oherwydd un diwrnod, fe dynnodd ei ddillad. Dyn go fyr oedd o o'i gymharu â phlismyn eraill, ond roedd yn stwcyn cryf yr olwg. Safodd yng nghongl y pwll, a oedd yn hanner can llath o hyd, deifiodd i mewn a nofio o dan y dŵr i'r gongl bellaf. Ni symudodd ei freichiau fwy na thair gwaith o un gongl i'r llall, a phan ddaeth allan o'r dŵr, nid oedd yn fyr o wynt o gwbl. Ddaru neb awgrymu nad oedd o'n gallu nofio wedyn.

Roedd Sarjant Anderson yn rhoi help llaw hefyd pan oeddem yn cael gwersi a elwid yn *beat occurrences*. Roedd un o'r myfyrwyr yn y dosbarth yn gorfod cerdded rownd y gongl a delio â beth bynnag a welai o'i flaen, a gweddill y dosbarth yn ei wylio. Daeth fy nhro i, a phan oeddwn yn disgwyl am gael dechrau, clywais y myfyrwyr eraill yn chwerthin yn uchel. Cerddais ymlaen a gweld Sarjant Anderson â'i gefn ataf, yn wynebu'r wal ac yn pasio dŵr yn braf, ei wlybaniaeth yn llifo i lawr y wal, rhwng ei draed a thros y pafin i'r gwter. Roedd hyn yn rhywbeth y gallwn ddod ar ei draws ar unrhyw stryd, ac felly roedd disgwyl i mi ddelio â'r mater yn gyhoeddus a phroffesiynol. Es ato, a phan oeddwn yn union y tu ôl iddo, fe drodd rownd, a theimlais y gwlybaniaeth yn llifo i lawr fy nghoes fy hun. Cymerais gam yn ôl, yn sydyn iawn, gallwch fentro, ac wrth edrych i lawr gwelais beth oedd yn llaw Sarjant Anderson. Potel blastig sebon golchi llestri, a honno'n llawn dŵr – diolch i'r nefoedd! Ar ôl i mi, gweddill y dosbarth a Sarjant Anderson orffen chwerthin, ysgrifennais ei enw yn fy llyfr am biso mewn man cyhoeddus.

Mae gen i gof da o'r Sarjant Gwynedd Michael hefyd. Un o Heddlu Gwynedd oedd o, yn treulio dwy flynedd o'i amser i lawr yng nghanolfan hyfforddiant yr heddlu ym Mhen-y-bont fel hyfforddwr dril. Dyn tal, smart oedd Sarjant Michael, a oedd wedi treulio peth amser yn y Gwarchodlu Cymreig. Fel y gallwch ddychmygu, roedd ei wisg a'i gap bob amser yn berffaith, a'i esgidiau yn sgleinio'n ddigon da i weld eich llun ynddynt. Roedd yn ofynnol i ninnau, y myfyrwyr, ymdrechu i gyrraedd ei safon o, a Duw a helpo unrhyw un a fethai.

Ar ôl archwiliad ar y sgwâr tu allan am wyth bob bore, roeddem yn gorfod gorymdeithio a gwneud ymarferion dril, ac yn aml iawn, nid oedd pethau'n mynd fel y dylent. Byddai Sarjant Michael yn gorchymyn i'r cwbl ohonon ni ymdeithio mewn rhesi o dri neu bedwar ar draws y sgwâr, yn debyg iawn i filwyr. Wrth orymdeithio, roedd gofyn mynd rownd conglau ac roedd yn rhaid i'r rhai ar ochr y wal gerdded yn arafach na'r rhai ar y tu allan. Fel y gallwch fentro, roedd pethau yn mynd yn flêr weithiau – mwy o draed moch na thraed plismyn! Roedd dysgu sut i droi yn yr unfan a chadw i'r un cam â phawb arall yn dasg anoddach na'r disgwyl. Cofiaf Gwynedd Michael yn sefyll o'm blaen, a'i drwyn ddim mwy na modfedd oddi wrth f'un i, yn gweiddi ar dop ei lais:

'Ti ddim yn gwybod y gwahaniaeth rhwng dy blydi de a dy blydi chwith? Os wnei di hynna eto, mi stwffia' i'r ffon yma i fyny dy... wel, gei di weld lle stwffia' i hi.'

Roedd rhywun yn ei chael hi bob tro. Un diwrnod, ceisiodd un o'r myfyrwyr saliwtio dau swyddog pwysig ar yr un pryd, gan godi ei ddwy fraich i fyny ar unwaith. Cafodd ei ddamio gan Sarjant Michael – a ninnau i gyd i'w ganlyn am chwerthin gymaint.

Cefais i a Bob Rowlands aml i bas adref ac yn ôl yng nghar Gwynedd Michael yn ystod ein cyfnod ym Mhen-y-bont. Roedd yn ddyn hollol wahanol oddi ar faes y dril. Deuthum i'w adnabod yn eithaf da wedi i mi orffen fy hyfforddiant, a chawsom hwyl fawr wrth gofio helyntion y ganolfan hyfforddi.

Roedd pob un ohonom yn gweithio'n galed ym Mhen-y-bont, ond cawsom ddigon o amser hamdden hefyd. Un tro, pan oedd y tywydd yn rhy ddrwg i deithio adref, dewisais i a thri gogleddwr arall fynd i Gaerdydd am y penwythnos. Roedd tîm rygbi'r Crysau Duon o Seland Newydd yn chwarae yn erbyn tîm o ddwyrain Cymru, a phenderfynwyd manteisio ar y sefyllfa a mynd i'w gweld. Yn anffodus, gohiriwyd y gêm oherwydd y tywydd, ond i Gaerdydd yr aethom beth bynnag gan ein bod wedi trefnu i aros yng Ngwesty'r Rheilffordd yn y brifddinas. Hwn oedd y tro cyntaf i mi aros mewn gwesty heb fy rhieni, yn fachgen yn dechrau cael blas ar ryddid – ac yn rêl boi.

Gan nad oedd gêm yn y pnawn, aethom am beint i westy'r Angel a phwy oedd yno ond holl dîm y Crysau Duon! Colin Meads oedd y capten, anferth o ddyn mawr cryf, ond coeliwch fi, roedd pob un ohonynt yn gewri yn ein llygaid ni. Cawsom brynhawn cyfan cofiadwy yn eu cwmni, er bod un peth wedi fy siomi yn arw. Roedd un ohonon ni, John Gladstone Davies o Fae Colwyn, yn gwisgo tei Heddlu Gogledd Cymru a llwyddodd i berswadio un o'r Crysau Duon i gyfnewid tei'r tîm am ei dei o. Gofynnodd un arall o'r tîm a oedd yna dei heddlu arall i'w chael, ond yn anffodus, doedd yna 'run. 'Dw i'n gofidio hyd heddiw nad oeddwn yn gwisgo fy nhei fy hun ar y pryd.

Y noson honno, aethom am dro o gwmpas y brifddinas a chawsom ein hunain mewn clwb strip-bryfocio. Roedd y lle yn reit wag ond ymhen peth amser, daeth tair neu bedair geneth i mewn ac eistedd wrth y bar yn agos aton ni. Deallon ar unwaith mai gogleddwyr oedden ni a chawsom sgwrs ddymunol am bron i awr gyda'r genethod, tan iddynt ddweud ei bod yn amser iddynt fynd. Cyn pen dim, dechreuodd y sioe, a wir i chwi, cafodd y pedwar ohonom sioc wrth weld yr un merched yn tynnu eu dillad ar y llwyfan. Wel, wyddwn i ddim beth fuasai Mam wedi ei ddweud, na beth fuasai'r gweinidog adref ym Mangor yn ei feddwl chwaith. 'Dw i'n edrych yn ôl ar y profiad fel rhan werthfawr o dyfu i fyny!

Ymhen deng wythnos, daeth fy hyfforddiant i ben ac ar ddiwedd Mis Chwefror 1967 cefais fy ngyrru i 'ddal pobl ddrwg' yng Nghonwy.

Fy nosbarth yn yr Ysgol Hyfforddiant ym Mhen-y-bont ar Ogwr yn 1967.
Chwith pell (rhes ganol)– Benjamin Davies, arweinydd y dosbarth
Canol yn y rhes ganol – fi
Rhes isaf: ail o'r chwith – Sarjant Anderson, pedwerydd o'r chwith – Sarjant Mathias, dde pell – Sarjant Gwynedd Michael.

Pennod 2

Conwy a Dolgellau

1968

Cyrhaeddais Conwy yn gwnstabl newydd ychydig oriau cyn cychwyn fy shifft gyntaf. Deuthum i ddeall fy mod i letya yng nghartref Mr a Mrs Jones sef fflat uwchben swyddfeydd y cyngor ym Modlondeb lle'r oedd Mr Jones yn ofalwr. Roedd Bodlondeb bryd hynny yn union fel ag y mae heddiw, sef adeilad mawr, urddasol, gyda grisiau pren llydan yn dringo i fyny i'r fflat; a theimlwn weithiau fy mod yn byw mewn plasty mawr yn ystod yr oes a fu. Dyma'r tro cyntaf i mi letya oddi cartref – ac roedd y fflat hwn yn dipyn gwahanol i'r fflat uwchben siop fferyllydd fy nhad ym Mangor.

Deallais ymhen ychydig fod y maer wedi gorfod rhoi caniatâd i mi aros yno. Rhyw bythefnos ar ôl mudo, galwodd y maer fi i lawr i'w barlwr am goctels gydag ef a rhai o'r uchel-swyddogion eraill. Doedd neb yn deall sut oedd plismon mor ifanc a newydd i'r dref wedi dod i le mor dda mor handi – mae'n siŵr nad oeddynt yn ymwybodol o gyfeillgarwch y maer, Bill Neville, â Nhad, a'n bod yn adnabod ein gilydd ers blynyddoedd!

Un o'r rhesymau pam bod yn rhaid i mi gael caniatâd i aros yno oedd ei bod yn angenrheidiol i mi gael allwedd i Fodlondeb er mwyn medru mynd a dod bob awr o'r dydd a'r nos. Wrth gwrs, roedd yr un allwedd yn rhoi mynediad i holl swyddfeydd y cyngor hefyd. Roedd drysau'r adeilad yn anferth, rhai pren derw trwm, a gallwch ddychmygu felly faint a phwysau'r allwedd. Heb air o gelwydd, roedd bron yn droedfedd o hyd ac yn teimlo fel pe bai'n pwyso'n agos i dunnell yn fy mhoced. Rhyfeddodd fy nghyfeillion fy ngweld yn cario'r fath beth.

Dechreuais fy shifft gyntaf yng Nghonwy am ddeg o'r gloch un noson o aeaf. Roedd gorsaf yr heddlu mewn man hwylus iawn yn Sgwâr Lancaster, yng nghanol y dref, ond y peth pwysicaf oll i'r plismyn oedd ei bod drws nesaf i dŷ bwyta *Alfredos*. Nid oedd yn rhaid gwneud paned yn y swyddfa, dim ond mynd â jwg drws nesaf a thalu swllt a chwech i gael ei llond hi o'r coffi Eidalaidd gorau oedd ar gael.

Cefais fynd allan y noson gyntaf honno yng nghwmni heddwas o'r enw Thomas John Williams, neu Twm 81. Roedd Twm yn gerdyn heb ei ail; yn siaradwr plaen ac wedi bod yn blismon am yn agos i ugain mlynedd. Roedd yn aelod o Gôr y Brythoniaid – tenor cyntaf os cofia' i'n iawn, ac wrth ei fodd yn ymarfer, waeth ble'r oedd o! Yn ystod y ddwyawr gyntaf rheiny, dangosodd y dref i mi gan gerdded trwy'r strydoedd a thu ôl i'r siopau. Dywedodd fod cefn pob siop yn cael ei harchwilio beth bynnag ddwywaith bob nos – unwaith ar ôl iddi ddistewi ar y stryd ac yna rhwng pedwar a chwech y bore. Ar ôl dangos y cwbl, dywedodd fel hyn;

'Wel, 'dw i wedi dangos y dyletswyddau cywir i ti hyd yn hyn. Mae'n amser rŵan i ddangos i ti beth ydan ni ddim i fod i'w wneud.'

Agorodd ddrws cefn un adeilad ac aethom yn syth i mewn i gefn siop *chips* lle cawsom groeso a phaned o de i'n cynhesu.

'Rwyt ti'n hwyr heno, Twm,' meddai'r perchennog.

'Wedi bod yn tywys y bachgen ifanc yma o gwmpas y dre ydw i,' oedd ei ateb. Roedd yn ddigon hawdd gweld bod Twm yn ymwelydd cyson. Ia, un garw oedd o.

Y dyddiau hynny roedd cyfeirio traffig yn orchwyl rheolaidd yn Sgwâr y Castell. Roedd Twm yn ysmygwr trwm, ac wn i ddim sawl gwaith y gwelais o'n chwifio ei ddwylo wrth gyfeirio'r traffig, a rhôl sigarét yn ei geg. Nid oedd dim o bwys ganddo pwy fuasai yn ei weld.

'Os ydyn nhw'n disgwyl i mi sefyll yn y fan hyn am oriau

heb smôc, mi gân fynd i'r diawl,' meddai.

'Dw i'n cofio car yn stopio ar y sgwâr un diwrnod tra'r oedd Twm yn cyfeirio'r traffig. Roedd gyrrwr y modur am ofyn am gyfarwyddiadau i Twm ond pechod mawr oedd i'r car oedi a chreu tagfa.

'Be' oedd o eisiau?' gofynnodd y sarjant yn ddiweddarach.

'Sais oedd o, eisiau gwybod y ffordd i Ddolgellau,' atebodd Twm. 'Ond allai o ddim hyd yn oed dweud y gair Dolgellau yn iawn, felly fe'i gyrrais o i Gaergybi.'

Ysgwyd ei ben o un ochr i'r llall ddaru'r sarjant. Ia, cês oedd Twm.

Yr ail noson, cefais fynd allan ar fy mhen fy hun. Cyn pen dim, clywais sŵn ceir yn sgidio a chanu cyrn. Pan es rownd y gongl gwelais ddyn yng nghanol y ffordd a phedwar milgi ganddo, dau ym mhob llaw. Roedd yn amlwg ei fod wedi meddwi a gwelwn fod y cŵn yn ei dynnu bob ffordd. Cerddais ato a gofyn ble'r oedd o'n meddwl mynd. Dyn mawr cryf yr olwg oedd o, tua deugain oed, yn siglo yn ei ddiod ac yn edrych yn hynod o gas arna' i. Gwyddwn yn syth ei fod â'i fryd ar gwffio. Fedrwn i mo'i adael, felly gofynnais iddo a oedd o eisiau rhywle i gadw'r cŵn dros nos, gan fod cwt ci yng ngorsaf yr heddlu. Cytunodd, a rhywsut cefais o i siglo'i ffordd tuag at yr orsaf. Fel yr oeddem yn cyrraedd y drws, newidiodd ei feddwl ac ymosod arnaf. Gyda help gan y sarjant ac un plismon arall a oedd wedi clywed y cynnwrf, gwthiwyd o i mewn i'r gell a rhoddwyd y cŵn yn ddiogel yn y cwt. Ychydig cyn chwech y bore, rhyddhawyd ef a'i gyhuddo o fod wedi meddwi. Roedd yn rhaid darllen y cyhuddiad iddo a dweud wrtho ar y diwedd pa ddeddf yr oedd wedi ei thorri, sef Deddf Trwydded 1872. 'Dw i'n cofio ei ateb i'r cyhuddiad hyd heddiw. 'Cyn hired yn ôl â hynny ia?' meddai. Mae'n rhaid ei fod wedi cymryd mwy o sylw o ddyddiad y ddeddf na'r cyhuddiad ei hun!

Cyn pen y mis, ymddangosodd o flaen Llys Ynadon Llandudno a phledio'n euog. Deallais yn y fan honno fod ganddo lawer o ddedfrydau blaenorol am feddwi, ymladd ac ymosod ar yr heddlu. Pan gafodd y manylion hyn eu cyhoeddi o flaen yr ynadon, trodd ei ben ataf a rhoddodd winc a nod. Gwelais ef tu allan i'r llys ar ôl yr achos. Daeth ataf gan ddweud:

'Diolch i ti am edrych ar fy ôl i'r noson honno. Oes posib cael lifft yn ôl i Gonwy gen ti os gweli di'n dda?'

Fedrwn i ddim gwrthod.

Fel y soniais, un o'n tasgau rheolaidd oedd cyfeirio'r traffig, am oriau weithiau, yn Sgwâr y Castell. Pan ddaeth fy nhro cyntaf i, daeth Sarjant Ifor Jones efo fi i roi cyfarwyddyd. Yn y lle cyntaf, dywedodd wrtha' i lle i sefyll cyn edrych arna' i wrthi am funud neu ddau, a dweud:

'Dewch o'na ar unwaith, Griffiths bach, cyn i chi fod yn gyfrifol am ddamwain!'

Ar ôl i mi ddysgu, treuliais oriau maith yn y fan honno. Nid oeddwn yn mwynhau'r gwaith ac, a dweud y gwir, teimlwn nad i wneud gorchwyl o'r fath yr oeddwn i wedi ymuno â'r heddlu. Ond dyna fo, roedd yn rhaid gwneud.

Tra'r oeddwn yno, gwelwn Goronwy Evans bob hyn a hyn, yr un a oedd yn gyfrifol, gymaint â neb, am i mi ymuno â'r heddlu. Erbyn hyn, ef oedd y Ditectif Sarjant Llandudno. Flynyddoedd yn ddiweddarach, dywedodd hanes wrtha' i am rywbeth a ddigwyddodd iddo yn ystod y cyfnod hwn.

Un diwrnod tra'n disgwyl am ei dro i roi tystiolaeth gerbron y brawdlys, ac roedd yn rhaid disgwyl am oriau weithiau, fe aeth Goronwy allan am smôc fach. Roedd Goronwy yn hoff iawn o'i getyn. Yn sydyn, galwyd o i'r llys. Tarodd ei getyn yn erbyn y wal, i mewn â fo ac ar ei union i focs y tyst. Tyngodd y llw a dechreuodd y bargyfreithwyr ei holi. Ymhen ugain munud, bu'n rhaid gohirio'r achos yn sydyn. Roedd rhywun yn gweld mwg yn dod o rhywle. Sylweddolwyd mai o boced Goronwy yr oedd o'n dod – doedd o ddim wedi diffodd ei getyn yn iawn cyn iddo'i roi yn ei boced! Ail-ddechreuodd yr achos yn fuan wedyn heb niwed mawr i ddim ond poced Goronwy. Bu dipyn o biffian chwerthin yn y llys y diwrnod hwnnw mae'n siŵr.

Mae'n amlwg fod Goronwy yn llawn triciau. Hoffai adrodd ei hanes tra'r oedd ym Mhenmaenmawr. Roedd o ac un o'r plismyn; Ifor Jones, fy sarjant i yng Nghonwy erbyn hyn; yn gweithio hefo heddwas arall o'r enw Gareth Salt un noson. Penderfynodd Goronwy ac Ifor Jones symud car Gareth o'r tu allan i orsaf yr heddlu a'i guddio rownd y gongl. Mae'n siŵr mai'r bwriad oedd stelcian gerllaw er mwyn gweld wyneb Gareth pan sylweddolai nad oedd ei gar yn lle y'i gadawyd. Yn anffodus, galwyd Goronwy ac Ifor ymaith, a phan welodd Gareth fod y modur wedi mynd, aeth yn syth i'r swyddfa â'i wynt yn ei ddwrn. Ffoniodd y pencadlys i ddweud bod ei gar wedi ei ddwyn a gyrrwyd y manylion dros donfeddi'r radio a thros y ffôn i bob man yng Ngwynedd a'r tu hwnt. *Panic steshion* cyn belled ag yr oedd Goronwy ac Ifor yn y cwestiwn! Dyma afael yn Salt a smalio mynd hefo fo i chwilio am ei gar ac, wrth gwrs, daethpwyd o hyd iddo mewn chwinciad nid nepell o'r orsaf. Bu'n rhaid i Goronwy gysylltu â'r pencadlys yn sydyn wedyn i ddweud bod popeth yn iawn, ac i ganslo'r neges gyntaf. Roedd Gareth Salt yn gerdyn heb ei ail hefyd – cewch fwy o'i hanesion yn nes ymlaen – ond chafodd o erioed, am a wn i, wybod y gwir, ac aeth i'w fedd gan feddwl bod ei gar wedi ei ddwyn y noson honno.

Roedd Conwy yn lle braf ac, a dweud y gwir, roedd llawer llai o bobl ddrwg yno nag yr oeddwn wedi ei ddisgwyl. Roeddwn wrth fy modd yn troedio i lawr am y cei i weld y cychod pysgota yn dod â'u llwythi i mewn, ond byr fu fy amser yno. Ar ôl pedwar mis yn unig, roedd angen plismon ychwanegol yn Nolgellau dros yr haf, a phenderfynwyd fy symud yno.

Erbyn heddiw, mae gorsaf heddlu newydd yn Nolgellau, ond yn 1968 mewn hen adeilad carreg yng nghanol y dref yr oeddem yn gweithio. Un sarjant, Osbourne Jones, a weithiai yno, ac nid oedd posib iddo fod ar ddyletswydd bob awr o bob dydd. O ganlyniad, roedd tipyn mwy o gyfrifoldeb ar fy ysgwyddau i gan nad oedd cymaint o arolygiaeth. Nid oedd cymaint o blismyn yno chwaith ac yn aml iawn doedd neb arall i droi ato. Weithiau, roeddwn yn gweithio ar fy mhen fy hun yn ystod y nos gyda'r plismon agosaf ym Mlaenau Ffestiniog, a dim mwy na phum mis o brofiad gen i.

'Dw i'n cofio cael galwad at lan afon Mawddach ganol nos rhyw dro. Roedd dau gipar afon wedi dal un o botsiars yr ardal ac fe ymosododd arnynt gan anafu'r ddau. Bu'n rhaid i mi fynd ag ef i'r ddalfa fy hun ond, chwarae teg, chefais i ddim trwbl ganddo, a deliais â'r achos fy hun yn eithaf da, 'dw i'n credu.

Roeddwn yn lletya gyda gwraig weddw o'r enw Mrs Jones yn Wesley Terrace, Dolgellau. Tŷ braf a chyfforddus, ond nid oedd dŵr tap yn y llofft, neu i fyny'r staer, fel y maen nhw'n dweud yn y rhan yma o Gymru! Roedd yn rhaid i mi ymolchi ac eillio hefo dŵr oer yn fy ystafell wely, ond nid oedd hyn yn faich ar ddyn ifanc yn y dyddiau hynny.

Fy mhleser pennaf yn ystod fy amser hamdden oedd pysgota, ac un fantais o weithio yn Nolgellau oedd cael cyfle i bysgota yn y Fawddach a'r Wnion yng nghwmni un o'r plismyn eraill – i chwilio am eog, ond heb lwc. Bum yn pysgota'n fwy llwyddiannus tra yng nghwmni cymydog i Mrs Jones yn Wesley Terrace sef Twm Lavender – dyn go fawr, dipyn go lew yn hŷn na fi a oedd wedi colli'r rhan fwyaf o'i ddannedd. Roedd ganddo fo a'i wraig lond tŷ o blant (os cofia' i'n iawn, ganed plentyn arall iddynt yn ystod yr amser byr y bum i yn Nolgellau). Gweithiai Twm i'r cyngor fel peiriannydd moduron a lorrïau, ond roedd yn well ganddo bysgota brithyll. Roedd yn adnabod pob nant ac afon fach yn yr ardal fel cefn ei law, ac yn aml byddai yn fy nisgwyl adref o'm gwaith, gan ddweud:

'Dos i nôl dy walem was, ma'i 'di bod yn bwrw glêw.'

Hoffwn wrando ar ei dafodiaith. Os byddai brithyll yn rhy fach i'w gadw, roedd yn dweud:

'Rho fo'n ei ôl was, bwyd ciêth fêch ydi hwnna.'

Roeddwn wrth fy modd yn ei gwmni. I afon fach Arthog y byddem yn mynd gan amlaf, a dyna lle y dysgodd fi sut i roi lein fer trwy fwlch bach rhwng canghennau a dail a gollwng y pryf genwair i ddŵr gwyn yr afon. Yn aml, roedd y ddau ohonom yn wlyb socian ar ôl gwthio trwy'r coed ar ôl y glaw, ond roedd y bag yn eitha llawn o bysgod bob tro (ei fag o'n fwy na'm un i), a Mrs Jones wrth ei bodd yn eu coginio i ni. Yn wir i chi, daeth Twm a finnau yn fêts yn syth.

Yn fy ngwaith un bore clywais fod rhywun wedi torri i mewn i un o gytiau'r cyngor ar y Marian a dwyn peiriant torri gwair drud. Wedi gwneud ymholiadau, clywais fod rhai o blant yr ardal yn adeiladu *go-cart* ac fe es am sbec. Nid oedd yn anodd darganfod pwy oedd wrthi, ac ymhen noson neu ddwy, sleifiais i ardd gefn y bachgen a sgleinio golau fy fflachlamp trwy ffenestr y cwt cefn. Yno gwelais y peiriant torri gwair. Gan fy mod yn gymharol ddibrofiad o hyd cefais help gan y ditectif sarjant lleol i ddal y lleidr ond, er hynny, teimlais fy mod wedi cychwyn ar y daith o ganfod troseddwyr. Cam bach efallai, ond roeddwn wedi cael boddhad drwy ddarganfod y lleidr ar fy mhen fy hun, ac eisiau bod yn dditectif rŵan yn fwy nag erioed. Ditectif Sarjant Ernie Watkins a'm helpodd, a bûm yn gweithio llawer o dan ei arweiniad ar ôl hynny.

Un diwrnod, bu'n rhaid mynd â charcharor o lys ynadon Dolgellau i'r carchar yn yr Amwythig, a fi a phlismon arall o'r wlad, John Goronwy, gafodd orchymyn i fynd â fo. Nid oeddwn wedi bod mewn carchar o'r blaen ac roedd yn deimlad reit annifyr. Roedd pob twll a chongl o'r adeilad anferth yn unffurf, gyda rhodfeydd cul, tywyll fel twneli caeëdig a grisiau cul haearn yn gwneud sŵn gwag o dan draed. Roeddwn yn falch o gael mynd oddi yno, ond am reswm go wahanol y cofia' i y diwrnod hwnnw am byth.

Tipyn o wariar oedd John, hogyn mawr trwm a heddwas llawer mwy profiadol na fi. Gan ein bod yn mynd allan o ddalgylch heddlu Gwynedd, dywedodd wrtha' i ei bod yn arferiad mynd yn ein dillad ein hunain. Serch hynny, roeddem yn gyrru fan swyddogol yr heddlu, fan Austin A55 werdd a golau glas ar ei tho. Dyma gychwyn am yr Amwythig tua thri o'r gloch y prynhawn a'r carcharor yng nghefn y fan. Wedi trosglwyddo hwnnw i ofal swyddogion y carchar, cawsom gychwyn ar ein siwrne adref.

Yn fuan ar ôl gadael, datganodd John fod arno eisiau bwyd, a'i fod yn gwybod yn union lle i gael pryd da. Cofiwch, roedd John yn ddyn profiadol ac wedi gwneud y siwrne yma lawer gwaith o'r blaen. Cyn pen rhyw ddeugain milltir, dywedodd wrtha' i am barcio o flaen rhyw dŷ tafarn ar ochr y ffordd.

'Lle da am bryd a pheint ydi hwn,' meddai John.

Pwy oeddwn i i ddadlau? Roedd hi tua hanner awr wedi saith erbyn hyn ond doedd yno'r un cwsmer. Cawsom groeso'n syth gan y perchennog, ac ar ôl prynu peint ac archebu pryd bob un o'r fwydlen, cawsom sgwrs ddymunol hefo fo. Sawl gwaith yn ystod yr hanner awr ganlynol, edrychodd y perchennog ar ei oriawr.

'Mae'n ddistaw iawn yma heno,' meddai. 'Wn i ddim lle mae pawb. Mi fydd yn dechrau prysuro erbyn hyn fel arfer.'

Dywedodd yr un peth ddwy neu dair gwaith fel yr oeddem yn bwyta hefyd. Roedd hi'n bell wedi wyth erbyn hyn, ac fel yr oedd John a minnau'n gorffen ein pryd, agorodd drws y dafarn ac ymddangosodd pen rownd y gongl a'i ddau lygad yn rhythu. Roedd yn amlwg fod y gŵr yn adnabod y perchennog yn dda.

'Lle maen nhw?' gofynnodd.

'Lle mae pwy?' atebodd y perchennog.

'Y plismyn, wrth gwrs,' atebodd yn ôl. 'Mae eu fan nhw wedi bod tu allan yma ers awr dda ac mae pawb wedi mynd i lawr i'r dafarn yn y pentre.'

Cododd John a finnau, ac wedi talu'r bil aethom i gyfeiriad Dolgellau yn reit handi gan obeithio nad oeddem wedi colli gormod o gwsmeriaeth iddo.

Erbyn canol Hydref, nid oedd angen plismon ychwanegol mwyach yn Nolgellau ac i ffwrdd â fi unwaith eto – y tro yma am Gaergybi. Mae gen i atgofion arbennig o dda o'm cyfnod byr ym Meirionnydd, ond yng Nghaergybi y cefais brofiad ac addysg go iawn.

Pennod 3

Caergybi

1968 – 1972

Gan fod gen i berthnasau yng Nghaergybi, roeddwn yn gyfarwydd â'r dref i ryw raddau. Mae'n amhosib osgoi cysylltiad y dref â'r môr – pan oeddwn yn fachgen, gwnaeth gweld llongau mawr yn docio yng nghanol y dref argraff fawr arna' i. Dyna fu Caergybi erioed: tref wedi ei hadeiladu o amgylch yr harbwr ar gyfer teithwyr rhwng Prydain Fawr ac Iwerddon.

Pan gyrhaeddais yno ym mis Hydref 1968, byddai un llong yn cyrraedd o'r Iwerddon am hanner nos ac un arall yn gadael am Dun Laoghaire am chwarter wedi tri y bore. Y *Cambria* a'r *Hibernia* oedd y rhain – y *mail boats* chwedl y bobl leol, er bod mwy o bobl nac o lythyrau yn teithio arnyn nhw erbyn hyn. Roedd llongau eraill yn defnyddio'r porthladd hefyd, yn cario amrywiol nwyddau, felly doedd Caergybi, yn wahanol iawn i Gonwy a Dolgellau, byth yn cysgu.

Does dim dwywaith bod yr awyr iach yn hallt yng Nghaergybi – mae'r gwynt yn dod o'r môr pa bynnag ffordd y chwyth. Pan oedd y gwynt yn gryf o'r gogledd, roeddwn wrth fy modd yn edrych ar y tonnau mawr yn cael eu taflu dros y morglawdd. Pan oedd hi'n llonydd ac yn niwlog, roedd corn rhybudd niwl y *North Stack*, yr ochr draw i Fynydd Tŵr, i'w glywed drwy'r dref.

'Dw i'n credu bod y môr yn fy ngwaed. Pan oeddwn yn ifanc, roeddwn wrth fy modd yn gwrando ar fy Ewyrth Llew, o Foelfre, a Marianglas yn enedigol, yn adrodd ei helyntion wedi iddo redeg i ffwrdd i'r môr (medda' fo) pan yn bymtheg oed; a hanesion sawl un o deulu fy nhad o Amlwch a deithiodd y byd ar longau mawr o Lerpwl. Yn fachgen, roeddwn wedi mwynhau amser braf yn hwylio o amgylch rhannau o arfordir Môn gyda Nhad ac felly'n adnabod yr arfordir yn eitha' da. Roeddwn yn teimlo'n gartrefol yng Nghaergybi yn barod.

Yr arferiad y dyddiau hynny wrth symud i safle newydd oedd i heddwas gael pedair awr i deithio a chynefino â lle bynnag yr oedd yn mynd i aros. Yna, roedd yn rhaid gweithio'r bedair awr nesaf o'i swyddfa newydd.

Roedd yr heddlu wedi trefnu llety i mi hefo Ron a Gline Williams a'u mab Ian yn Llaingoch, a wyddoch chi be', roedd y tri ohonynt, fel finnau, yn hoff o bysgota môr. Bûm yn ffodus o gael lle mor dda, a thra'r oeddwn yn lletya yno, cefais hwyl fawr yn eu cwmni'n dal pob math o bysgod oddi ar greigiau'r ynys.

Ar ôl dadbacio, euthum i lawr i swyddfa'r heddlu erbyn chwarter i ddau er mwyn dechrau gweithio am ddau o'r gloch. Dywedodd rhywun wrtha' i am fynd allan i'r stryd, ac y byddai'r sarjant yn dod ataf cyn bo hir. Tua hanner awr yn ddiweddarach, roeddwn yn dal i sefyll yn Stryd Stanley pan welais y sarjant yn brasgamu ataf o gyfeiriad y swyddfa, ei streipiau arian yn sgleinio yn yr haul. Roeddwn yn mynd i ddod i adnabod Sarjant John Williams, neu Jack 14, yn dda yn ystod y blynyddoedd nesaf, ond y diwrnod cyntaf hwnnw, roedd rhywbeth yn ei ymddygiad, y ffordd yr edrychai i'm llygaid a'r ffordd y siaradai mor swyddogol, yn gwneud i mi fod braidd yn wyliadwrus ohono. Fe safodd yn union o 'mlaen i.

'Wel, Griffiths,' meddai, gan edrych yn ddigon ffyrnig arnaf. 'Ers faint wyt ti wedi bod yng Nghaergybi 'ma rŵan?'

'Tua tair awr, Sarj,' atebais, gan ddisgwyl i'r cwestiwn nesaf fod yn dipyn o brawf.

'Wyt ti wedi bod yn y gwely efo dy *landlady* eto?' gofynnodd yn ddifrifol.

'N... n... naddo wir, Sarjant,' meddwn, yn ddigon swil a chynhyrfus.

'Wel, mae'n hen bryd i ti wneud, yn tydi? Er mwyn i ti gael mwy o fwyd ar dy blât, wyt i'n gweld.'

Gwelais yn ei lygaid rhyw arlliw o'i hiwmor cudd, a dyna'r profiad cyntaf gefais i o *Jack Fourteen,* fel roedden ni'r hogiau i gyd yn ei alw (ond byth yn ei wyneb, cofiwch). Na, roedd ganddon ni i gyd ormod o barch tuag ato i'w alw'n ddim byd ond 'Sarj'.

Y diwrnod canlynol roeddwn yn dechrau gweithio am ddeg o'r gloch y nos, a chefais flas o Gaergybi ar ei gwaethaf. Yn ystod y ddwy awr gyntaf, bu cwffio cyson ar y stryd fawr a chafodd nifer o ffenestri'r siopau eu malu – rhywbeth a oedd yn digwydd yn aml yn ôl pob golwg. Cyn bo hir, roedd ffenestri tai Stryd y Newry yn cael eu torri'n yfflon, a bu'n rhaid i un neu ddau ohonon ni'r plismyn adael twrw'r stryd fawr i erlid y rhai oedd wrthi yn y fan honno. Welais i erioed y fath aflonyddwch o'r blaen – un digwyddiad ar ôl y llall. Roeddwn wedi sylwi bod mwy o gelloedd yng ngorsaf heddlu Caergybi nac yn unrhyw orsaf arall, ac yn awr, roeddwn yn gwybod pam! Roedd y cwbwl yn llawn y noson honno.

O gwmpas hanner nos cefais fy ngyrru gyda plismon arall, Dei Parry rhif 306, i dŷ yn Millbank lle bu ffrae deuluol. Roedd ambiwlans yno'n barod, a gwelsom ddyn canol oed ar lawr a gwaed yn llifo o'i ben. Roedd oglau diod ar wynt pawb yn y tŷ – peth cyffredin iawn fel y deuthum i ddeall. Pan holon ni beth oedd wedi digwydd, dywedodd gŵr ifanc gerllaw ei fod wedi rhoi dau neu dri 'o'r rhain' iddo, gan ddangos ei ddwrn, ac un neu ddau 'o'r rhain hefyd,' gan ddangos ei droed yn cicio. Fel yr oedd y dynion ambiwlans yn cario'r un a anafwyd allan, arestiodd Dei a finnau'r gŵr ifanc a mynd ag ef i'r ddalfa.

Cawsom air o'r ysbyty yn hwyrach y noson honno yn dweud y byddai'r sawl a anafwyd yn ddigon da i roi datganiad o gŵyn i ni yn y bore, ond yn anffodus, ddim felly y bu hi. Cefais alwad o 'ngwely yn fuan trannoeth yn dweud bod eisiau i mi fynd i'r swyddfa ar unwaith. Pan gyrhaeddais, roedd Dei Parry ac aelodau o'r CID yno'n barod – ynghyd â'r Ditectif Brif Uwch Arolygydd John Hughes, pennaeth y CID dros Ogledd Cymru. Erbyn deall, roedd y gŵr a anafwyd y noson cynt ar fin marw. Pan holwyd y dyn a arestiwyd, cyfaddefodd ei fod wedi taro'r llall i'r llawr a defnyddio stop drws efydd trwm i'w daro ar ei ben sawl gwaith. Roedd asgwrn ei benglog wedi'i dorri a bu niwed difrifol i'w ymennydd.

Yn groes i bob disgwyl, ni fu'r gŵr a anafwyd farw ond, flynyddoedd yn ddiweddarach, fe'i gwelais mewn cadair olwyn, a gwyddwn nad oedd wedi cerdded, siarad na symud ar ei ben ei hun ers y noson honno. Cyhuddwyd y dyn a ymosododd arno o geisio llofruddio a chafodd ei garcharu am wyth mlynedd. Rhyddhawyd ef ar ôl pum neu chwe mlynedd ac fe'i gwelais o gwmpas Caergybi sawl gwaith wedyn. Mae un peth yn siŵr – nid oedd ei ddedfryd ef yn gymharol â'r ddedfryd a roddodd i un o'i deulu ei hun y noson honno.

Gan gofio bedydd tân y noson gyntaf, cerddais allan o orsaf yr heddlu am ddeg o'r gloch y noson wedyn gan obeithio am noson ychydig distawach. Gobaith mul! Cyn cerdded can llath, clywais sŵn cwffio yn dod o dafarn y *Rose and Crown*. Defnyddiais fy radio i alw am help, ac i mewn â fi. Welais i ddim byd tebycach i ffilm gowbois yn fy nydd – roedd byrddau a chadeiriau yn cael eu taflu o gwmpas, pawb yn dyrnu'i gilydd a chyrff ym mhob man. Gafaelodd llaw anferth yn fy nghorn gwddw yn syth, ond diolch i'r nefoedd, daeth Sarjant Jack Williams, yr Arolygydd Tecwyn Williams a phlismon arall i'm helpu. Rhywsut neu'i gilydd, cawsom y ddau a oedd wedi dechrau'r helynt i mewn i'r ddalfa: erbyn deall, roedd y ddau yn cwffio a chodi twrw yn aml. Mae'n anodd iawn dirnad heb fod yn y sefyllfa hon pa mor anodd yw mynd â dyn meddw, a hwnnw'n cwffio, i rywle yn erbyn ei ewyllys. Ond, dros y blynyddoedd, dod i arfer oedd raid.

Cyn mynd yn ôl allan i'r stryd, cefais fy ngalw i swyddfa'r Arolygydd Williams – mae'n rhaid ei fod wedi sylwi nad oeddwn yn cario fy mhastwn – a gofynnodd lle'r oedd o. Cefais 'y ddam' ganddo, a honno'n ddigon i'w chofio am y weddill fy ngyrfa fel heddwas.

'Di o'm bwys gen i lle wyt ti wedi bod cyn i ti ddod i Gaergybi, ond o hyn ymlaen, paid byth â mynd allan o'r adeilad yma heb dy bastwn yn dy boced,' meddai. Rhaid i mi gyfaddef mai dyna un o'r gorchmynion gorau a gefais erioed.

Yn hwyrach y noson honno, bu damwain ar yr A5 y tu allan i Gaergybi a lladdwyd un dyn. Nid oedd angen i mi fynd yno ond roedd yn rhaid i mi gyfarfod dynion yr ambiwlans er mwyn edrych ar ôl y corff a'i eiddo. Rhoddodd un o ddynion yr ambiwlans fag plastig i mi gan ddweud mai ymennydd y dyn a fu farw oedd ynddo. 'Dw i'n cofio'n iawn ei fod yn gynnes yn fy llaw. Ni allaf fod yn siŵr, ond 'dw i wedi amau lawer gwaith mai prawf oedd hwn, er mwyn gweld sut y buasai plismon mor ifanc yn delio efo'r fath amgylchiad. Cofiaf, hyd heddiw, i mi feddwl bod yr ymennydd hwnnw, awr ynghynt, yn cynnal bywyd. Ond allwn i ddim dangos fy nheimladau ar y pryd – roedd yn rhaid ymddwyn yn broffesiynol a chwbwlhau fy ngwaith fel y disgwyl.

Yn ogystal â bod yn le da iawn i ddysgu, roedd Caergybi yn lle arbennig ar gyfer gwneud ffrindiau oes. Gweithiais lawer tro 'ar yr un tyrn' â Dei Parry 306, bachgen o Gonwy a ymunodd â'r heddlu tua blwyddyn o'm blaen i. A dweud y gwir, gweithiodd y ddau ohonom gymaint o shifftiau nos gyda'n gilydd fel bod gweddill yr hogiau yn ein galw'n '*Bill and Ben, the ten pm men*'. Daethom yn gyfeillion ardderchog yn ystod y blynyddoedd hynny.

Roedd Dei yn fyrrach na'r mwyafrif o'r plismyn eraill,

ond roedd cyflymder ei feddwl a'i hiwmor yn gwneud yn iawn am y diffyg hwnnw. Nid oedd cyfrifiadur cenedlaethol gan yr heddlu bryd hynny, a doedd dim angen un chwaith yng nghwmni Dei Parry. Roedd o'n adnabod pob car yng Nghaergybi a'r tu hwnt, pwy oedd yn eu gyrru a lle'r oeddynt yn byw. Roedd o mor hoff o geir fel y gallai ddweud o bell, o siâp ei lampau mawr, sut fath o gar oedd yn dod ato yn y tywyllwch. Wel, bron iawn bob tro. Roedd un cerbyd yn achosi dryswch cyson i Dei a nifer o blismyn eraill hefyd.

Cyn i mi gyrraedd Caergybi, roedd yno Uwch Arolygydd o'r enw R E Williams. Gonc oedd ei lysenw – oherwydd maint ei drwyn am wn i. Roedd Gonc yn rheoli â llaw gref a doedd fiw i un plismon fod ar y stryd yng Nghaergybi a pheidio'i saliwtio fel yr oedd yn mynd heibio yn ei gar. Austin Cambridge mawr du oedd ganddo, ac roedd popeth yn iawn yn ystod y dydd, ond yn ystod y nos, roedd pethau'n anoddach. Roedd yn gymharol hawdd adnabod Austin Cambridge yn dod i fyny'r stryd yn y tywyllwch, ond fel y gallech ddisgwyl, roedd yna fwy nac un Austin Cambridge du yng Nghaergybi ar y pryd. Un o'r rhai eraill oedd tacsi a oedd yn cael ei yrru gan Wil Cachu Iâr, un o gymeriadau'r dref. Mae'n rhaid bod ei deulu wedi bod yn cadw ieir ac yn gwerthu gwrtaith ar un adeg. P'un bynnag, i wneud pethau yn fwy cymhleth, roedd yr hen Wil yn gwisgo cap â phig tebyg i un yr Uwch Arolygydd. Gallwch fentro, pan fyddai Wil yn pasio plismyn ar y stryd yn ystod y nos, cawsai ei saliwtio bob tro gan yr hogiau. Roedd yn llawer gwell saliwtio'r hen Wil ddwsin o weithiau rhwng deg a hanner nos na pheidio â saliwtio Gonc unwaith. Yn rhyfeddach fyth, roedd yr hen Wil yn saliwtio'n ôl hefyd! Ond rhaid dweud ei fod yn gyfaill da i'r heddlu, yn aml iawn yn mynd â meddwon adref yn ei dacsi cyn iddynt ddechrau codi twrw, ac wrth wneud hynny yn arbed gwaith i bawb.

O dro i dro, galwai Wil yng ngorsaf yr heddlu rhwng

hanner nos ac un, ac os câi gynnig paned, ni wrthodai byth. Byddai ei gar, y tacsi, yn sefyll tu allan i ddrws ffrynt yr adeilad – a'r allweddi yn dal i fod ynddo. Sylwodd dau o'r plismyn, Alan Pierce ac Esmor Williams, ar hyn un noson, a dyma benderfynu dwyn car Wil a'i guddio nid nepell, allan o'r golwg. Wel, sôn am bantomeim pan orffennodd Wil ei banad y noson honno:

'Mae rhywun wedi dwyn fy nghar i, a chitha'r diawlad yn yfed te yn fan hyn!'

Deallodd Wil beth oedd wedi digwydd yn reit fuan, a dysgodd beidio â gadael ei allweddi yn y car. Roedd hi'n wers dda ar atal troseddau ond fyddai hyn byth yn digwydd heddiw, mae hynny'n siŵr.

Roedd Dei Parry yn hoff o yrru ceir hefyd, ac yn teimlo'n rêl boi y tu ôl i'r llyw – tan iddo gael pwt bach o ddamwain un prynhawn. Tarodd fws wedi ei barcio tra roedd yr haul yn ei lygaid. Dinistrwyd y car (a rhan helaeth o'r bws hefyd) ac fe gafodd Dei ei yrru i Ysbyty Stanley mewn ambiwlans. Cyrhaeddodd Sarjant Jack 14 yno ymhen ychydig a gweld Dei yn gorwedd ar wely. Drwy lwc, dim ond ei hunan barch a glwyfwyd, a daeth gwên i'w wyneb pan ddechreuodd Jack Williams ei holi:

'Pwy faset ti'n licio yn dy bost mortem di? Buasai Barbara McKay (yr heddferch wrth ei ochr) yn licio mynd, os ydi hynny yn iawn efo chdi.'

Oedd, roedd llawer o dynnu coes yn yr heddlu – roedd angen ychydig o hwyl weithiau ar ôl delio ag achos caled.

Yn ystod fy misoedd cyntaf yng Nghaergybi, roedd y gwaith o adeiladu pwerdy'r Wylfa yn dod i ben ac adeiladu Alwminiwm Môn, neu Rio Tinto ar gychwyn. Roedd cannoedd o adeiladwyr yno o bob rhan o Brydain, Iwerddon ac ymhellach; dynion caled yn ennill arian mawr heb unrhyw gyfrifoldeb. Y drefn oedd gweithio'n galed ac yfed yn galetach, ac erbyn tua pump ar nos Wener, roedd y dref yn llawn ohonynt. Mi fydden nhw'n cerdded fesul un a dau, yn gwisgo trowsusau melfaréd wedi'u rhwygo a chrysau gwlân trwm yn agored at eu bogeiliau. Roedd cannoedd o bunnoedd mewn arian parod yn eu pocedi fel arfer, a gwelid nhw'n aml yn siglo o un ochr y pafin i'r llall dan ganu neu gwffio. Yn erbyn ei gilydd y byddent yn ymladd gan amlaf, ond roedd yn rhaid eu hatal rhag mynd dros ben llestri a gwneud niwed i eiddo'r dref. Yn ystod y cyfnod hwn, gelwid mwy o blismyn i Gaergybi ar nos Wener a nos Sadwrn ac, ambell dro, ci neu ddau hefyd. Ond wedi dweud hynny, fyddai yna byth fwy nag wyth ohonom ar ddyletswydd ar unwaith, a hynny yn erbyn cannoedd o feddwon. Roedd hwn yn amser go galed i'r hogiau er mai bechgyn ifanc, iach oeddem ninnau hefyd. Nid oedd modd gwybod beth oedd o'n blaenau a byddai un neu ddau ohonom yn dioddef niwed corfforol o dro i dro.

Un noson, cefais fy ngalw i'r *Stanley Arms*, tafarn y drws nesaf i orsaf yr heddlu. Canol y gaeaf oedd hi, ac roeddwn yn gwisgo fy nghôt fawr. Yno, yn eistedd wrth ochr ffenestr a oedd yn deilchion, a'i law yn gwaedu, roedd un o'r labrwyr Gwyddelig. Wnaeth o ddim edrych arna' i pan ofynnais iddo godi a mynd allan, dim ond eistedd gan edrych yn syth i mewn i'w wydr peint hanner llawn. Roedd y cwsmeriaid eraill wedi symud yn ôl, gan ddisgwyl twrw. Gofynnais iddo eto, ond nid oedd symud arno. Es ato a rhoi fy mraich rownd ei ben a dechrau tynnu. Allwn i ddim ei symud, dim ots faint yr ymdrechwn. Roeddwn i dipyn go lew dros ddwy lath ac yn pwyso yn agos i bymtheg stôn yn fy nghôt fawr, a gallwch ddychmygu'r sioc a gefais pan gododd o'i gadair a'm codi i efo fo, nes oedd fy nhraed yn hongian uwchben y llawr. 'Dw i'n cofio dechrau poeni ond, yr eiliad honno, daeth plismon arall i mewn hefo'r bleiddgi mwyaf a welsoch erioed; hwnnw'n cyfarth ac yn dangos ei ddannedd ddigon i'm dychryn i, heb sôn am y Gwyddel. Wel, diolch amdano, oherwydd fe gerddodd y Gwyddel, a oedd ymhell dros chwe troedfedd a hanner, allan heb smic.

Roedd yna gyfeillgarwch arbennig rhwng y plismyn ifanc yng Nghaergybi'r adeg honno, yn cefnogi'n gilydd yn ddiffuant bob amser ac yn ffrindiau y tu hwnt i oriau gwaith hefyd. Yn aml iawn, roedd shifft nos yn cyfarfod shifft y bore ychydig ar ôl dau yn y prynhawn, ac âi pwy bynnag nad oedd yn gweithio i chwarae pêl-droed ar draeth y Newry.

Un o'r pêl-droedwyr oedd bachgen o'r enw Tudor. Un distaw a phreifat oedd Tudor, yn arlunydd heb ei ail a oedd yn mwynhau paentio lluniau o'r arfordir o gwmpas Caergybi, yn enwedig Ynys Lawd, neu South Stack. Ef oedd yn gyfrifol am lanhau gorsaf yr heddlu, ac er mai dyn cymharol ifanc oedd o, yr oedd wedi moeli. Tra'r oedd yn gweithio, gwisgai gap gwlân bob amser, ond pan nad oedd ar ddyletswydd byddai yn gwisgo wig. Nid oedd dim o'i le ar hynny, wrth gwrs, ond byddai'n gwisgo'r wig pan oedd yn chwarae pêl-droed hefyd. Byddai'r hogiau eraill yn cicio pêl uchel iddo o flaen y gôl, er mwyn ei ddenu i ddefnyddio'i ben, ond wnai o ddim. Arferai gamu'n ôl a chymryd y bêl ar ei frest ac yna defnyddio'i draed. Rhaid dweud ei fod yn bêl-droediwr reit dda.

Ar un adeg, nid oedd Tudor yn cyd-dynnu'n dda iawn â'r Prif Arolygydd, Armad Smith. Roedd hwnnw'n meddwl nad oedd Tudor yn glanhau'r lle yn foddhaol, ac er mwyn profi'r pwynt, byddai'r Prif Arolygydd yn gadael matsien ar lawr yn rhywle a'r dyddiad wedi ei ysgrifennu arni. Ymhen dyddiau wedyn, dangosai'r fatsien i Tudor gan brofi felly nad oedd y lle yn cael ei lanhau yn ddigon trylwyr.

Cwynai Armad Smith hefyd nad oedd Tudor yn torri'r glaswellt o gwmpas gorsaf yr heddlu yn ddigon aml. Un diwrnod, gorchmynnodd iddo wneud y gwaith hwnnw ar ei union, a digiodd Tudor. Yn ei dymer, dechreuodd dorri'r gwair gan argraffu'r llythrennau A S yn fawr yng nghanol y maes hefo'r peiriant torri gwair. Dychmygwch y gwair yn hir ym mhobman a'r llythrennau A S yn gwta yn y canol. Dyna'r olygfa pan falodd y peiriant, ac waeth pa mor aml y ceisiai Tudor dynnu'r cortyn cychwyn, nid oedd bywyd ynddo. Erbyn hyn, roedd un neu ddau ohonom yn y swyddfa wedi gweld a deall beth oedd yn digwydd. Chwerthin yn y ffenestr oedden ni wrth wylio Tudor, ar ei liniau, yn trio'i orau i dorri'r gwair o gwmpas yr A S gan ddefnyddio siswrn bach cyn i'r Prif Arolygydd ei weld!

Roeddwn wedi symud i aros yn nhŷ Glyn ac Einir Roberts a'u mab Keith yn Ffordd Llundain erbyn hyn. Roedd Glyn yn gweithio fel cogydd ar y llongau ac roedd Einir yn un ardderchog am baratoi bwyd hefyd. Lle da unwaith eto. Yn ystod y cyfnod hwn, cafodd Einir waith yng ngorsaf yr heddlu yn gwneud rhywfaint o'r glanhau hefo Tudor a choginio yng nghegin y swyddfeydd newydd. Wrth reswm, cododd safon y bwyd yn syth ac nid y plismyn yn unig oedd yn elwa. Gwnaeth Einir yn siŵr fod y carcharorion yn cael cystal bwyd â phawb arall a 'toedd dim ots ganddi fynd i lawr i'r celloedd i weini'r bwyd trwy'r tyllau bach yn y drysau mawr cryf. Synnwn i ddim y byddai'r carcharorion yn cael gwell bwyd yn y ddalfa nag a gawsant adref.

Roedd pob peth yn iawn tan i un carcharor gwyno yn Llys y Goron yng Nghaernarfon ei fod wedi cael ei gam-drin tra'r oedd yn y celloedd, ac na chawsai gynnig bwyd o fath yn y byd. Yr unig berson a allai brofi bod hyn yn gelwydd oedd Einir, ac fe'i galwyd i Gaernarfon i roi tystiolaeth. Roedd pawb yn tynnu'i choes wedi hynny gan ddweud bod yna si ei bod wedi bwydo'r holl reithgor, y barnwr a'r bargyfreithwyr y diwrnod hwnnw. 'Dw i ddim yn meddwl i Einir fwydo'r carcharorion ei hun wedi hynny.

Braf iawn oedd gorffen shifft am chwech y bore yng nghanol yr haf a mynd yn syth i'r môr i bysgota. Cyrhaeddais Porth Gof Du, ger Porth Dafarch, tua hanner awr wedi chwech un bore hefo Dafydd Gumbley ar ôl i'r ddau ohonom fod yn gweithio'r shifft nos. Roeddem wedi newid i'n *shorts* yn barod, ac roedd gwialen bysgota bob un gennym yn y car. Roedd yn fore hynod o braf, ac yn poethi'n barod gan nad oedd awel o gwbl. Aethom ati i luchio'r plu cyn belled ag y gallem i'r môr ac ymhen dim, dechreuodd y mecryll fachu.

Yn sydyn, aflonyddwyd ar y tawelwch a chlywsom sŵn chwythu mawr yn dod o rywle rownd y gongl. Doedd yr un ohonom wedi clywed y fath sŵn o'r blaen, ac roedd yn dod yn nes. Ymhen sbel, gwelsom rywbeth na wna' i byth ei anghofio – tua dwsin o forfilod mawr yn nofio ar wyneb y môr. Roeddynt yn chwistrellu dŵr ac aer yn uchel i'r awyr wrth anadlu – dyna oedd y sŵn rhyfedd a glywsom. Beth wnaeth Dafydd Gumbley? Ia, castio'i blu atynt i weld a fyddai un yn cymryd yr abwyd! Nid oedd o ddifrif, a chawsom hwyl wrth gofio'r hanes droeon wedyn:

'Ti'n cofio'r adeg honno pan wnest ti geisio dal morfil?'

Fel y soniais yn gynharach, roedd gen i dipyn o barch at Sarjant John Williams, Jack 14, dyn a dreuliodd ei holl yrfa yng Ngogledd Sir Fôn: Amlwch, Cemaes, Llanfaethlu, Bae Trearddur ac yna'i ddyrchafu yn sarjant yng Nghaergybi. Roedd dros ei hanner cant oed pan gyrhaeddais Caergybi, ac yn llawn haeddu cael amser tawel, di-ffwdan. Gwnai ei waith yn hollol gywir, ond pe byddai'n bosib cadw'r ddysgl yn wastad a phawb yn hapus heb ddod â charcharor i'r ddalfa, wel, dyna a wnai bob tro.

Yn y dyddiau hynny, roedd sarjant nos yng Nghaergybi yn gweithio o chwech tan ddau o'r gloch y bore ac yn cael tri chwarter awr o seibiant i fwyta rhwng tua naw a deg. Fel arfer, byddai Jack Williams yn mynd adref ychydig ar ôl naw, a chyrraedd yn ôl i wneud yn siŵr fod y plismyn nos i gyd allan ar y stryd fawr ar ben deg. Pan fyddai'n cyrraedd yn ôl yn hwyr, mi fydden ni i gyd yn dal i fod yn yr orsaf, a'r un peth a ddywedai bob tro:

'Cerwch allan, hogia' bach, mae hi just y noson am ffenest.'

Fe aeth hyn yn dipyn o hwyl gan yr hogiau, ond fo oedd yn iawn, ac mi oedd ffenestri'n cael eu malu yn gyson os nad oedd plismon ar y stryd rhwng deg a hanner nos.

Erbyn iddi hi ddistewi tua dau'r bore, byddai cyfle am baned efo'r Sarjant cyn iddo fynd adref. Dyna pryd yr arferai adrodd ei hanesion difyr. Doedd dim angen llawer o brocio...

'Be' oedd y stori 'na gennych chi sarj am y boi 'na fu'n...'

Ac mi fyddai hynny'n ddigon. Lawer gwaith fe ddaeth pedwar o'r gloch y bore heb iddo sylweddoli, ac mi fyddai'n codi ar ei draed yn sydyn.

'Wel myn diawl, 'da chi wedi'i gwneud hi eto. Cerwch allan, hogiau bach, i wneud yn siŵr bod y stryd na'n iawn.'

Adroddai hanes am ŵr o Gemaes a oedd yn bwyta malwod:

'Nid y math y maen nhw'n eu bwyta yn Ffrainc,' meddai, 'ond y math sydd i'w cael ar wal gerrig yn rhywle. Stopiais i siarad ag ef fwy nag unwaith a rhoddodd ei law ar y wal i orffwys. Sylwodd bod malwen yno, ac i mewn i'w geg â hi heb ddim lol!'

Cawsom hanes Jack 14 yng Nghemaes pan ddechreuwyd adeiladu pwerdy'r Wylfa. Gwyddelod fu yno'n tyllu twneli mawr, hir o dan y tir a'r môr, ond bu cyfnod pan wrthododd pob un ohonynt fynd i lawr i dyllu. Credai'r Gwyddelod bod ysbryd cantores opera enwog yno – roedd ei chartref uwchben y safle, ac ar ôl iddi farw, bod ei hysbryd yn dal i drigo yno. Roedd hynny'n ddigon i wneud y Gwyddelod ofergoelus yn wyliadwrus, ond fe drodd yr amgylchiadau'n saith gwaeth un diwrnod pan glywsant ei llais yn canu'n glir yng nghanol tywyllwch y twneli. Aeth pawb allan yn syth, ac nid oedd yr un am fentro'n ôl. 'Dw i'n cofio darllen am yr hanes yn y papurau newydd. Fe stopiodd y gwaith o adeiladu'r twneli am beth amser gan achosi colledion ariannol mawr.

Yn ôl Jack 14, un cellweiriwr lleol achosodd y drafferth i gyd. Ar ôl dechrau'r stori mewn tafarn, aeth i lawr i grombil y twneli hefo recordydd tâp a chwarae cân gan gantores opera tra bo'r Gwyddelod yno'n gweithio. Ni adawodd unrhyw dystiolaeth mai ef oedd yn gyfrifol ond, flynyddoedd yn ddiweddarach, daeth pawb yn yr ardal i wybod mai ef oedd y tu ôl i'r direidi.

Cofiwch, roedd Jack yn un am dipyn o ddireidi ei hun hefyd. Arferai yrru pob plismon ifanc newydd i lawr i'r corffdy yn Ysbyty Stanley yng nghanol y nos i fesur corff. Roedd y corffdy mewn adeilad ar wahân i'r ysbyty ac roedd posib diffodd a chynnau'r golau o'r tu allan i'r adeilad. Un noson fe yrrwyd plismon ifanc o'r enw Huw Alun i wneud y dasg. Aeth i mewn yn ddigon parod, â'i dâp mesur yn ei law. Ni wyddai mai plismon arall oedd o dan y gynfas wen. Ar ôl iddo fynd i mewn, fe gaewyd y drws o'r tu allan a diffoddwyd y golau. Ar yr un pryd, cododd 'corff' o dan y gynfas yn araf gan wneud sŵn griddfan. Dychrynodd Huw gymaint nes y tynnodd ei bastwn allan a tharo'r 'corff' nifer o weithiau. Yn ffodus, ni gafodd niwed, ond ar ôl dychwelyd a dweud yr hanes wrth Jack 14, roedd hwnnw wedi dychryn yn fwy na neb.

'Byth eto,' meddai. 'Dyna'r tro diwethaf. Beth petai o wedi ei ladd?'

A hwnnw oedd y tro diwethaf hefyd.

Mae'n debyg bod yr un math o driciau yn cael eu chwarae gan yr heddlu ar hyd a lled Prydain Fawr. Clywais am hanes go debyg mewn dinas yn Lloegr. Roedd cyrff yn cael eu cadw yno mewn drôrs tu mewn i oergell, ochr yn ochr. Y tro hwn, roedd plismon profiadol yn y drôr a heddwas ifanc wedi cael gorchymyn i'w fesur; ac er iddo gael braw, gwelodd ochr ddoniol y sefyllfa. Gofynnodd y plismon ifanc hwn am gyfle i fynd i mewn i'r drôr y tro nesaf yr oeddynt yn bwriadu dychryn hogyn ifanc.

Daeth ei gyfle o fewn mis neu ddau ac am y corffdy yr aethant. I mewn â fo i'r drôr a gofynnodd ei gydweithiwr os oedd yn gwybod beth i'w wneud. Atebodd yn gadarnhaol – disgwyl yn y fan honno am ychydig o funudau a chodi wrth i'r plismon ifanc newydd agor y drôr. Iawn, caewyd y drôr ac yno y gorweddai yn disgwyl yn y tywyllwch. Mewn munud neu ddau, daeth llaw arall o'r drôr nesaf ato, gan afael yn ei fraich.

'Mae'n oer yn fa'ma yn tydi?' gofynnodd y llais.

Yn ôl yr hanes, gadawodd y drôr yn gyflymach o lawer nag yr aeth i mewn iddi.

Roedd Jack 14 yn hoff iawn o sôn am blismyn eraill. Ffefryn ganddo oedd dyn a alwai yn Sarjant Llannerch-y-medd a wasanaethai yng Nghaergybi yn y tridegau ac wedyn am gyfnod ar ôl y rhyfel. Yn ôl yr hanes, roedd Sarjant Llannerch-y-medd yn ddyn rhyfeddol o gryf, ond llais main ofnadwy oedd ganddo. Nid oedd pawb yn ei gymryd o ddifrif, yn enwedig gan ei fod yn dweud pethau eithriadol o chwithig weithiau, fel:

'*Keep to the* pafin, *don't walk on the earth!*'

Yn ôl un hanes, roedd o'n sefyll y tu allan i orsaf yr heddlu un noson pan basiodd bachgen ifanc yn chwarae gitâr. Gan ei bod hi'n hwyr y nos, gofynnodd Llannerch-y-medd yn ei lais main iddo ddistewi. Fe ufuddhaodd y bachgen, ond ar ôl iddo basio, rhoddodd blwc arall ar yr offeryn, dim ond i herio'r sarjant. Aeth Llannerch-y-medd ar ei ôl, gafaelodd yn y gitâr a tharodd ef mor galed nes yr aeth ei ben drwy bren yr offeryn. Yn ôl yr hanes, cerddodd y gŵr ifanc i lawr Stryd Stanley â'r gitâr o amgylch ei wddf a'r llinynnau yn llac o gwmpas ei ben. Cafodd Llannerch-y-medd barch ganddo byth ar ôl hynny.

Dro arall, gwelodd ddamwain fach pan syrthiodd dyn oddi ar ei feic modur wrth droi congl ar ben Stryd Boston. Gafaelodd Llannerch-y-medd yn y beic a chododd ef uwch ei ben gan ddweud yn ei lais main:

'Mae popeth i'w weld yn iawn, hefyd.'

Ia, un da oedd Sarjant Jack 14 am ddweud ei hanesion yng nghanol y nos dros baned yng nghegin gorsaf yr heddlu. Cofiaf pa mor ddwys oedd o wrth siarad – anghofiai ei fod yn ysmygu ac roedd llwch y sigarét dros ei ddillad i gyd. 'Dw i'n dal i'w gofio'n dweud:

'Da' chi wedi fy nghadw i yma tan bedwar y bore eto'r diawlad. Fel y dywedodd Moses wrth Pharo: "Twll eich tinau chi, 'dw i'n mynd",' ac i ffwrdd â fo am adref.

Chwarae teg iddo fo, roedd yr hen Jack 14 yn gadael i mi fynd i ymarfer Côr Meibion Caergybi os oedd hi'n ddigon distaw gyda'r nos. Dewi Francis, prifathro ysgol Morawelon, oedd yr arweinydd ar y pryd, a Mrs Parminter, gwraig fferyllydd yn y dref, oedd yn cyfeilio. Llais tenor cyntaf oedd gen i, ac mae gennyf atgofion melys am ganu yn y côr. Un noson roeddwn yno yn fy iwnifform pan ddarganfu Dewi Francis ei fod wedi anghofio'i faton arwain. Cynigais fy mhastwn iddo a dyna'r unig dro, am wn i, y cafodd Côr Meibion Caergybi ei arwain hefo pastwn plismon. Gallaf ddweud hefyd mai dyna'r unig dro i 'mhastwn i gael ei ddefnyddio yn ystod dros dair ar ddeg ar hugain o flynyddoedd o wasanaeth yn Heddlu Gogledd Cymru.

Cofiwch, yr oeddwn yn falch iawn o'i gael yn fy mhoced yn barod o dro i dro, rhag ofn.

Roedd sarjant arall yng Nghaergybi o'r enw Elis Parry Owen – dyn o ochrau'r Bala oedd o, siaradwr ac ysgrifennwr Cymraeg da a phur. Cofiaf ei fod yn defnyddio inc du bob amser i ysgrifennu, a phin dur llydan. Roedd ei frawddegau'n fras ar draws y dudalen, ac nid oedd posib camgymryd ei lawysgrifen. Dysgodd lawer i mi a'r hogiau ifanc eraill. Roeddwn yn rhoi adroddiad yn ei fasged yn rheolaidd ac, yn aml, roedd yn ôl yn fy masged i y diwrnod wedyn. Byddai ei lawysgrifen ddu ar draws y dudalen yn dweud:

'John bach, tydi hwn ddim digon blydi da. Tyrd i 'ngweld i.'

'John bach' oedd pawb ganddo, waeth beth oedd ei enw. Nid oedd ofn rhegi chwaith, ar bapur nac ar lafar, ond unwaith y câi'r cyfle i eistedd i lawr gyda chwnstabl ifanc, mi fuasai'n cymryd amser i esbonio sut yn union oedd gwella'r adroddiad. Roedd yn hynod o dwt yn ei waith papur a cheisiodd ddysgu'r un peth i minnau. Fe awgrymodd y byddai'n syniad da i mi brynu teipiadur fy hun, fel bod pwy bynnag a ddarllenai fy ngwaith yn gwybod bod gen i falchder ynddo.

Doedd neb yn cael y gorau ar Elis Parry Owen. 'Dw i'n cofio tri brawd yng Nghaergybi a oedd yn meddwi'n gyson cyn mynd am bryd i dŷ bwyta Tsieineaidd. Ar ôl bod yno, byddent yn chwilio am blismon ifanc er mwyn ei herio a chodi twrw. Peth annifyr iawn yw tri yn erbyn un, heddwas neu ddim, ac roedd y tri yn ddigon parod i ymosod yn gorfforol ar yr heddwas hefyd pe byddai'n sefyll yn gadarn yn eu herbyn.

Elis Parry Owen oedd yr un a roddodd stop arnynt. Roedd y tri yn llawn diod a miri un noson, a gwelodd y sarjant hwy yn mynd i mewn i'r bwyty. Rhoddodd y plismon lleiaf, ieuengaf a oedd ar ddyletswydd yn Sgwâr y Farchnad a disgwyl iddynt ddod allan. Ymhen hir a hwyr dyma'r tri yn ymddangos, a chymryd yr abwyd yn syth, mynd ato a chychwyn tynnu ar ei dei a chega. Nid oeddynt gallach bod Elis Parry Owen a thri phlismon arall yn cuddio gerllaw. Does dim rhaid dweud iddynt gael dipyn o sioc, a chafwyd dim lol gan yr un ohonynt wedi hynny.

Roeddem i gyd wedi cael ein hyfforddi yn y dull cywir o gyfathrebu drwy gyfrwng y radio, sef siarad yn glir ac yn briodol bob amser. Dewisai Elis Parry Owen anwybyddu'r cyngor hwn, er enghraifft pan yn galw Dei Parry yn oriau mân y bore:

'Canolfan yn galw tri dim chwech, tri dim chwech, tri dim chwech. Ydych yn fy nerbyn i? Trosodd.'

Atebai Dei:

'Tri dim chwech yn eich derbyn yn glir, cariwch ymlaen, Sarj.'

'Lle wyt ti'r diawl bach,' atebodd y sarjant. 'Tyrd yn ôl yma ar unwaith, neu mi ro' i uffern o stîd i ti.'

Amser paned oedd hi a dim byd mwy. Dro arall, dywedodd wrth Dei Parry 306 mewn parti yn rhywle:

'Cau dy geg 306 y diawl bach, neu mi stwffia' i di i'r peint 'ma.'

'Wel, sa'n rhoi pen da arno!' atebodd Dei yn syth.

Dau o rai da am dynnu ar ei gilydd, ond yn parchu'i gilydd bob amser.

Tua'r un adeg, roedd yna ddynes yn byw yn y dref – fe'i galwa' i hi'n Mrs Jones. Roedd hon yn ffonio neu'n dod atom i gwyno am ryw fanion bethau ar hyd y dydd, bron bob dydd. A dweud y gwir, roedd hi'n boen i bawb, ond ni siaradai â neb ond y sarjant. Un diwrnod, roedd heddferch o'r enw Sarah Gerrard, Sarah Owen erbyn hyn, yn sefyll wrth ymyl y switsfwrdd â'r ffôn yn ei llaw pan welodd Elis Parry Owen yn mynd heibio'r ystafell.

'Sarj,' meddai. 'Mae Mrs Jones yn y fan 'ma eisiau siarad efo chi.'

Trodd Elis Parry Owen yn ei ôl, ac ar y ffordd i mewn i'r ystafell, dywedodd:

'Be ddiawl mae'r blydi ddynes wirion yna eisiau rŵan eto?' gan feddwl ei bod hi ar y ffôn.

Efallai bod ei iaith ychydig cryfach na hyn, wedi meddwl. Safodd Sarah yn ei hunfan, y ffôn yn dal yn ei llaw a'i cheg yn agored. Fel y cerddodd Elis Parry Owen ati, gwelodd mai sefyll ger cownter y cyhoedd oedd Mrs Jones, nid ar ochr arall y ffôn. Fe drodd ati yn syth.

'Bore da, Mrs Jones bach,' dywedodd. 'Bu bron iawn i mi ddweud rhywbeth rŵan na ddylwn i ddim!'

Yn wir i chi, anghofiodd Mrs Jones yr hyn a oedd yn siŵr o fod wedi ei glywed, gan fynegi ei chŵyn yn syth.

Gwnaeth rhywun gŵyn yn erbyn Elis Parry Owen unwaith, a'r tro hwnnw, roedd yn gwybod ei fod wedi camymddwyn. Adran cwynion y pencadlys oedd yn delio â'r mater, ac roedd pethau yn edrych yn ddrwg. Be wnaeth o? Ysgrifennu llythyr dan ffugenw i dad y bachgen ddaru gwyno, gan ddweud rhywbeth tebyg i hyn:

'Rwy'n adnabod y sarjant yma'n dda, a gwn ei fod yn hen foi iawn. Peidiwch â gwneud cŵyn yn ei erbyn rhag ofn iddo gael ei yrru o'ma, neu efallai y cawn un gwaeth yn ei le.'

Arwyddodd y llythyr: 'dy gyfaill, Wil.'

Yn rhyfedd ddigon, fe dynnwyd y gŵyn yn ôl.

Roedd Elis Parry Owen yn hoff o'i beint, ac ni wnâi gyfrinach o hynny. Ysgrifennodd gais am ddyrchafiad unwaith ac ynddo roedd yn rhaid enwi pob diddordeb hamdden. Roedd ambell un yn enwi pob math o bethau er mwyn gwneud argraff dda, ond nid Elis Parry Owen. Dywedodd nad oedd ganddo lawer o amser i ddiddordebau gan ei fod yn treulio'r rhan helaethaf o'i amser gyda'i wraig a'i blant.

Elis Parry Owen yn arwain y canu

'Ond,' meddai, 'Rwyf yn hoff o beint neu ddau, pan ga' i gyfle, yn y *Valley Hotel*.'

Ni fu'n aros yn hir am ddyrchafiad.

Roedd Elis Parry Owen yn gerdyn arbennig ar ôl peint neu ddeg. Dyma pryd y byddai'n canu emynau, barddoni ac weithiau esgus cwffio: 'er mwyn i ni gael ymarfer delio efo dynion wedi meddwi,' meddai!

Anfonwyd ef i'r Bala am wythnos un tro pan oedd yr Eisteddfod Genedlaethol yno. Byddai'n rhaid gyrru nifer o blismyn ychwanegol i dre'r Eisteddfod bob blwyddyn, ac fel arfer roeddynt yn aros mewn gwesty lleol. Ar ôl gweithio am wyth neu ddeuddeng awr, roedd y plismyn hyn yn cael amser hamdden, ac yn mwynhau awyrgylch yr Eisteddfod fel pawb arall.

Un noson yng nghanol yr wythnos, roedd Sarjant Elis Parry Owen a'i shifft yn gweithio tan hanner nos. Fel yr oedd hi'n tynnu at ddiwedd y shifft, roedd nifer fawr o bobl ifanc wedi ymgynnull ar y sgwâr, cant neu ddau mae'n siŵr. Dywedodd yr arolygydd wrtho yn bendant nad oedd neb i orffen gweithio nes oedd y sgwâr yn glir. Roedd hyn yn anffodus gan fod Elis Parry Owen a gweddill yr heddweision wedi edrych ymlaen am beint ers awr neu fwy. Cafodd y

Sarjant air sydyn gyda phob plismon ar y sgwâr heblaw'r arolygydd.

'Pan glywch fi'n gweiddi mewn munud,' meddai, 'a rhedeg i ffwrdd, rhedwch ar fy ôl ar eich union, a pheidiwch â chymryd sylw o ddim byd arall.'

Yna, aeth i geg un o'r strydoedd a arweiniai o'r sgwâr, a gwaeddodd ar dop ei lais:

'Ffeit!'

Yna rhedodd i fyny'r stryd, allan o olwg pawb. Roedd y mwyafrif wedi ei glywed, a'i weld yn rhedeg a'r holl blismyn yn ei ddilyn. Fel y disgwyliech, rhedodd yr eisteddfotwyr o'r sgwâr ar ôl y plismyn gan obeithio gweld dipyn o gwffio. Wrth gwrs, doedd dim cwffes, ac adref aeth pawb. Ar ôl ychydig funudau, dychwelodd Sarjant Elis Parry Owen a'i ddynion yn ôl i'r sgwâr, a oedd erbyn hyn yn hollol wag.

'Wel, syr,' dywedodd wrth yr arolygydd. 'Mae hi wedi clirio rŵan. 'Da ni am fynd adref.'

Cyn pen deng munud, roeddynt oll yn mwynhau eu peint cyntaf.

Dro arall, aeth am beint hefo un neu ddau o'r hogiau. Cyn amser cau, gofynnodd beth oedd y ddau arall eisiau o'r bar. Un o'r cwmni oedd hen gyfaill iddo o'r enw Tom Hughes, a ofynnodd am sudd tomato oherwydd ei fod yn gyrru'r noson honno. Erbyn iddo ddod yn ôl at y bwrdd hefo'r diodydd, roedd Elis Parry Owen wedi cyfansoddi pennill. Rhywsut fel hyn yr oedd hi'n mynd:

> I Elis Parry, *black and tan*
> I Dic Jones, peint o *bitter*
> Ond i stumog wan Tom Hughes
> Potel fach o domato jiws!

Er ei natur ysgafn, roedd Elis Parry Owen yn hyddysg yn ei Feibl, ac yn adrodd adnodau'n berffaith. Roedd sawl emyn y byddai'n eu canu, ond y ffefryn oedd:

Pan oeddwn i mewn carchar tywyll du,
Rhoist im oleuni, Rhoist im oleuni,
Rhoist im oleuni nefol.

Gadawodd y sarjant gymdeithas glos Caergybi am Fethesda, ac yno y bu tan iddo gael ei ddyrchafu'n arolygydd rhyw flwyddyn yn diweddarach. Cynhaliwyd parti mawr yng Ngwesty Porth Swtan cyn iddo adael Caergybi, a chawsom fws i fynd â ni yno o'r dref. Pan oedd y bws yn barod i gychwyn am adref teimlai Elis Parry Owen nad oedd wedi cael digon i'w yfed. Doedd dim pwynt dadlau hefo fo, ac yn y diwedd fe aeth y bws hebddo. Arhosodd Alan Pierce hefyd, i ofalu amdano. Wel am ddau o rai da i edrych ar ôl ei gilydd! Rhyw dro yn oriau mân y bore penderfynodd y ddau eu bod wedi cael digon, a chynigiodd rhyw ddyn dieithr lifft iddynt. I mewn i'r car â nhw a chychwyn i gyfeiriad Caergybi. Yn ystod y siwrne, gofynnodd y gyrrwr i ble roedd Elis Parry Owen yn mynd. 'I Fethesda,' atebodd, ac fe syrthiodd Alan ac yntau i gysgu yn fuan wedyn. Pan ddeffrodd y ddau, roedd y car ar yr A5, hanner ffordd rhwng Bangor a Bethesda. Roedd y gyrrwr wedi meddwl ei fod yn mynd i Fethesda y noson honno! Fe wylltiodd Elis Parry Owen yn gacwn a gorfu i'r ddau ddechrau cerdded yn ôl am Sir Fôn. Mae sôn bod lorri oedd yn cario ffrwythau i siop yng Nghaergybi wedi rhoi lifft iddynt.

Ymhen amser, dyrchafwyd Elis Parry Owen yn Brif Arolygydd yn Rhiwabon. Pan oedd yn erlyn o flaen Llys yr Ynadon yno, fe'i trawyd yn wael, a threuliodd weddill ei oes mewn cartref gofal. Rydw i wedi meddwl amdano lawer gwaith ers hynny, gan obeithio ei fod wedi cael hyd i'r 'goleuni nefol' yr oedd yn canu amdano mor aml.

Canu mewn parti yng ngwesty'r Porth Swtan.
O'r chwith i'r dde – Perchennog y tŷ, Gwilym Evans, Harry Caven, Eric Ellis, Arthur Peters, Jack (14) Williams, John A Griffiths a Gwyn Davies.

O dro i dro, byddai'n rhaid i ni edrych ar ôl aelodau o'r teulu brenhinol. Y tro cyntaf i mi gael profiad o hynny oedd yn 1969, ar ddiwrnod arwisgiad y Tywysog Charles yng Nghaernarfon. Un o ddegau o blismyn eraill oeddwn i, yn cadw llygad ar gannoedd o bobl a ddaeth i bier Mackenzie ar draeth Newry. Wedi dod i weld yr enwogion oedden nhw, gan fod y teulu brenhinol yn cynnal parti ar y cwch brenhinol, Y *Britannia*, allan yn yr harbwr. Roedd cwch bach yn mynd yn ôl ac ymlaen o'r pier i'r *Britannia* gan gario'r teulu brenhinol a'r holl wahoddedigion, ond welais i 'run o'r teulu brenhinol tra'r oeddwn i yno. Yr hyn sydd wedi aros yn fy nghof hyd heddiw yw gweld y canwr opera enwog Syr Geraint Evans yn dod oddi ar y cwch ac yn cerddded ar hyd y pier. Wel, sôn am groeso gafodd o – mwy na neb arall, 'dw i'n siŵr. Mi gododd ei ddwylo uwch ei ben yn union fel yr oedd yn ei wneud ar y llwyfan, ei geg yn lled-agored fel petai'n canu, a phawb yn gweiddi eu gwerthfawrogiad. Mwya'n y byd yr oedd o'n perfformio o'u blaenau ac yn ail-godi ei ddwylo, y mwya'n y byd yr oedd pawb yn gweiddi!

Er bod digon o hwyl i'w gael fel plismon yng Nghaergybi yn ystod y dyddiau hynny, roedd pob un ohonom yn gweithio'n galed iawn hefyd. Yn aml, nid oedd digon o amser yn ystod oriau gwaith i ddarparu adroddiadau felly roedd yn rhaid mynd i mewn i'r swyddfa yn ystod ein horiau rhydd i'w gorffen – yn ddi-dâl. Yn aml hefyd, roedd angen codi'n gynnar i fynd i Lys yr Ynadon ar ôl gorffen gweithio am chwech y bore, bod yno ar hyd y dydd a dechrau gweithio am ddeg o'r gloch y noson honno drachefn. Ond hogiau ifanc oedden ni, yn barod i wneud beth oedd ei angen yn ddi-gŵyn.

Roeddwn yn sicr erbyn hyn mai bod yn dditectif oedd fy uchelgais. Dysgais yn bur fuan nad oedd dal pobl ddrwg yn unig yn ddigonol – ar ben hynny roedd yn rhaid darparu'r gwaith papur a sicrhau fod y dystiolaeth yn glir a'r adroddiadau a'r datganiadau'n eglur cyn i'r ffeil gyrraedd yr uwch swyddogion ac, wedi hynny, y llysoedd.

Cefais lawer o gefnogaeth ac arweiniad gan griw'r CID yn y dyddiau hynny: y Ditectif Sarjant Dick Griffith, a'r tri cwnstabl: Eric Ellis, Gwilym Evans ac Arthur Peters. Roeddwn yn eu swyddfa yn gyson, yn dysgu sut yr oedden nhw yn darparu eu hadroddiadau.

Cymeriad oedd Dick. 'Dw i'n cofio iddo weld un o griw o ladron dyfal yn cerdded tuag ato yn nhywyllwch y nos yn cario bocs yn cynnwys pum mil o sigaréts. Neidiodd Dick allan o'i flaen gan ddweud:

'Rŵan ta, Michael fy ngwas bach i, lle'r wyt ti'n mynd i ddweud y cefaist ti hyd i'r rhain?'

'Helo Dick,' atebodd Michael. 'Welaist ti mohona' i yn eu codi nhw i fyny?'

Doedd yr esboniad ddim yn ddigon da, ac fe ddatryswyd llawer o droseddau'r noson honno. Ffoniodd Dick y Ditectif Brif Arolygydd Andy Salisbury tua tri o'r gloch y bore gan ddweud:

'Dim ond gadael i ti wybod ein bod wedi'u dal nhw. Mi gei di fynd yn ôl i gysgu'n dawel rŵan.'

Roedd chwerthin mawr yn y swyddfa gan fod pob un a fu allan y noson honno yn chwilio am y lladron yn gwrando hefyd.

Roedd Dick a'i griw yn gweithio'n galed ac nid oedd ganddo'r amser na'r dyhead i astudio i'w ddyrchafu yn arolygydd. Rhoddodd ei enw i lawr i sefyll yr arholiad un flwyddyn a chychwynnodd gydag Eric Ellis un bore i Fangor. Eric oedd yn gyrru'r car. Roedd Dick yn gwybod nad oedd ei wybodaeth am y gyfraith yn gysylltiedig â thraffig yn cyrraedd y safon angenrheidiol, er ei fod yn deall yr adran tor-cyfraith i'r dim. Yn anffodus, roedd yn rhaid llwyddo yn y ddau bwnc yn ogystal â *general police duties*. Wrth adael Caergybi'r bore hwnnw, agorodd Dick lyfr i ddechrau astudio am y tro cyntaf, ac wrth groesi'r cob am y Fali gofynnodd i Eric beth oedd yn ei wybod am hyn a hyn.

'Rŵan ta, Eric. Be wyt ti yn 'i wybod am Drwyddedau C?'

'Argian,' meddai Eric. 'Maen nhw wedi gwneud i ffwrdd â'r ddeddf yna ers dros bum mlynedd.'

Heb oedi agorodd Dick ffenestr y car a thaflu'r llyfr i'r môr.

'Gollwng fi i lawr yn Y Fali, nei di? Mi ga' i lifft yn ôl i Gaergybi rhywsut neu'i gilydd.'

A dyna a fu. Dim ond Eric gyrhaeddodd yr arholiad y diwrnod hwnnw.

Un noson, cafodd Dick a finnau alwad i dŷ ar un o stadau'r dref. Roedd bachgen ifanc wedi ymosod ar ei frawd gyda bwyell.

'Ydi dy bastwn di gen ti?' gofynnodd.

Y tro yma yr oedd.

Wrth fynd i mewn drwy'r drws, gwelsom waed ym mhob man, a hwnnw'n dew ac yn dywyll. Roedd y trywydd yn mynd i fyny'r grisiau ac i'r llofft gefn. Yno gwelsom un o ladron mwya'r dref yn gorwedd ar y gwely yn waed drosto, ei freichiau a'i ben yn doriadau dyfn lle'r oedd y fwyell wedi ei daro. Wnaeth o ddim byd ond ein rhegi pan welodd o ni. Mae'n well i mi beidio â dweud beth a ddywedodd Dick yn ôl wrtho. Roedd hwn yn un a oedd yn dwyn a throseddu bob diwrnod o'r flwyddyn ac yn treulio mwy o amser yn y carchar nag yn rhydd.

Fe gerddodd yr hanner brawd a ymosododd arno'r holl ffordd i orsaf yr heddlu; a'r fwyell, yn waed i gyd, yn ei law. Rhoddodd hi ar y cownter a chyfaddefodd i'r ymosodiad. Cafodd ei gyhuddo o geisio llofruddio o flaen y Brawdlys ym Miwmares a chafodd ddwy flynedd ar brawf, dyna'r oll, oherwydd cymeriad yr hwn a anafwyd.

'Fuasai o ddim wedi cael dim mwy o gosb am ei ladd,' meddai Dick ar y ffordd allan o'r llys.

Fel yr oedd yn digwydd bod, dyna'r tro olaf i'r Brawdlys eistedd ym Miwmares, ac yn wir, yn Sir Fôn hefyd. Ar ôl hynny, Llys y Goron yng Nghaernarfon a oedd yn clywed achosion difrifol yn y rhan yma o Gymru.

Roedd un o'r ditectifs eraill yn y swyddfa, Arthur Peters, yn un da yn y llys. Cofiaf un tro pan oedd gŵr o Lundain wedi bod yn dwyn ar hyd a lled Sir Fôn. Ar ôl ei gyhuddo safodd gerbron y brawdlys gan bledio'n ddieuog a bu'n rhaid i Arthur Peters fynd yno i roi tystiolaeth. Yn Saesneg oedd yr achos.

Dechreuodd bargyfreithiwr ar ran y diffynnydd groesholi Arthur gan ofyn fel hyn:

'A wnaethoch chwi ddechrau holi fy nghleient i gan

ddweud, "Mae deryn du â phig melyn wedi dweud wrthyf mai ti ddaru wneud y job yma"?'

'Naddo,' meddai Arthur.

Roedd y bargyfreithiwr yn ceisio creu amheuaeth bod rhywun wedi achwyn ar y diffynnydd.

Gofynnodd eto:

'Ydych chi'n siŵr?'

'Yn berffaith,' atebodd Arthur.

Trodd y bargyfreithiwr at y barnwr a'r rheithgor.

'Os oes rhaid i ni ddadlau'r pwynt yma ar hyd y dydd, fe wnawn hynny nes i ni gael y gwir. Nawr, ddaru chi sôn rhywbeth am y deryn du yma a'i big felen?'

'Naddo wir,' atebodd Arthur unwaith eto.

'Fu sôn am dderyn o gwbl?'

'Do,' atebodd Arthur y tro yma.

Cododd pawb yn y llys eu pennau.

'Wel,' meddai'r bargyfreithiwr, gan droi at y rheithgor unwaith eto. 'Rydym yn nes at y gwir yn awr. Beth a ddywedoch chi am dderyn?'

'Dim byd,' atebodd Arthur.

'Wel, pwy felly a soniodd am dderyn?'

'Y diffynnydd.'

'O, y diffynnydd ia? Os felly, fuasech chi mor garedig â dweud wrthym beth a ddywedodd y diffynnydd am dderyn?'

Edrychodd Arthur yn syth i'w lygaid gan ddweud:

'*Cockney sparrows don't sing, gov.*'

Nid dyna'r ateb a ddisgwyliwyd gan y bargyfreithiwr. Eisteddodd i lawr a dyna ddiwedd ar y croesholi.

Dro arall, roedd diffynnydd wedi ei gyhuddo o ddwyn ac nid oedd Arthur wedi medru ei gael i gyfaddef. Roedd Arthur wedi rhoi tystiolaeth ac yn eistedd yng nghefn y llys yn gwrando ar y diffynnydd yn rhoi ei ochr o o'r stori. Gofynnodd ei fargyfreithiwr iddo fel hyn:

'Ddaru chi ddweud wrth Ditectif Sarjant Peters nad chi ddaru ddwyn yr eiddo yma?'

'Do tad,' atebodd.

'Beth yn union ddywedoch chi wrtho?' gofynnodd y bargyfreithiwr.

'Fuaswn i byth yn dwyn,' meddai. ''Dw i wedi cael fy magu mewn tŷ capel. Wnaeth y Sarjant ddim gwrando, dim ond dweud wrtha' i bod carchar Walton yn llawn o bobl sydd wedi eu magu mewn tŷ capel.'

Trodd bob llygaid yn y llys i gyfeiriad Arthur. Doedd o hyd yn oed ddim wedi gweld honna'n dod. Ia, un da oedd Arthur Peters yn y llys.

Ar ôl treulio pedair blynedd yng Nghaergybi a chael hyfforddiant pengiamp yng nghwmni Dick Griffith a'r hogiau, roeddwn yn teimlo fy mod yn awr wedi cael digon o brofiad i wneud cais i fod yn dditectif, a dyna wnes i. Cefais wybod cyn bo hir fy mod wedi llwyddo.

Pennod 4

Ditectif

1972 – 1974

Fis Mawrth, 1972, clywais fy mod wedi llwyddo ar ôl gwneud cais i ymuno â'r CID. Bryd hynny, roedd yr ymgeisydd ar dri mis o brawf er mwyn i'r uwch swyddogion ystyried a oedd gobaith iddo fod yn dditectif ac ymuno â'r adran yn llawn amser. *Aid to CID* oedd enw'r cyfnod prawf yma, ac yng Nghaergybi yr oeddwn yn mynd i'w gyflawni. Roeddwn i fod i ddechrau ar y cyntaf o fis Ebrill ond, ddau ddiwrnod cyn hynny, clywais fod y trefniadau wedi newid. Roedd angen dau dditectif ychwanegol yn y porthladd yng Nghaergybi i weithio o fewn Uned Yr Adran Arbennig, y *Special Branch Unit,* ac fe'm dewiswyd i yn un ohonynt. Roeddwn yn fy nillad fy hun o'r diwedd.

Uned fechan oedd hi bryd hynny, ac roedd amryw o rai tebyg mewn porthladdoedd ar hyd a lled Prydain. Roedd yn perthyn i heddlu'r *Met* yn Llundain, ac aelodau o'r *Metropolitan Police* ac nid yr heddlu lleol oedd y prif swyddogion. Er hynny, plismyn lleol oedd pob heddwas arall ar y tîm.

Nid oedd yr adran yma yn gysylltiedig â gwaith heddlu'r dref, heblaw ein bod yn ddefnyddio'r celloedd yng ngorsaf heddlu Caergybi i garcharu'r rhai a arestiwyd yn y porthladd. Prif bwrpas yr uned oedd cadw golwg ar symudiadau rhai a oedd yn cael eu hamau o fod yn frawychwyr neu'n aelodau o sefydliadau chwyrdroadol. Yn ystod yr adeg hon, roedd y terfysg yng Ngogledd Iwerddon yn cynyddu, a'r IRA yn datgan cyfrifoldeb am nifer o ffrwydradau ar draws Lloegr hefyd. Roedd hwn yn waith pwysig.

Y rheilffordd oedd curiad calon Caergybi, a phob

teithiwr yn dechrau neu orffen ei daith ger ochr yr harbwr. Rhwng deg y nos a thri'r bore, roedd trenau yn cyrraedd Caergybi o Fanceinion, o Firmingham ac o Lundain, a sawl un yn gadael ar ôl hanner nos pan ddociai'r llong a hwyliai yno o Dun Laoghaire. Roedd llawer iawn o fynd a dod, y rhan helaethaf o'r teithwyr yn bobl dda a chyfiawn ond roedd ambell un drwg yn eu mysg.

Cofiaf sut y byddwn yn cerdded i lawr y platfform am y swyddfa; roedd aroglau'r trenau yn fy ffroenau – arogl olew a stêm, pobl yn cario bagiau trwm a'u plant blinedig yn sgrechian ac yn tynnu un ffordd a'r llall.

Bryd hynny, swyddfa fach iawn ar y platfform oedd cartref yr Uned, cwt bach pren heb ddigon o le i chwipio chwannen a dweud y gwir. Un fainc oedd yno; prin digon o le i eistedd er mwyn ysgrifennu neu ddefnyddio'r ffôn. Pe byddai dau neu fwy ohonom yno ar unwaith, a charcharor hefyd, gallai fod yn gyfyng iawn.

Roedd gan aelodau'r Adran Arbennig hawl i holi unrhyw un a adewai neu a gyrhaeddai'r porthladd, a chwilio'u pocedi a'u bagiau. Drwy wneud hyn, daethom ar draws nifer o bobl a oedd wedi troseddu ym Mhrydain Fawr ac yn ceisio dianc i'r Iwerddon – gallwch fentro bod hyn yn digwydd yn gyson gan fod cymaint o deithio rhwng Caergybi a Dulyn neu Dun Laoghaire. Tra'r oeddwn i yno fe ddaliwyd mwy o droseddwyr nag a wnaethpwyd yn Uned Adran Arbennig Maes Awyr Heathrow, ac mae hynny'n dipyn o gamp!

Y drefn oedd holi unrhyw deithiwr amheus yn fanwl er mwyn darganfod ei enw cywir, ei ddyddiad geni a ble y'i ganed. Yna, gwneud ymholiadau er mwyn darganfod a oedd wedi troseddu neu ddianc oddi wrth yr heddlu ym Mhrydain.

Ditectif Sarjant Ron Wickens oedd y pennaeth. Yn enedigol o Gaergybi, roedd yn aelod o'r *Metropolitan Police* ac yn gyfrifol am yr Uned. Gwisgai gôt ledr hir frown tywyll a het am ei ben, yn debyg iawn i aelod o'r Gestapo ers talwm, ac roedd wrth ei fodd yn dweud wrthym ei fod yn cario gwn, er na welsom un ganddo erioed. Doedd dim dwywaith, roedd yn ceisio gwneud argraff. Tri chwnstabl arall oedd yno ar y pryd, oll yn brofiadol iawn, sef Raymond Parry, Gwyndaf Morris a Tom Hughes (yr un a gafodd 'botel fach o domato jiws' gan Elis Parry Owen). Fel y dywedais, roedd angen dau dditèctif ychwanegol yno, a dechreuodd Geoff Mitchell, heddwas o Fangor, yno ar yr un diwrnod â mi.

Y peth cyntaf a sylwodd Geoff a minnau oedd bod popeth i gael ei wneud yn null y *Metropolitan Police.* Yn ôl Ron Wickens, nid oedd unrhyw ffordd arall yn ddigon da, oherwydd mai'r *Met* oedd yn rhagori ym mhob peth. Roedd yn mynnu bod adroddiadau Geoff a minnau'n berffaith – perffaith yn ôl safonau'r *Met* wrth gwrs. Câi'r tri ditectif arall fwy o ryddid gan eu bod yn hŷn ac yn fwy profiadol na ni. Ceisio ennyn parch y bechgyn ifanc oedd o, ond cafodd y ddau ohonom lond bol ar ôl mis neu ddau, a phenderfynu chwarae tric arno. O hynny ymlaen, wrth ysgrifennu adroddiadau, roedd y ddau ohonom yn gwneud ati i chwilota drwy'r geiriadur am eiriau mawr anghyffredin, geiriau na chlywais i erioed mohonyn nhw o'r blaen. Y gamp wedyn oedd defnyddio cymaint ag y gallem ohonynt yn ein hadroddiadau cyn eu gadael ar ddesg Ron Wickens. Yna, fe ddisgwyliem tu allan, gan edrych trwy'r ffenestr arno'n agor ei eiriadur ei hun er mwyn darganfod ystyr y geiriau anghyffredin yma. Y munud yr agorai'r geiriadur mawr, cerddai un ohonom i mewn i'w swyddfa er mwyn ei ddal yn rhuthro i'w guddio cyn i ni ei weld. Buan ddaru'r dyn o'r *Met* roi'r gorau i feirniadu ein hadroddiadau'n ddi-angen.

Treuliem ran helaeth o'n hamser yn gwylio'r holl deithwyr, dewis y rhai mwyaf amheus yr olwg a'u holi. Gwyddelod oedd y mwyafrif ohonynt. 'Dw i'n cofio Tom Hughes yn mynd at un dyn gan ddweud yr un peth ag y byddem yn ei ddweud bob tro.

'Esgusodwch fi. Heddwas ydw i,' gan ddangos ei gerdyn swyddogol. 'Oes gennych chi rywbeth sy'n profi pwy ydach chi? *Do you have any means of identification*?' Roedd yn bwysig sicrhau ei fod yn rhoi'r enw cywir.

Meddyliodd y dyn am sbel cyn tynnu llun allan o'i boced a'i ddangos i Tom. Llun o'i deulu, tua dwsin o bobl yn sefyll gyda'i gilydd. Pwyntiodd ato gan ddweud:

'Fi ydi'r un ar y chwith yn y cefn.'

Doedd Tom ddim yn disgwyl hynny. Dro arall, aeth Tom at ddau ddyn ac ar ôl gofyn eu henwau, gofynnodd i'r cyntaf:

'Beth yw eich cyfeiriad?'

'Nid oes gennyf gartref sefydlog, syr,' meddai. '*No fixed abode, sir.*'

Gofynnodd Tom yr un cwestiwn i'w gyfaill. Gan gyfeirio at ei fêt, dywedodd.

'Yn y fflat uwch ei ben o.'

Yr hen harbwr yn Nghaergybi, lle dechreuais fy amser fel ditectif gyda'r Gangen Arbennig.

Cawsom brofiad un noson sydd yn gwneud i mi chwerthin bob tro y cofiaf amdano. Roedden ni'n cydweithio â Heddlu Rheilffordd Prydain Fawr, y *British Transport Police* neu'r *Railway Police* fel y'u gelwir. Nhw oedd yn gyfrifol am yr orsaf reilffordd a rhan helaeth o'r dociau yng Nghaergybi ac roedd yn hanfodol cydweithio â nhw – haws dweud na gwneud weithau. Ta waeth, roedd eu swyddogion yno'n aml ac yn holi'r teithwyr yn union yr un fath â ni.

Joe Rooney oedd enw un ohonynt. Gwyddel oedd o, dyn mewn tipyn o oed ac yn byw gyda'i deulu yn Nulyn. Teithiai ar un o'r llongau ar draws Môr Iwerddon, gweithio ei shifft, a theithio adref yn yr un modd, er y byddai yn aros yng Nghaergybi ambell dro. A dweud y gwir, yr oeddwn i a Geoff yn amau nad oedd o'n llawn llathen.

Y noson honno, roedd nifer fawr o deithwyr wedi cyrraedd ar y trên o Firmingham i ddal y llong. Gwelodd un o'r casglwyr tocynnau rywbeth anghyffredin, a thynnodd sylw Geoff at y digwyddiad.

Roedd Joe Rooney wrthi'n gorffen holi rhyw ddynes ac ar ôl chwilota trwy un o'i bagiau, caeodd y bag gan ddweud, '*Thank you, madam.*' Nid oedd yn rhaid edrych yn fanwl iawn i weld nad dynes oedd hon ond dyn – a'i fod yn gwisgo wig, sgert fer, blows a sannau merch. Welsoch chi ddim pennau-gliniau hyllach yn eich dydd erioed! Roedd yn ei bedwardegau ac yn gwisgo gormod o golur, ond serch hynny roedd tyfiant tri neu bedwar diwrnod o farf tywyll i'w weld yn glir. Os nad oedd hynny'n ddigon, pan ail-agorodd Geoff ei fag, daeth o hyd i drowsus melfaréd, crysau a thrôns budur a llwyth o gyllyll a ffyrc arian. Oedd Joe Rooney wedi gweld hyn i gyd yn barod?

Dechreuodd Geoff ei holi a daeth i ddeall fod y gŵr yma wedi bod yn gweithio mewn gwesty yng nghanol Birmingham, wedi dwyn y cytleri arian oddi yno a'i fod ar y ffordd adref hefo'i ysbail. Credai y byddai pob plismon yn y wlad ar ei ôl a dyna pam y penderfynodd wisgo fel merch. Nid hwn oedd y lleidr gorau yn y byd ond credaf iddo gael y gorau ar yr hen Joe Rooney y noson honno.

Ar ôl arestio rhywun roedd yn rhaid, fel y dywedais, mynd â fo neu hi i'r ddalfa yn y dref; yn aml gan ddefnyddio gefynnau llaw. Ambell dro, byddai Sarjant Gwilym Williams, aelod parchus o Heddlu'r Rheilffordd a physgotwr pluen fel finnau, yn dod i'm cyfarfod. Gofynnai'r un cwestiwn i mi bob tro y gwelai garcharor wrth fy ochr:

'Ar be cefaist ti o?'

'Coch y bonddu,' atebwn.

'Ia, pluan dda ydi hi.'

Arhosais yn y porthladd am chwe mis, a mwynhau fy nghyfnod yno er bod y gwaith yn flinedig o dro i dro. Erbyn Medi 1972, roedd lle i mi yn adran CID y dref, ac yno y dechreuais weithio yn dditectif llawn amser.

Yn ôl â mi felly i orsaf yr heddlu yng nghanol Caergybi, lle'r oeddwn wedi treulio pedair blynedd cyn mynd i'r porthladd.

Kenneth George Brookes Jones (neu KGB Jones fel y galwai ei hun weithiau) oedd Ditectif Sarjant swyddfa'r CID; dyn mawr cryf gydag un llygad ychydig bach yn groes. 'Dw i'n siŵr fod ei olwg yn ddigon i ddychryn un neu ddau wrth gael eu holi ganddo, ond roedd ei ddawn i ragweld yn ddiarhebol ac, yn bwysicach na hynny, roedd yn awyddus i rannu ei sgiliau a'i gwmni. Bu'n arweinydd ac athro da i ni – a pheth arall, roedd yn annog chwaraeon yn y gweithle. Er ein bod yn gweithio'n galed am oriau hir, nid oedd neb yn mynd adref heb gael gêm fach o snwcer neu denis bwrdd, hyd yn oed am ddau neu dri o'r gloch y bore. Y bwriad, fel y deuthum i ddeall, oedd ymlacio cyn mynd adref, ac efallai mai dyna a wnaeth ein swyddfa ni yn un mor hapus a chyfeillgar.

Roedd Ken yn byw yn un o dai'r heddlu yn agos i Tom Hughes. Daeth si un diwrnod bod Tom wedi penderfynu tyfu madarch. Roedd wedi prynu'r offer angenrheidiol, a chredai y byddai tywyllwch a gwres yr atig yn berffaith i'w tyfu. Aeth hyn yn dipyn o destun trafod bob dydd, gan fod Tom yn disgwyl tyfu digon o fadarch i'w gwerthu a gwneud dipyn o arian ychwanegol. Wel, wedi peth amser, dim ond un fadarchen ddaeth i'r golwg – siom fawr i Tom ond jôc enfawr i'r gweddill ohonom.

Cododd Tom o'i wely un bore a gweld arwydd yn ei ardd ffrynt. Aeth i weld beth oedd wedi ei ysgrifennu arno, a dyma a welodd:

Mushroom (1) for sale. Apply within.

Chyfaddefodd neb, er bod gan bawb syniad reit dda pwy oedd yn gyfrifol.

Len Owen oedd y ditectif gwnstabl mwyaf profiadol yn y swyddfa ar y pryd; dyn yn enedigol o Niwbwrch a ymunodd â'r heddlu yn Sir Fflint yn y dyddiau cyn uno heddluoedd gogledd Cymru. Roedd Len yn bêl-droediwr da a oedd wedi chwarae ar hyd a lled Sir Fôn pan oedd yn llanc ifanc – yn wir, roedd yn dal i fod yn adnabyddus ymysg pêl-droedwyr Môn fel Ŵans Niwbwrch y pêl-droediwr, hyd yn oed i rai nad oeddynt yn ei adnabod yn y cnawd.

Un tro, roeddwn yn rhan o dîm pêl-droed yr heddlu a Len oedd ein capten mewn gêm yn erbyn tîm arall o Gaergybi. Fel yr oedd yn digwydd bod, y reffarî y diwrnod hwnnw oedd dyn o'r enw Gwilym a oedd wedi bod mewn helynt fwy nag unwaith. O'r herwydd, roeddem ni'r heddlu, a Len yn enwedig, yn ei adnabod yn iawn. Yn ystod y gêm, fe gafodd Gwilym esgus reit dda i gosbi Len, ac fel sy'n digwydd yn aml ar gae pêl-droed, dechreuodd Len ddadlau ag o. Hanner cyfle oedd Gwilym ei angen, a dyma'r cerdyn coch o'i boced. Bu'n rhaid i Len gerdded oddi ar y cae, a chyn diwedd y prynhawn, roedd yr hanes yn dew ar draws y dref fod Gwilym wedi cael y gorau ar un o dditectifs y dref.

Yn aml bryd hynny, byddai troseddwyr o rannau eraill o Brydain yn troseddu eilwaith wrth deithio drwy Sir Fôn – dwyn car, efallai, neu dorri i mewn i dŷ. Gan nad oeddynt ym Môn am fwy na diwrnod neu ddau roedd yn anodd iawn eu dal. Roedd Len yn ymwybodol o hyn ac yn darllen y cylchlythyrau a oedd yn cyrraedd y swyddfa yn fanwl bob dydd. Yn aml iawn, byddai'n canfod bod rhywun wedi ei arestio ymhell iawn o Fôn, a'i fod wedi teithio drwy'r ynys ar ryw ddyddiad arbennig. Roedd Len yn awyddus i helpu'r troseddwr i 'glirio'i blât' drwy gyfaddef i'w holl gamweddau, a byddai'n chwilio am droseddau a gyflawnwyd o gwmpas yr un adeg yn Sir Fôn. Mater bach wedyn oedd siarad ar y ffôn hefo'r ditectif a oedd yn delio â'r troseddwr, ac yn aml iawn byddai'r sawl a arestiwyd yn cyfaddef i'r hyn a ddigwyddodd yn Sir Fôn fisoedd lawer ynghynt. Roedd y drosedd wedi ei chlirio. Digwyddodd hyn sawl gwaith a chafodd Len y llysenw haeddiannol, *Armchair Detecive Agency.*

Yr unig dditectif arall llawn amser yn y swyddfa oedd Alan Pierce, hwnnw ddaru 'ddwyn' tacsi Wil Cachu Iâr ers talwm. Cês ar y naw o Ryd Ddu oedd o, bachgen hwyliog a gweithiwr hynod o galed ddydd a nos. Roeddwn yn adnabod Alan yn dda – fo oedd y cadet ym Mangor o 'mlaen i, a fi aeth i Gaergybi yn ei le pan symudwyd o i Dywyn am gyfnod. Dychwelodd i Gaergybi, a daeth y ddau ohonom yn dipyn o ffrindiau.

'Dw i'n cofio fel yr âi i un o stadau tai mwyaf garw Caergybi yn ei iwnifform cyn ei ddyddiau fel ditectif, i gyflwyno gwŷs neu weithredu gwarant. Fe wnai'n siŵr bob amser fod ganddo baced o bethau da yn ei boced, cyn parcio fan yr heddlu yng nghanol y sgwâr ac eistedd ar y boned am funud neu ddau hefo gwên fawr ar ei wyneb. Yna, heidiai plant y stad i gyd ato dan weiddi:

'*Uncle Alan, Uncle Alan!*'

Dyna pryd y tynnai'r paced melysion o'i boced a'u rhannu, cyn gofyn i'r plant pwy oedd wedi torri i mewn i, dyweder, Ysgol Thomas Ellis, neu gyflawni rhyw drosedd arall yn agos i'r stad. Câi y gwir bob tro, er nad oedd hi'n hollol briodol i holi plant heb eu rhieni'n bresennol. Plismon da.

'Dw i'n cofio hanes Alan yn cael peint yn nhafarn y *Dublin Packet* unwaith. Ar ôl i'r perchennog dynnu peint iddo a rhoi'r gwydr ar y bar o'i flaen, gofynnodd Alan iddo:

'Fedri di roi dwbl wisgi ar ei ben o i mi os gweli di'n dda, Jack?'

'Medraf tad, Alan,' atebodd, gan afael yn y gwydr unwaith eto.

'Wel, llenwa fo efo cwrw 'ta,' gorchymynnodd Alan.

Nid oedd Alan yn mynd i gael ei dwyllo allan o lymaid ychwanegol.

Hefo Alan oeddwn i pan gawsom ein dau ein canmoliaeth swyddogol, y *commendation*, cyntaf. Diwrnod poeth yng nghanol yr haf oedd hi, ac roedd y swyddfa wedi bod yn hynod o brysur yn ystod yr wythnosau cynt. Roedd yna ymholiad wedi cyrraedd, o Gaerdydd os cofia i'n iawn, yn gofyn i ni holi rhyw ddyn a oedd yn byw ym Mae Trearddur mewn cysylltiad â llofruddiaeth yn y brifddinas. Ymholiad cyffredinol oedd hwn oherwydd bod gan y dyn hanes o ymosod ar ferched ifanc, a'i fod wedi bod yn byw yng nghyffiniau'r llofruddiaeth rhyw dro yn y gorffennol. Doedd neb yn y swyddfa wedi cael amser i fynd yno, a dywedodd Ken Jones fod rhaid mynd 'heddiw'. Rhoddodd orchymyn i Alan a minnau fynd i Fae Trearddur yn syth ar ôl cinio, a dyna a wnaethom, gydag Alan yn dreifio. Wedi cyrraedd cyrion Bae Trearddur, roedd yn rhaid troi i'r dde oddi ar y ffordd fawr a mynd am sbel cyn dod at dŷ'r dyn.

Yn lle hynny, dewisodd Alan a finnau fynd am beint o

siandi i westy'r Traeth yr ochr arall i'r pentref gan ei bod mor gynnes. Roedd digon o amser i fynd i holi'r gŵr o Gaerdydd. Fel yr oeddem yn cyrraedd y gwesty, daeth galwad ar radio'r car i ddweud bod lladrad arfog newydd ddigwydd yn swyddfa bost Rhoscolyn. Gan ein bod wedi gwyro o'r daith, doedden ni ddim mwy na dwy filltir o'r post. Am Roscolyn â ni felly, â'n gwynt yn ein dyrnau. Fel yr oeddem yn troi un gongl, daeth car arall i'n cyfarfod ar ein hochr ni o'r ffordd a bu ond y dim iddi fod yn ddamwain ddifrifol. Drwy lwc, fe gawsom olwg reit dda ar y gŵr a oedd yn gyrru'r car ac un o'r ddau arall. Adnabu Alan a minnau nhw fel dau lanc o Fryngwran, dau â hanes o droseddu. Dyma droi'r car yn ôl am Gaergybi ond, gan eu bod yn gyrru mor gyflym, fe gollon ni'r car. Rhoddais ddisgrifiad o'r car a'r dynion a welsom ynddo dros y radio i'n cydweithwyr yng Nghaergybi.

Erbyn deall, roedd tri dyn arfog wedi mynd i swyddfa'r post, wedi neidio dros y cownter a bygwth yr hen wraig a weithiai yno. Ar ôl ei gwthio i un ochr, roeddynt wedi dwyn hynny o arian a oedd yno cyn dianc yn y car.

Bu chwilio dyfal amdanynt drwy'r prynhawn, ac ymhen hir a hwyr, a finnau mewn car patrôl yng nghwmni un o hogiau'r adran draffig, cefais gip arall arnynt – yn yr un car ac yn teithio allan o Gaergybi am gob Y Fali. Heb oedi, caewyd y ffordd ymhellach draw. Cawsant eu harestio, a dyna ddiwedd ar eu direidi am flynyddoedd.

Cafodd Alan a finnau ganmoliaeth swyddogol gan y Prif Gwnstabl ac wedyn gan y barnwr pan ddaeth yr achos ger bron Llys y Goron. Clod mawr am fod yn y lle iawn ar yr amser iawn – neu, a dweud y gwir, bod yn y lle anghywir ar yr amser iawn. Hyd heddiw, wn i ddim pwy gafodd y gwaith o fynd i holi'r dyn o Gaerdydd, ond nid fi aeth. Erbyn hynny, roeddwn i'n fwy prysur nac erioed.

Un diwrnod, cafodd Alan wybodaeth o le da bod rhyw

lanc ifanc o gyffiniau Rhos-goch wedi dwyn dafad. Yn ôl y sôn, roedd ar ei ffordd adref o'r dafarn rhyw dair noson ynghynt pan ddaeth ar draws y ddafad yn sownd yn y clawdd. Rhywsut, aeth â'r ddafad adref, ac yn ôl yr hyn a glywodd Alan, dyna lle'r oedd hi o hyd – yn y tŷ cyngor yr oedd yn ei rannu â'i fam a'i dad. Aeth Alan i weld un o'r ynadon i gael gwarant i chwilio'r tŷ, ond ar ôl cyrraedd yno, doedd dim hanes o'r llanc. Fe siaradodd Alan gyda'i dad, gan egluro'r rheswm dros yr ymweliad.

'Dafad? Dafad? Peidiwch â bod mor blydi gwirion, ddyn,' oedd yr ateb.

'Mae gen i warant yn y fan hyn,' meddai Alan, gan ei dangos. 'Rydw i am chwilio amdani yn yr ardd gefn.'

Aeth i'r ardd gefn ond nid oedd dafad ar gyfyl y lle.

'Be sy'n y cwt yna?' gofynnodd Alan.

'Wel does yna ddim dafad, mae hynny'n siŵr,' atebodd y tad. 'Does yna neb yn mynd i gadw dafad mewn blydi sied, nag oes?'

Nid oedd y ddafad yn y fan honno chwaith.

'Rhaid chwilio'r tŷ rŵan 'ta,' meddai Alan.

'Tydach chi ddim yn dod i mewn i fy nhŷ i i chwilio am blydi dafad. Chlywais i ddim byd mor blydi gwirion yn fy nydd!'

Roedd yr hen fachgen yn codi ei lais erbyn hyn – a phwy, a dweud y gwir, a welai fai arno? Esboniodd Alan yn ddigon cwrtais fod ganddo warant a'i bod yn rhoi'r hawl iddo i edrych drwy'r tŷ yn ei gyfanrwydd, ac os byddai rhywun yn ei rwystro rhag gwneud hynny, byddai'n cael ei arestio.

Distawodd yr hen ddyn rywfaint, er ei fod yn gwneud pob math o fygythion tu ôl i gefn Alan fel yr aeth o'r gegin i'r ystafell fyw. Nid oedd sôn am ddafad yn y fan honno chwaith. Roedd gwraig y tŷ yno erbyn hyn a'r ddau yn cega ar unwaith.

''Dw i am fynd i fyny'r grisiau rŵan,' meddai Alan.

'Pwy ddiawl sydd am guddio blydi dafad yn y llofft?' gofynnodd y tad ar dop ei lais.

Dyna pryd yr aeth pethau'n flêr. Roedd yr hen ddyn am ddechrau cwffio, a bu'n rhaid ei atgoffa unwaith eto o ganlyniad rhwystro'r ymchwiliad. I fyny â nhw, ac fel y dywedodd yr hen ddyn, nid oedd dafad yn yr un o'r llofftydd, nag yn yr ystafell ymolchi.

'Be' ddywedais i wrthoch chi?' gofynnodd. 'Chi a'ch blydi dafad. Ewch o 'ma, da chi. Rydach chi wedi gwneud digon o lanast am heddiw.'

Roedd yn gweld mai fo oedd yn iawn erbyn hyn, ond roedd Alan yn dechrau teimlo'n ddigon digalon. Efallai fod yr wybodaeth a gafodd yn anghywir ac y byddai'n rhaid iddo ymddiheuro i'r ddau. Doedd yna ond un lle arall i chwilota – yr atig. Gwelodd Alan fod drws yn y nenfwd.

'Be' sydd fyny yn fan'na?'

Aeth yr hen ddyn yn lloerig unwaith eto.

'Pwy ddiawl sydd yn mynd i gadw blydi dafad yn yr atig? Does neb wedi bod i fyny'n fan'na ers blynyddoedd.'

Ond fe ddistawodd rywfaint pan fu'n rhaid iddo fynd i lawr y grisiau i nôl brwsh coes hir i geisio agor y drws yn y to.

Cymerodd Alan y brwsh oddi arno a'i ddefnyddio i wthio'r drws yn agored. Disgynnodd y drws yn glep yn erbyn llawr yr atig, a gwelodd Alan ddau lygad yn edrych arno, a sŵn na ddisgwyliai ei glywed newn atig tŷ cyngor.

'Mmmeeeeeeee!'

Yng ngeiriau Alan, nid oen i'w fwyta oedd hwn, ond y ddafad hynaf, hyllaf a welsoch chi yn eich dydd erioed. Agorodd ceg yr hen ddyn bron iawn cymaint â'i lygaid. Roedd yn amlwg nad oedd o'n gwybod dim am y peth. Gwaeddodd i lawr y grisiau ar ei wraig.

'Lle mae'r blydi hogyn yna? Munud y daw o adra, mi ladda' i'r diawl!'

Roedd Alan wedi gweld bod yna dipyn o faw ffres o

gwmpas y drws, a phan ddywedodd yr hen ddyn nad oedd neb wedi bod yn yr atig ers blynyddoedd, gwyddai'n syth nad oedd hynny'n wir. Dyna i chi dditectif da; sylwodd Alan ar bopeth a bu'n drwyadl tan y diwedd gan ddisgwyl yr annisgwyl – hyd yn oed y 'Mmmeeeeeee' ddaeth o'r atig!

Cafodd y mab ei gosbi yn llys yr ynadon, a 'dw i'n amau i'r ynadon gael dipyn o hwyl wrth wrando ar sut y bu i Alan ddarganfod y ddafad. Clywais Alan yn dweud y stori sawl gwaith dros y blynyddoedd, ac mae hi mor ddoniol heddiw ag yr oedd y tro cyntaf.

Wn i ddim sut roedd Alan Pierce yn llwyddo i'w gael ei hun yng nghanol y sefyllfaoedd anghyffredin yma. Roedd ganddo straeon lu – yn cynnwys un am y Tywysog Charles hyd yn oed! Mi fuasai'n bechod i mi beidio â'i rhannu hefo chi...

Fel ei fab, treuliodd y Tywysog gyfnodau yn dysgu hedfan ym maes llu awyr Y Fali. Roedd yno ar gwrs hedfan hofrennydd un tro, ac yn aros gydag Arglwydd ac Arglwyddes Môn ym Mhlas Newydd. Roedd y mesurau diogelwch yn ddigon isel i'r Tywysog gael gyrru ei gar ei hun – Aston Martin smart – ar yr amod bod ei dditectif personol wrth ei ochr drwy'r amser. Bob bore, roedd yn rhaid i ddau dditectif lleol ddilyn yr Aston Martin o Blas Newydd i'r Fali i wneud yn siŵr ei fod yn cyrraedd yno'n saff. Yr oedd hi'n hanfodol bod y car a ddefnyddid yn berffaith lân a smart, ond er gwaetha'n holl ymdrechion, Ford Escort glas gyda chan mil o filltiroedd ar y cloc a mwg mawr yn dod o'i beipen ôl oedd yr unig gar ar gael i ni.

Yn ddyddiol am wyth y bore, byddai'r A5 trwy Sir Fôn yn cael ei chau fel na allai car arall ddod yn agos ar gar y Tywysog. Y bore Dydd Llun cyntaf, Esmor Williams ac Alan Pierce oedd y ddau dditectif lleol yn y Ford Escort. Esmor oedd yn dreifio. Ar ôl brecwast da yng nghegin Plas Newydd (roedd Arglwyddes Môn yn gwneud yn siŵr bod yr hogiau yn cael pob chwarae teg) daeth gair i ddweud ei bod hi'n amser cychwyn. Cofiwch, roedd hi'n hynod o bwysig bod popeth yn berffaith ac ar amser. Aeth Esmor ac Alan allan a pharcio tu ôl i'r Aston Martin. Ymhen sbel, daeth y Tywysog a'i dditectif allan, ac i ffwrdd â nhw i lawr yr A5. Aeth popeth fel wats nes i'r Tywysog fethu'r troead i'r chwith ar groesffordd Dalar a gyrru ar hyd yr A5 am Gaergeiliog.

Wnaeth Alan ac Esmor ddim poeni, gan feddwl ei fod am fynd trwy bentref Caergeiliog ac yna troi i'r chwith wrth ymyl y tyrpeg, gan defnyddio'r lôn gefn.

Ond nid felly y bu hi. Fe basiodd y Tywysog y troead hwnnw hefyd, gan anelu at bentref Y Fali. Panig rŵan 'ta! Nid oedd y lonydd o'u blaenau wedi eu cau, nag wedi eu gwneud yn hollol saff i aelod o'r teulu brenhinol. Drwy defnyddio radio'r car, hysbyswyd y pencadlys; ond nid oedd cynlluniau wedi eu gwneud ar gyfer argyfwng! Diolch i'r nefoedd, roedd y goleuadau traffig ar sgwâr Y Fali yn goch, a stopiodd yr Aston Martin yn y fan honno.

Fel unrhyw dditectif da a sionc, bachodd Alan ar y cyfle i neidio allan o'r car a rhedeg at ffenestr gyrrwr yr Aston Martin. Curodd ar y ffenestr gan hanner saliwtio ac ymgrymu nes yr oedd ei ben yn is na'i ganol. Pan agorodd y Tywysog Charles y ffenestr, dywedodd Alan wrtho fel hyn yn union:

'*Excuse me, Your Majesty, but you've missed the turning and gone the wrong way.*'

Buaswn yn hoffi gwybod beth aeth trwy feddwl y tywysog pan gafodd ei alw yn *Your Majesty,* y cyfarchiad y dylid ei roi i'w fam, yn lle *Your Highness!*

'*Follow me Sir,*' oedd y gorchymyn a gafodd y tywysog gan y bachgen o Ryd Ddu, a dyna ddigwyddodd. Yr Aston Martin yn troi rownd ym maes parcio Gwesty'r Fali ac yn ôl am faes y llu awyr, gan ddilyn y Ford Escort glas â'r mwg mawr yn dod o'i dîn.

Cewch glywed eto beth ddigwyddodd, flynyddoedd ar ôl hynny, pan gafodd Alan y gwaith o edrych ar ôl y frenhines ei hun. Mae'r stori honno yn werth ei dweud hefyd!

Ar ddyletswydd yn Sioe Môn.
O'r chwith i'r dde – Trefor Edwards, Alan Pierce, Ken Brookes-Jones, Huw Williams, Bob Evans a'r Arolygydd Neville Yates.

Pan oeddwn yn gweithio i'r CID roeddwn i, fel pawb arall, yn gyfrifol am ymchwilio i holl droseddau Ynys Môn. Wrth wneud hyn, deuthum i adnabod holl blismyn y sir. Un a wnaeth dipyn o argraff arna' i oedd Ken Williams, plismon yn Llanfaethlu ac wedyn yn Mae Trearddur, a thipyn o gês. Nid oedd Ken yn cyd-dynnu'n dda iawn â'r arolygydd yng Nghaergybi ar un cyfnod, fel y gwyddai'r rhan fwyaf o'i gydweithwyr.

Tŷ cyffredin oedd gorsaf yr heddlu yn Llanfaethlu, ger

ochr y ffordd fawr hanner milltir cyn cyrraedd y pentref o gyfeiriad Y Fali. Roedd y swyddfa wrth ochr y tŷ, gyda drws ar wahân ar gyfer y cyhoedd. Yn y swyddfa hon roedd parot Ken yn trigo, ac roedd Ken yn ei ddoethineb wedi ei ddysgu i siarad:

'Lle mae'r Arolygydd, lle mae'r Arolygydd, uffern drwg 'di o!'

Roedd pawb a ymwelai â'r swyddfa'n cael clywed hyn ac, wrth gwrs, cafwyd hwyl fawr bob tro. Pan glywai Ken fod yr Arolygydd o gwmpas rhaid oedd rhoi blanced ddu dros y caets.

Ond roedd y gwaetha'n siŵr o ddigwydd rhyw dro. Daeth yr Arolygydd i weld Ken er mwyn mynd trwy lyfrau'r swyddfa yn drwyadl fel arfer. Gwelodd y blanced ddu, ac fe'i tynnodd oddi ar y caets. Y peth cyntaf a welodd oedd y parot yn rhedeg i fyny ac i lawr y glwyd gan sgrechian:

'Lle mae'r Arolygydd? Lle mae'r Arolygydd? Diawl drwg 'di o, uffern drwg, uffern drwg.'

Wnaeth pethau ddim gwella rhyngddynt ar ôl hynny, gallwch fentro!

Yn ystod fy amser yng Nghaergybi, deuthum i adnabod amryw o bobl a oedd yn cadw neu weithio yn siopau'r dref. Un o'r rhain oedd rheolwr siop groser E B Jones, a oedd ddau neu dri drws i lawr o Fanc Barclays. Edward Roberts oedd ei enw, neu Edward E B i'w gydnabod drwy Sir Fôn. Roedd Edward yn saethwr gwn hela dau faril ardderchog a gynrychiolodd Cymru sawl gwaith yn y saithdegau ynghyd ag ennill cwpanau am saethu colomennod clai. Cefais wahoddiad ganddo i fynd i saethu gêm unwaith neu ddwy ac yr oeddwn yn hoff o sgwrsio ag ef pan ddeuai'r cyfle.

Un tro, cawsom wybod bod criw o ladron yn cynllwynio i ddwyn arian o fanc Barclays Caergybi a'u bod am ddefnyddio arfau. Daeth ditectifs o'r *Regional Crime Squad* i'r dref i'n helpu gan nad oeddem yn cael ein dysgu i ddefnyddio gynnau y dyddiau hynny. Pan ddaeth y diwrnod mawr, roedd dau blismon arfog y tu mewn i'r banc a hanner dwsin y tu allan, tri o flaen yr adeilad a thri yn y cefn. Roeddynt oll yn ofni'r gwaethaf – sefyllfa ddifrifol na welais i ei thebyg o'r blaen.

Digwyddais basio cefn banc Barclays tua canol y bore a chael sioc pan welais ddau ŵr; un ohonynt yn cario gwn deuddeg bôr dau faril; wrth ddrws cefn yr adeilad. Ond nid lladron mohonynt – roedd cyfaill i Edward o Lanfechell, Ted Mounfield, wedi prynu gwn newydd a dewis y diwrnod hwnnw i'w ddangos i Edward! Stopiais y car ar unwaith. Roedd yn rhaid i mi egluro yn reit sydyn pam bod yn rhaid iddynt eu heglu hi oddi yno cyn i'r ditectifs dieithr ddechrau saethu. Wn i ddim pwy ddychrynodd fwyaf – fi, Edward E B, ynteu Ted. Mae Edward yn dal i son am y digwyddiad hyd heddiw.

Ar ôl bron i flwyddyn, tua Hydref 1973, daeth ditectif sarjant newydd i Gaergybi yn lle K G B Jones. David Nicholas oedd ei enw, ac roeddwn yn ei adnabod yn iawn gan mai fo fu'r sarjant yn Y Fali am flynyddoedd. Roedd gan bawb feddwl mawr o Nick Fali, fel yr oedd pawb yn ei adnabod bryd hynny.

Un diwrnod, pan oedd yn sarjant yn Y Fali, aeth Nick i weld plismon Bodedern, Pritch Boded. Roedd Pritch dros ei hanner cant ar y pryd, ac yn o agos at ymddeol. Cawsant eu gyrru i rywle ar ymholiad, ac i ffwrdd â nhw yn y mini fan i wneud y gwaith; Nick yn gyrru a Pritch yn y sêt flaen. Roedd yn rhaid croesi'r A5, a phan ddaethant at groesffordd Dalar, edrychodd Pritch i'r chwith.

'*Okay left, Sarj*', meddai, ac allan â Nick i ganol yr A5.

Yn anffodus, nid oedd y ffordd yn glir a daeth car arall o'r chwith yn syth i ochr mini fan yr heddlu. Wrth gwrs, doedd dim bai ar hwnnw. Yn ffodus, ni anafwyd neb, ond fel y buasech yn ei ddisgwyl, bu ymholiad trylwyr a chan mai Nick oedd yn gyfrifol am y ddamwain, cafodd wŷs am yrru'n ddiofal. Cafodd y dywediad *'Okay left, Sarj'* ei ddefnyddio lawer gwaith wedyn, bob tro y deuai un o gerbydau'r heddlu at gyffordd. Ond nid dyna ddiwedd yr hanes.

Y dyddiau hynny, roedd yn arferiad i bob sarjant erlyn achosion ei ardal ei hun yn Llys yr Ynadon. Ychydig wythnosau ar ôl y ddamwain, roedd Nick yn erlyn achosion ardal Y Fali. Dyna'r lle'r oedd o'n sefyll o flaen yr ynadon, yn broffesiynol fel arfer. Ganol y bore, galwyd y diffynnydd nesaf, sef David Nicholas. Cododd Nick ar ei draed a cherdded i'r doc. Daeth plismon arall, un o'i gydweithwyr, at y bwrdd i erlyn, a gofynnodd iddo:

'Chi yw David Nicholas?'

'Ia,' meddai Nick.

Aeth yr achos yn ei flaen, ac fe'i cyhuddwyd o yrru'n ddiofal. Llediodd yn euog, cafodd ei ddirwyo a chafodd bwyntiau ar ei drwydded yrru. Yna, dychwelodd i'w safle y tu ôl i'r bwrdd mawr o flaen yr ynadon i erlyn yr achos nesaf. Roedd pawb, gan gynnwys yr ynadon, yn rhyw gilchwerthin.

Cyffesodd Nick flynyddoedd yn ddiweddarach fod cael y tri phwynt ar ei drwydded yn un o'r pethau gorau ddigwyddodd iddo erioed. Yn nawns ffurfiol yr heddlu bob blwyddyn, y *Police Ball*, roedd gwobr i'r person cyntaf a allai gyflwyno trwydded â phwyntiau arni i arweinydd y noson. Nick oedd yn cael y wobr bob blwyddyn, a'r drwydded yn barod yn ei boced bob tro.

Dywedodd Nick wrtha' i rhyw dro am y diwrnod y cafodd ei ddyrchafu o fod yn gwnstabl i fod yn sarjant. Ditectif oedd o ar y pryd, yn gweithio yn swyddfa'r heddlu yn Llandudno. Un diwrnod, cafodd orchymyn i fynd i'r pencadlys yng Nghaernarfon y prynhawn canlynol i weld y Prif Gwnstabl. Nid oedd hynny'n beth a ddigwyddai bob dydd, ac felly daeth i'w waith y bore wedyn yn ei siwt orau.

Yn fuan ar ôl cychwyn ei shifft, roedd Nick yn pasio'r traeth yn Llandudno pan welodd nifer o bobl ger ymyl y dŵr. Roedd yn amlwg bod rhywbeth yn bod, a rhedodd draw i ganfod rhywun mewn trafferthion yn y môr. Heb ddim lol, aeth Nick i'r dŵr ymhell dros ei ganol a thynnu'r creadur anffodus allan. Wedyn, wrth gwrs, bu'n rhaid iddo fynd adref i newid o'i siwt orau wleb a rhoi un arall amdano cyn mynd i weld y Prif Gwnstabl yn ddiweddarach y prynhawn hwnnw.

Ymhen awr neu ddwy, roedd Nick yn holi carcharor yn swyddfa'r CID. Yn sydyn, trodd y carcharor yn fygythiol a dechrau'i ddyrnu. Roedd teipyddes swyddfa'r CID yno hefyd, a dychrynodd honno gymaint nes y'i gyrrwyd hi i gongl yn sgrechian. Ni wyddai Nick ar y pryd mai paffiwr proffesiynol oedd y carcharor, a phob tro y ceisiai Nick fynd yn agos ato, dawnsiai y dyn o'i flaen gan daro hanner dwsin o ddyrnau; tap, tap, tap; yng nghanol ei wyneb. Daeth help o rhywle toc a chawsant drefn ar y paffiwr – ond nid cyn i drwyn Nick bistyllio gwaedu dros ei siwt a'i grys glân. Roedd angen mynd adref i newid unwaith eto cyn mynd i weld y dyn mawr yng Nghaernarfon.

Pan ddywedodd y Prif Gwnstabl wrtho yn hwyrach y prynhawn hwnnw ei fod yn cael ei ddyrchafu'n sarjant a'i yrru i weithio i'r Fali, yn naturiol, diolchodd Nick yn fawr iawn iddo. Bu ond y dim iddo ddweud, 'wel, 'dw i'n ei blydi haeddu o,' ond teimlai y byddai'n well iddo beidio.

Tra bu Nick yn Dditectif Sarjant yng Nghaergybi, bu lladrata o nifer fawr o dai allan yn y wlad. Dodrefn hen ffasiwn oedd yn cael ei ddwyn ac roedd yn amlwg mai'r un rhai oedd yn gyfrifol. Ar ôl misoedd lawer, fe'u daliwyd. Dynion lleol oeddynt, un yn ddyn mawr tal a wisgai het fawr debyg i het gowboi bob amser. Os cofia' i'n iawn, yr het oedd yn gyfrifol, i ryw raddau, am ei ddal. Roedd tystion wedi ei weld yn agos i un o'r tai a fwrglerwyd, ac fel y gallwch fentro, nid oedd llawer o bobl yn Sir Fôn yn gwisgo het o'r fath.

Ta waeth am hynny, darganfuwyd yn fuan wedyn fod cyfran helaeth o'r dodrefn drudfawr a ddygwyd wedi mynd i Lundain, ac roedd yn rhaid mynd yno i chwilio amdanynt. Erbyn hyn, roedd y lleidr yn fodlon cydweithredu, a dyma benderfynu mynd ag yntau yno hefyd.

Mae'n ddyletswydd pan yn nalgylch heddlu arall eu hysbysu pan yn gwneud ymholiadau yno. Cyrhaeddodd Nick ganol Llundain a cherddodd i un o swyddfeydd y CID hefo'r carcharor yma, yn ei het gowboi, ynghlwm yn ei arddwrn hefo gefyn llaw. Ar y pryd, yn y saithdegau, roedd rhaglen o'r enw *McCloud* ar y teledu – hanes am gowboi oedd yn dditectif yn Efrog Newydd gyda Dennis Weaver yn chwarae'r brif ran. Roedd swyddfa'r CID yn llawn, a phan gerddodd Nick i mewn hefo'i garcharor, cododd pob ditectif yno ar ei draed gan feddwl bod *McCloud* wedi cyrraedd Llundain. 'Dw i'n siŵr eu bod wedi cael siom o sylweddoli nad plismon oedd y cowboi – efallai eu bod yn meddwl mai dyna wisg swyddogol ditectifs o Gymru! Bu'n rhaid eu rhoi ar ben ffordd cyn i'r un anghywir gael ei roi yn y gell!

Ni chefais weithio hefo Nick yn hir iawn oherwydd fe'm symudwyd i Bwllheli. Roedd fy mhum mlynedd yng Nghaergybi wedi bod yn rhai difyr a phrysur iawn, gyda digon o waith caled ond digon o hwyl hefyd. Mae'n haws cofio'r hwyl a'r cymeriadau na chofio am y drwg, y niwed a'r tristwch sy'n gysylltiedig â gwaith yr heddlu yn aml.

Erbyn hyn, roedd rhywun yn rhywle wedi penderfynu fy mod yn barod i weithio mewn swyddfa gydag un ditectif gwnstabl arall, heb oruchwyliaeth gyson, ac i ffwrdd â mi i Bwllheli i wneud mwy o ffrindiau newydd.

Pennod 5

Pwllheli

1974 – 1977

Ebrill 1974 oedd hi pan gefais fy symud i Bwllheli. Dechrau'r gwanwyn, a dechreuad newydd mewn ardal nad oeddwn yn gyfarwydd iawn â hi.

Roedd dau ohonom yn CID'r dref ar y pryd ac yn gyfrifol am ardal helaeth, yr holl ffordd o Aberdaron i Glynnog Fawr, ar draws am Borthmadog, i fyny at Feddgelert a chyn belled â Phen y Gwryd.

Roedd ardal brydferth Llŷn ac Eifionydd yn boblogaidd iawn gydag ymwelwyr, fel y mae hyd heddiw, a'r boblogaeth yn cynyddu'n aruthrol yn ystod misoedd yr haf. Roedd hi'n anochel felly bod yno bentyrrau o dai haf, carafanau a phebyll, ac i goroni'r cyfan, gwersyll gwyliau Bytlins.

Yn y gaeaf, cedwid ni'n ddigon prysur yn chwilota am ladron lleol a oedd yn torri i mewn i garafanau a thai haf gwag. Yn yr haf, roedd hi'n stori wahanol iawn, a deuai'r ymwelwyr â phroblemau newydd hefo nhw. Byddai cychod cyflym, drud yn diflannu'n aml o lefydd fel Abersoch neu Forfa Bychan oherwydd bod eu perchenogion yn eu gadael ar drelar ar y traeth, wrth ochr carafán neu hyd yn oed ar ochr y ffordd. Nid oedd rhai ohonynt yn malio botwm am eu colled gan y byddai'r yswiriant yn siŵr o dalu. Dod yno i gael hwyl yn hytrach na seibiant oedd y mwyafrif ond yn aml iawn roedd eu chwarae'n troi'n chwerw, yn enwedig ar ôl cael gormod i yfed. Cofiwch, nid oedd pob ymwelydd yn camymddwyn – dim ond y rhai yr oedden ni'n gorfod ymdrin â hwy!

Fel y gobeithiaist, roedd cymeriadau difyr ym Mhwllheli hefyd. Melbourne Rogers oedd y Prif Arolygydd â chyfrifoldeb am yr ardal, dyn o Sir Gaerfyrddin yn enedigol

Gorsaf Heddlu Pwllheli

ac heb golli dim o'i acen. Roedd yn ymwrthod â'r ddiod feddwol a chawsai tafarnwyr yr ardal amser caled ganddo. A pham lai? O'r fan honno y deilliai'r rhan helaethaf o'i drafferthion.

Roedd yn rhedeg gorsaf yr heddlu fel teyrn ac roedd hi'n ddigon hawdd dweud pan fyddai tymer ddrwg arno. Tueddai pawb, ar adegau fel hyn, i gadw'n glir; ond buan y deuthum i'w ddeall. Fel finnau, roedd Melbourne Rogers yn bysgotwr ac wrth ei fodd ar lannau'r afon Dwyfawr yn Llanystumdwy. Pan welwn bethau'n dechrau mynd yn flêr, edrychwn allan trwy'r ffenestr, a dweud:

'Mae'n edrych yn debyg i law, syr, efallai cawn ni li' yn yr afon.'

'Dew, wyt i'n meddwl? Mae'n hen bryd i mi fynd i chwilio am eog,' atebai, a dyna ddechrau siarad am ba bluen i'w defnyddio neu sut i bysgota rhyw bwll arbennig. Unwaith y troid y sgwrs tuag at bysgota, roedd y byd yn well lle.

Pwll Berw, lle braf yng nghanol y coed ar y Ddwyfawr uwchben Llanystumdwy oedd hoff le Melbourne Rogers, ac ni fyddai'n symud rhyw lawer o'r fan honno. Fel mae'r enw yn ei awgrymu, roedd y dŵr yn disgyn yn gyflym ac yn wyn dros greigiau uchel i mewn i'r pwll, ac yn tywyllu wrth i'r lli arafu a throi o amgylch y cerrig mawr ar ei ffordd i'r môr. Mae hanes i Rogers un tro fachu clamp o eog heb iddo wneud yn siŵr fod y drwm ar ei rîl wedi'i gymhwyso'n iawn. Roedd yn rhy llac o lawer ac fe nofiodd yr eog gan llath i lawr i lyn Noflyn yn ddirwystyr. Gan fod glan yr afon yn goediog, bu'n rhaid i Rogers fynd i'r dŵr at ei ganol ar ôl y pysgodyn.

Roedd ei lein wedi mynd o amgylch pob carreg yn yr afon ond rhywsut fe lwyddodd i'w hadennill heb iddi dorri. Ar ôl cyrraedd Noflyn a gwneud yn siŵr bod y rîl wedi ei thynhau, gwelodd bod yr eog yn dal yn sownd ond ei fod wedi nofio'r holl ffordd yn ôl i Bwll Berw. Bu'n rhaid ei ddilyn yn ôl drachefn. Ar ôl ymladd ag ef am beth amser daeth yr eog i'r lan – wn i ddim sut, 'chwaith, ar ôl y ffasiwn helynt. Roedd Rogers wrth ei fodd yn dweud pob gair o'r hanes.

Un diwrnod, roeddwn i'n pysgota'r Ddwyfawr mewn llecyn rhwng Llanystumdwy â'r môr, ychydig uwch na'r man lle mae'r afon Dwyfach yn ymuno â hi. Ar ôl i'r ddwy afon ymuno, y Ddwyfor y'i gelwir wedyn am tua milltir nes cyrraedd y môr (er, mae'r Ddwyfawr gyfan yn cael ei galw'n Ddwyfor ar y map erbyn hyn). *Spinio* oeddwn i y diwrnod hwnnw, nid nepell o fferm fach a oedd yn cadw hwyaid. Teflais fy abwyd yr ochr draw i'r hwyaid ac fel y'i tynnais trwy'r dŵr sylwodd un hwyaden arno a mynd ar ei ôl. Fe'i brathodd ac fe'i bachodd. Wel, sôn am ffeit – gwell nag unrhyw eog a gefais erioed. Roedd hi o dan y dŵr am yn ail â cheisio hedfan ond ymhen hir a hwyr cefais afael arni. Tynnais y bachyn o'i cheg yn ofalus, ac i ffwrdd â hi yn ôl at yr hwyaid eraill heb arwydd o anaf. Ar y ffordd adref, gwelais Emrys Owen, pen cipar yr afon a chyfaill da i mi. Gofynnodd sut hwyl gefais.

'Dim byd ond hwyaden,' meddwn, gan ddweud yr hanes wrtho nes ei fod yn chwerthin lond ei fol.

Trannoeth, roeddwn yn swyddfa'r CID pan ddaeth galwad ffôn. Y Prif Arolygydd Rogers oedd yno.

'Tyrd i lawr i'm swyddfa i ar unwaith. Rydw i wedi cael cwyn ddifrifol amdanat ti.'

Ar ôl rhoi cnoc ar ei ddrws, es i mewn a dyna lle'r oedd o y tu ôl i'w ddesg yn edrych yn ddigon difrifol arnaf. Fedrwn i ddim meddwl beth roeddwn wedi ei wneud na pwy fuasai wedi gwneud cwyn yn f'erbyn.

'Safa yn fan'na,' meddai. 'Mae hwn yn fater difrifol ofnadwy.'

Gwyddwn nad oedd llawer o hwyl arno, ond gwyddwn hefyd na fyddai troi'r sgwrs at bysgota yn tycio'r tro yma.

'Be' ydi hyn 'dw i'n ei glywed amdanat yn potsio hwyaid ar y Ddwyfawr?'

Yr unig un a wyddai'r hanes oedd Emrys, a dechreuais wenu. Er ei ymdrechion gorau, dechreuodd Rogers chwerthin hefyd. Deuthum i ddeall bod cryn dipyn o hiwmor cudd o dan ei gragen galed.

Smociwr rôls oedd Melbourne Rogers. Un diwrnod, taniodd sigarét yn ei swyddfa ar y llawr cyntaf a thaflodd y fatsien i'r bin sbwriel wrth ochr ei ddesg. Roedd y bin yn llawn gwastraff papur a doedd y fatsien ddim wedi'i diffodd. Taniodd y papur yn syth ac o fewn eiliadau, rhuthrodd y Prif Arolygydd i lawr y grisiau, y bin yn ei ddwylo a fflamau mawr yn codi ohono. Chafodd neb na dim niwed, ond bu'n rhaid i hiwmor y meistr ei gario am weddill y dydd, ac wedi meddwl, chafodd o ddim anghofio'r digwyddiad am hir iawn.

Draenen yn ei ystlys ar y pryd oedd un o blismyn Nefyn, Cledwyn Davies. Doedd o a Rogers ddim yn cyd-dynnu o gwbl – roedd y Prif Arolygydd ar ôl Cledwyn yn gyson ac roedd hwnnw'n tynnu'n groes. Un noson ddistaw o aeaf ymhell ar ôl amser cau'r tafarnau, roedd Cledwyn ar batrôl ar hyd strydoedd Nefyn yn ei iwnifform. Penderfynodd ymuno â hanner dwsin o bobl leol oedd yn yfed yn hwyr ym mar bach cefn Gwesty'r Nanhoron, a dyna lle bu'n mwynhau ei beint a chael sgwrs cyn diwedd ei shifft am ddau'r bore.

Yn sydyn, daeth cnoc ar y drws a chododd y perchennog i weld pwy arall oedd am beint bach yn hwyr y nos. Pan gyrhaeddodd y drws cafodd sioc wrth weld cap â phig y Prif Arolygydd. Melbourne Rogers oedd yno.

'Arhoswch am funud,' meddai. 'Mi â'i i nôl y goriad.'

Rhuthrodd yn ôl i'r bar i rybuddio'r lleill. Rhedodd Cledwyn i'r lle chwech ac wrth i Rogers frasgamu tuag at y bar, dringodd Cledwyn allan drwy ffenestr y tŷ bach. Wrth iddo hongian yno, ei draed yn dal i fod yn ffrâm y ffenestr a'i ddwylo ar y tarmac, teimlodd fysedd cadarn Rogers yn cydio yn ei draed. Llwyddodd i ddianc o'i afael a rhedeg drwy'r strydoedd cefn. Ar ôl cael ei wynt ato, cerddodd yn ôl yn hamddenol ar hyd y stryd fawr fel petai ar batrôl. Toc, daeth Rogers i'w gyfarfod mewn hwyliau drwg iawn.

'Maen nhw'n yfed yn hwyr yn y Nanhoron na,' meddai. ''Dw i newydd fod yna, ond erbyn iddyn nhw agor y drws, roedd y diodydd wedi diflannu. Fe ddaru un ddianc trwy ffenestr y lle chwech, ond bu bron i mi ei gael o.'

'Tewch â sôn,' atebodd Cledwyn. 'Mi fydd yn rhaid i mi gadw golwg ar y lle o hyn ymlaen.'

Roedd yn arferiad yn ystod y cyfnod hwn mynd â cherbydau'r heddlu i Gaernarfon bob hyn a hyn i gael eu trin gan beiriannydd yr heddlu. Aeth Cledwyn â mini fan o Nefyn i Gaernarfon ar y perwyl hwn un diwrnod. Doedd Cledwyn ddim yn blismon profiadol ar y pryd, a 'toedd o ddim yn deall pam nad oedd corn deusain, fel y rhai ar geir patrôl yr adran draffig, ar ei fan ef. Holodd y peiriannydd yng Nghaernarfon, a deall mai dim ond moduron patrôl traffig oedd i fod i gael corn deusain. Bu i Cled swnian gymaint arno nes i'r peiriannydd dynnu relái deusain oddi ar hen foto beic a'i roi iddo er mwyn heddwch. Roedd corn y fan fechan yn gwneud sŵn '*BAAB*' yn barod. Dim ond un corn arall i wneud sŵn '*BÎÎB*' oedd ei angen. Aeth i lawr i'r modurdy i chwilio am gar sgrap a chael hyd i un hefo corn a oedd yn gwneud y sŵn iawn. Dim problem. Ymhen rhai oriau, roedd Cledwyn wedi cysylltu'r relái â'r ddau gorn ac yn awr roedd gan fan Nefyn gorn deusain cystal ag unrhyw gar patrôl.

Bu'n rhaid iddo ofalu cuddio'r ail gorn a'r switsh i'w ddefnyddio yn ofalus, gan fod y fan y cael ei defnyddio ym Mhwllheli ar adegau, ond nid oedd hyn yn broblem i Cledwyn.

Cledwyn Davies yn blismon ifanc yn Nefyn.

Bu'n disgwyl yn eiddgar am ddyddiau am achos brys er mwyn rhoi'r offeryn newydd ar brawf, ac un diwrnod daeth galwad i ddweud am ddamwain ar ffordd Boduan. Dyma'r alwad yr oedd wedi bod yn disgwyl amdani. Yn Nhudweiliog oedd Cled ar y pryd, tua chwe milltir o'r ddamwain, a dyma sgrialu yno, y golau glas yn fflachio, a'r corn deusain newydd yn sgrechian ar draws y wlad. Roedd popeth yn mynd yn iawn am sbel, ond jest cyn cyrraedd y ddamwain llenwodd y fan â mwg du trwchus ac roedd y corn deusain, yng ngeiriau Cledwyn, yn gwneud sŵn tebycach i asyn yn cael ei sbaddu. Doedd Cled ddim wedi sylweddoli ei fod wedi cysylltu relái a oedd fod i weithio â batri chwe folt motor beic i fan a oedd yn defnyddio batri deuddeg folt. Ceisio cael hyd i'r botwm i dewi'r cyrn oedd Cledwyn pan gyrhaeddodd safle'r ddamwain. Dychmygwch y fan yn cyrraedd; mwg mawr yn dod ohoni a'r sŵn mwyaf dychrynllyd yn dod o'i chyrn. Yn anffodus i Cledwyn, roedd y Prif Arolygydd Melbourne Rogers yn digwydd bod yn yr ardal, ac wedi cyrraedd o'i flaen.

Fel y gallech ddisgwyl, collodd Cledwyn y fan am gyfnod

ac fe gafodd feic yn ei lle.

'Ceisia roi cyrn deusain ar hwnna!' meddai Rogers wrtho.

Mini fan yr heddlu yn y saithdegau. Nid oedd cyrn deusain arnynt – i fod!

Roedd gwersyll gwyliau anferth Bytlins rhwng Pwllheli a Chricieth yn ein cadw'n brysur iawn rhwng misoedd Ebrill a Hydref. Mae'r lle wedi newid cryn dipyn erbyn hyn, ond bryd hynny mi oedd hi'n rêl *Hi-de-Hi* yno.

Yng nghanol yr haf, byddai hyd at ddeng mil o bobol yn aros yno bob wythnos, a rhwng dwy a thair mil o staff, nifer fawr ohonynt yn dod o ddinasoedd mawr Lloegr. Roedd yno ladrata, meddwi a chwffio rheolaidd.

Roedd cwmni diogelwch preifat yn gwarchod y gwersyll, ac mae'n rhaid dweud bod y swyddogion yn cydweithio'n dda â ni, diolch am hynny. Ar ddechrau bob tymor, roedden nhw'n rhoi manylion y cannoedd o weithwyr a gyrhaeddai yno i ni. Mater bach wedyn oedd cysylltu â'r swyddfa gofnodi troseddwyr yn Llundain i holi a oedd unrhyw un o heddluoedd Prydain Fawr yn chwilio amdanynt. Nid oedd yn anarferol i hanner cant neu fwy gael eu harestio fel hyn yn ystod y tymor, am droseddau'n amrywio o ddwyn i lofruddiaeth.

'Dw i'n cofio fel y byddwn yn mynd yno i arestio rhywun – i un o'r ceginau yn aml iawn. Roedd yna ddwy gegin fawr i borthi'r deng mil o ymwelwyr, a nifer fawr yn gweithio ynddynt. Roeddwn wedi synnu gweld, y tro cyntaf yr es yno, bod pob un, boed yn coginio, yn darparu bwyd neu'n golchi'r llestri, yn gwisgo esgidiau glaw. Pan holais, y rheswm a gefais oedd bod yna gymaint o saim ar lawr. Cofiwch, canol y saithdegau oedd hi – ac fel y dywedais, mae pethau wedi newid cryn dipyn ers hynny!

Mae'n rhaid i mi bwysleisio, nid pobol ddrwg yn unig a ddeuai i Bytlins – ambell waith roeddynt ychydig mwy diniwed.

Roedd y gwersyll yn agos i filltir sgwâr gyda ffens uchel o'i amgylch, a phawb yn mynd a dod drwy un giât wrth y ffordd fawr. Rhaid oedd cael y ffens er mwyn rhwystro ymwelwyr dydd rhag mynd i mewn i ddefnyddio'r cyfleusterau hamdden gwych heb dalu. Roedd cwt y swyddogion diogelwch wrth y giât er mwyn cadw cofnod o'r rhai oedd yn mynd a dod, gan fod rhai o'r preswylwyr yn aros yno am wythnos neu fwy. Roeddwn yn agos i'r giât un diwrnod pan ddaeth un o'r ymwelwyr wythnosol yno a dechrau siarad ag un o'r swyddogion. Yn ôl ei acen, Gwyddel oedd o.

'Esgusodwch fi,' gofynnodd. 'Fuasai hi'n iawn i mi, y wraig a'r plant fynd allan o 'ma am y prynhawn? Dim ond eisiau mynd i Bwllheli ydan ni i weld y lle a gwneud tipyn o siopa. Byddwn yn ôl cyn chwech, 'dw i'n addo.'

Roedd y creadur bach yn meddwl bod y ffens yno i'w gadw o a'i deulu i mewn ac nid i gadw pobl allan!

Gwilym Evans oedd yr arolygydd ym Mhwllheli ar y pryd ac roedd gen i feddwl mawr ohono – dyn hapus a thawel, yn hoff o gerdded llwybrau'r wlad. Roedd yntau'n bysgotwr brwd hefyd; nid pysgotwr eogiaid, ond roedd o'n hoff iawn o dreulio'i amser ar lannau afonydd bychain neu lynnoedd y mynyddoedd ar ôl brithyll bach. Dim ond un dull o bysgota roedd o'n ei ddefnyddio – 'Gwilym Bluan' oedd ei lysenw gan rai ('Budgie' oedd o i eraill yn y swyddfa gan ei fod yn chwibanu yn gyson).

Aethom i bysgota hefo'n gilydd un tro i Lyn Brenig ychydig wedi iddo ymddeol. Mi oedd o'n lle braf iawn i ymlacio ar ôl cyfnod prysur yn y gwaith. Cawsom hoe o bysgota i gael cinio, ond cyn bwyta rhoddais joch o wisgi yn ei gwpan ef ac yn f'un i. Daeth hwyaden ddof o rhywle – mae'n rhaid ei bod wedi cael ei bwydo gan bobl eraill yn y gorffennol felly torrais damaid o fara iddi, ac fe'i cymerodd bron iawn o'm llaw. Sociais y darn nesaf yn y wisgi a dyma hi'n cymryd hwnnw hefyd. Gwnaeth Gwilym yr un peth. Daeth yn amlwg bod yr hwyaden eisiau mwy, a mwy gafodd hi hefyd! Ar ôl cinio aethom i ran arall o'r llyn i ail-gychwyn pysgota, gyferbyn â'r llecyn lle'r oeddem wedi bwyta. Ar ôl bod wrthi am hanner awr neu fwy, gwelsom yr hwyaden fach yn nofio ar draws y llyn tuag atom. 'Dw i'n cofio sylwi ei bod yn nofio ychydig yn gam, a bu wrth ein hochrau am weddill y prynhawn. Roedd gen i syniad reit dda beth oedd ei pherwyl – cafodd dipyn o flas ar y wisgi y diwrnod hwnnw!

Roedd dau sarjant ym Mhwllheli, a'r ddau yn hollol wahanol i'w gilydd. Hywel Jones oedd un, gŵr a oedd yn hoff iawn o'i beint. Yn ystod shifft nos, pan fyddai plismyn yn gweithio o chwech tan ddau yn y bore, byddent yn cael hoe o dri chwarter awr i gael pryd o fwyd rhwng tua naw a chwarter i ddeg. Arferiad y mwyafrif oedd mynd adref i fwyta, ond nid Hywel. Na, rhoddai ei gôt ei hun dros ei iwnifform ac i ffwrdd a fo i'w hoff dafarn. Nid oedd yn anghyffredin iddo gael chwe pheint yn ystod y tri chwarter awr. Plismon da iawn, ond bod yn rhaid cael rhywun arall i yrru ei gar ar ôl deg bob nos. Mae pethau wedi newid erbyn heddiw, credwch fi!

Eric Williams oedd y llall, capelwr parchus iawn heb

lawer i'w ddweud wrth feddwon, er bod digon ohonynt ym Mhwllheli fel ym mhob man arall. Nid oedd Eric yn dirnad sut oedd dynion yn gallu ymostwng i'r fath gyflwr, a dywedai'n aml; 'sobor o beth yw dyn wedi meddwi'.

Bryd hynny, roedd gan sawl pentref ym Mhen Llŷn ei blismon ei hun, ac un o'r rheiny oedd William Evans, neu Wil Aberdaron. Roedd ymhell dros ei ddwy lath, yn solet gyda dwylo fel padelli ffrio ond yn fwyn ei natur. Dim ond pan oedd wirioneddol angen y byddai'n defnyddio ei gryfder, ac mi oedd gen i feddwl mawr ohono. Pan oeddwn i ym Mhwllheli, roedd Wil yn ddyn canol oed ac yn berffaith hapus yn cadw'r heddwch yn Aberdaron yn ei ffordd ei hun. Gwyddai'n iawn beth oedd yn mynd ymlaen, ond pur anaml y byddai'n ysgrifennu enw neb yn ei lyfr bach du. Dywedodd wrtha' i rhyw dro bod un o sarjants y dref wedi cwyno nad oedd o wedi cael adroddiad gan Wil ers misoedd – dim un adroddiad am drosedd a gyflawnwyd na manylion arestio. 'Felly mi es i adref,' meddai, 'a theipio adroddiad yn gofyn am grys a choleri newydd.'

Oedd, roedd yr hen Wil yn hoffi bywyd tawel, ond chwarae teg iddo, roedd yn ddigon parod i dorchi'i lewys pan fyddai raid. Cofiaf i hanner cant o fotobeicwyr ddod lawr i Aberdaron yn ystod y Pasg rhyw dro. Angylion Uffern oeddynt mewn lledr du a jîns denim, a helmedau â chyrn fel rhai teirw arnynt am eu pennau. Roeddynt wedi dod i aros ar y bont fach yng ngwaelod y pentref, gan gau'r lôn yn llwyr. Clywid sŵn refio'r beiciau dros y pentref wrth iddynt dynnu sylw atynt eu hunain, yn ddigon i godi ofn ar bawb.

Clywodd Wil y cynnwrf, a cherddodd at y beic cyntaf. Heb oedi, safodd o flaen y pen-bandit gan ddweud wrtho, yn Saesneg:

'Tydan ni ddim eisiau'ch math chi yn y pentre 'ma. Trowch ar eich sodlau a ffwrdd â chi.'

Ddaru'r 'angel' ddim byd ond edrych yn fythygiol i lygaid Wil ac agor throtl ei feic drachefn. Gwnaeth gweddill ei gyfeillion yn union yr un fath.

Cafodd Wil ddigon. Gafaelodd yn y dieithryn, ei godi oddi ar ei feic a'i daflu dros ochr y bont. Fel yr oedd hi'n digwydd bod, roedd y llanw i mewn a chlywyd y sblash fwyaf a glywodd neb erioed. Roedd y beic wedi disgyn ar y ffordd, a'r 'angylion' eraill wedi'u syfrdanu, yn gegagored.

'Codwch o o'r dŵr, rhowch o ar ei feic ac i ffwrdd â chi,' gorchmynodd Wil. A dyna a wnaethant.

Fel yr oeddynt yn diflannu i fyny'r allt dechreuodd y dorf fawr o bobl a oedd erbyn hyn wedi ymgasglu o amgylch y bont glapio a gweiddi, ond doedd Wil ddim yn un am glod. Cerddodd ymaith yn ddistaw – roedd o'n barod am ei ginio.

Byddai Wil yn manteisio ar unrhyw gyfle i fynd drosodd i Ynys Enlli, ac roedd mynd yno i adnewyddu trwydded dryll un o drigolion yr ynys yn esgus da. Roedd Wil wedi paratoi i gychwyn rhyw ddiwrnod, ac er ei bod hi'n codi'n dipyn o wynt, fe groesodd y swnt yn un o gychod pysgota'r pentref. Yr arferiad oedd i'r pysgotwr ei ollwng yno yn y bore a dod i'w nôl yn hwyrach yn y dydd wedi iddo ofalu am ei gewyll cimwch. Y tro yma, daeth storm fawr a barodd am ddyddiau a bu'n rhaid i Wil aros ar Enlli nes i'r tywydd wella. Wrth i'r storm gilio, ymddangosodd hofrennydd o faes llu awyr Y Fali a glanio ar yr ynys. Pwy, meddech chi, ddaeth allan ohoni? Y Tywysog Charles, oedd yn cael ei hyfforddi i hedfan hofrennydd ar y pryd. Roedd wedi rhyfeddu'n lân o weld plismon ar ynys mor fach, ac ar ôl i'r ddau gael sgwrs, gwahoddodd y Tywysog Wil a'i wraig i barti yng ngardd Palas Buckingham.

Daeth cnoc ar ddrws fy nhŷ tua pump o'r gloch un bore ac yno roedd plismon ifanc yn gofyn i mi ddod i lawr i'r swyddfa ar f'union. Roedd gŵr o Borth Neigwl yn y ddalfa ar ôl cael ei arestio ar amheuaeth o ladd ei wraig. Yn ôl yr hanes, crogodd hi yn ei dymer wedi iddi ei herio. Nid oedd hwn yn ŵr treisgar ei natur, ond roedd rhywbeth wedi achosi iddo golli ei ben am ychydig funudau, mae'n rhaid. Hwn oedd y tro cyntaf i mi ddelio yn uniongyrchol â llofruddiaeth – roedd nifer o dditectifs yn helpu i gasglu datganiadau gan dystion, ond fi oedd yn gyfrifol am roi'r gwaith papur at ei gilydd ar y cŷd â'r Ditectif Prif Arolygydd Ernie Watkins, pennaeth y CID yng Ngwynedd. Bûm yn gweithio rhywfaint gydag ef yn Nolgellau, ac roedd gen, i fel llawer un arall, feddwl mawr ohono.

Tra'r oeddwn yn gwneud y gwaith yma, roeddwn yn teithio bron bob dydd i Gaernarfon, i swyddfa Ernie Watkins. Pan ddaeth hi'n amser cinio y diwrnod cyntaf hwnnw, dywedais wrtho fy mod yn mynd i lawr i'r dref i brynu brechdan.

'Dim perygl yn y byd,' meddai. 'Mi wyt ti'n dod adref efo fi am ginio.'

Yna cododd y ffôn a gofyn i'w wraig:

'Gwranda, cariad bach, mae yna un arall i ginio heddiw. Oes yna ddigon o fwyd yn y tŷ?' gyda gwên a winc fach arnaf i.

Cefais groeso mawr gan Mrs. Watkins y diwrnod hwnnw a phob tro wedi hynny. Roedd bod yn aelod o'r CID o dan law Ernie Watkins fel bod yn aelod o'i deulu bach y dyddiau hynny.

Rai misoedd yn ddiweddarach, cefais alwad ffôn gan Sarjant Hywel Jones i ddweud bod Ernie Watkins wedi marw ar ôl dioddef trawiad ar ei galon wrth chwarae golff mewn cystadleuaeth i'r heddlu yng Nghonwy. Roedd y cynhebrwng yng Nghaernarfon yn un anferth, a chan fod Ernie wedi bod yn aelod o Gôr Meibion Caernarfon roedd canu teilwng iawn yn llenwi'r capel. Bu colled fawr iawn ar ei ôl.

Roeddwn yng nghyffiniau Caernarfon un diwrnod pan glywais fod lorri fawr yn tynnu trelar hir wedi ei darganfod ger y pier ym Mangor. Arni roedd coed gwerth dros hanner can mil o bunnau, a'r cwbl wedi ei ddwyn o Lerpwl. Doedd dim golwg o'r lladron, felly cuddiodd Ditectif Sarjant Arthur Peters gerllaw gyda dau neu dri o blismyn yn eu dillad eu hunain i'w disgwyl yn ôl. Toc, daeth dau ŵr at y cerbyd ac anelu at gab y lorri. Cerddodd Arthur atynt yn ddigon hamddenol gan ddarllen papur newydd. Pan oedd yn ddigon agos, neidiodd am un ohonynt gan ddweud:

'Plismyn ydan ni. O ble wyt ti'n dod?'

'*Planet Earth,*' atebodd hwnnw ac aeth yn gwffes.

Ni fu'r plismyn yn hir cyn arestio'r ddau, ond erbyn deall, roedd tri ohonynt. Gwelodd y trydydd ei gyfeillion yn cael eu harestio a'i heglu hi oddi yno nerth ei draed. Bu chwilio dyfal amdano trwy'r prynhawn ac fe'i gwelwyd yn ardal Pentir, bedair milltir i ffwrdd, awr neu ddwy yn ddiweddarach. Gan fy mod gerllaw yng Nghaernarfon, penderfynais fynd i helpu. Erbyn i mi gyrraedd, roedd y dyn wedi rhedeg i gae eithin ac yn ôl y rhai a'i gwelodd, ddaeth o ddim allan. Roedd yr eithin yn drwch a'u blodau melyn yn hardd iawn, ond daeth yn amlwg bod yr arogl a'r paill yn rhwystro cŵn yr heddlu rhag dilyn arogl y lleidr. Erbyn hyn, roedd dwsin neu fwy o blismyn yn y cae ond doedd yr un ohonynt wedi cael cip ar y ffoadur.

Tra'r oeddem yn sefyll yno'n ddi-glem daeth y ffermwr, hen fachgen yn ei saithdegau, atom mewn tractor.

'Be ddiawl mae'r plismyn yma i gyd yn 'neud yn fy nghae i?' gofynnodd.

Dywedais yr hanes wrtho. Heb ddweud yr un gair, rhoddodd ei fys yn ei geg a'i ddal i fyny er mwyn gweld i ba gyfeiriad roedd y gwynt yn chwythu. Cerddodd i'r cae, tynnu bocs matsys o'i boced a rhoi'r eithin ar dân mewn tri neu bedwar gwahanol le. Roedd yr haf hwnnw wedi bod yn un sych, ac ymhen dim roedd dwy acer o eithin yn fflamio, a'r gweddill yn fwg tew. Cyn hir clywyd sŵn tagu mawr o ganol yr eithin a daeth y ffoadur i'r golwg, â'i ddwylo'i fyny.

''Dw i wedi bod yn chwilio am esgus i wneud hyn ers tro,' meddai'r ffermwr, a gwên fawr ar ei wyneb.

Bûm yn ddigon ffodus i ddod ar draws cryn dipyn o gymeriadau'r wlad drwy gyfrwng fy ngwaith ac yn f'oriau hamdden. Un o'r rheiny oedd Emrys Owen y cipar – mi gofiwch i mi sôn amdano o'r blaen, ond hoffwn ddweud wrthoch chi sut y bu i ni gyfarfod am y tro cyntaf. Ychydig wythnosau ar ôl i mi gyrraedd Pwllheli, galwodd Y Prif Arolygydd Melbourne Rogers fi i'w swyddfa. Eglurodd fod potswyr wedi gwenwyno'r afon Dwyfawr, a chalch wedi lladd pob creadur byw yn yr afon am yn agos i hanner milltir. Un peth yw pysgota eog neu ddau yn anghyfreithlon ond mae gwenwyno afon yn fater ddifrifol ofnadwy.

Yn ôl Melbourne Rogers, roedd gan gipar yr afon syniad reit dda pwy oedd yn gyfrifol ond roedd o angen ein help gan nad oedd ganddo brofiad o ddefnyddio gwyddoniaeth fforensig. Rhoddodd Rogers enw a rhif ffôn y cipar, Emrys Owen o Lanystumdwy, i mi ac fe es i'm swyddfa i'w ffonio ar unwaith.

Wedi i mi egluro pwy oeddwn i a pham yr oeddwn yn galw, gofynnodd Emrys i mi fynd draw i'r weld o ar f'union, Gofynnais ble'r oedd o'n byw.

'Tyrd dros y bont yn Llanystumdwy, troi i'r chwith ac mi ydan ni yn y tŷ diwethaf ar y llaw dde,' meddai. 'Reit drws nesaf i fedd Lloyd George – mi ydan ni'n gymdogion. Fedri di mo'i fethu o. Maen nhw wedi rhoi uffern o garreg fawr ar ben y bedd, rhag iddo fo ddod allan a rhedeg ar ôl merched y pentref.'

A dyna gychwyn cyfeillgarwch a barhaodd ymhell dros chwarter canrif. Wedi iddo ddarganfod fy mod yn bysgotwr brwd, aeth â fi i bysgota nos am wyniaid ar y Ddwyfawr. Roedd hi'n hollol dywyll a doedd fiw i ni ddefnyddio golau rhag dychryn y pysgod. Wrth gwrs, roedd Emrys yn adnabod llwybrau'r afon fel cefn ei law, ond roeddwn i'n cael dipyn o drafferth i'w ddilyn. Ar ôl cyrraedd y man lle'r oeddem i bysgota'r noson honno, dywedodd wrtha' i yn union lle i gastio a chyn iddo gychwyn am ei lecyn pysgota ei hun, sibrydodd ar draws y dŵr:

'Wyt ti wedi dal rhywbeth, Jim?'

'Naddo, dim eto,' daeth yr ateb o'r tywyllwch.

'Sut oeddet ti'n gwybod bod yna rywun yn fan'na?' gofynnais iddo.

'Dwyt ti ddim yn gweld dau bysgotwr yna?' atebodd Emrys. 'Edrycha ar yr un ar y chwith, mae ei falog o'n agored.'

Fedrwn i ddim gweld fy mawd o flaen fy nhrwyn hyd yn oed ond, erbyn deall, roedd Emrys yn gwybod bod Jim a'i fab am bysgota'r pwll o'r ochr arall y noson honno.

Er nad oedd gennyf lawer o brofiad o bysgota yn y tywyllwch, nac yn adnabod yr afon chwaith, mi oedd yn noson eithaf llwyddiannus. Ddwyawr yn ddiweddarach, daeth Emrys yn ei ôl. Roeddwn wedi dal pedwar neu bump o wyniaid bach del, ond roedd Emrys wedi dal dwsin neu fwy.

'Maen nhw'n fy adnabod i o'r ddeorfa, ti'n gweld,' esboniodd. 'Dim ond eisiau i mi chwibanu sydd, ac maen nhw'n dod ata' i am fwyd.'

Synnwn i damed, gan fod Emrys, a oedd yn dipyn o blymar, wedi adeiladu chwip o ddeorfa er mwyn rhoi hwb i niferoedd yr eogiaid yn yr afon.

Roedd yr hen gipar yn llawn triciau. Clywais ei hanes yn pysgota nos a hithau fel y fagddu, ac fe fachodd lein dyn o'r enw Maurice, a oedd yn pysgota'r ochr arall i'r afon. Roedd Emrys yn ei adnabod yn iawn ac yn gwybod ei fod yno'n pysgota'r noson honno. Heb i Maurice sylwi, gafaelodd Emrys yn ei lein a thynnu gymaint ag y medrai. Yna, daliodd arni, gadael dipyn o slac, cyn tynnu drachefn. Wrth wneud, ysgwydodd Emrys ei droed yn y dŵr i wneud sŵn tebyg i bysgodyn mawr yn cwffio. Roedd yn clywed Maurice yn tuchan yr ochr arall i'r afon. Daliodd yn sownd yn y lein am rai munudau cyn ei gollwng ac fe glywodd Maurice yn damio'r pysgodyn a gollwyd.

Yn hwyrach y noson honno, cerddodd Emrys i mewn i dafarn y Plu yn Llanystumdwy a dyna lle'r oedd Maurice yn dweud y stori – ei fod wedi bachu a cholli'r pysgodyn mwyaf a ddaeth i fyny'r Ddwyfawr erioed gan ddisgrifio pob naid a thyniad yn fanwl. Gan fod pawb yno'n gwrado'n astud, penderfynodd Emrys beidio â thorri ei galon gyda'r gwir. Aeth Maurice i'w fedd flynyddoedd yn ddiweddarach gan feddwl ei fod wedi colli'r eog mwyaf erioed. Sawl gwaith yr adroddod yr hanes, tybed?

Fel finnau, roedd Emrys yn hoff o hela hefyd. Gyda chaniatâd ffermwyr lleol, cerddai'r ddau ohonom am oriau hefo'r ci a'n gynnau. Pe byddem yn cael ffesant, hwyaden, ysgyfarnog neu gwningen i fynd adref, gorau'n y byd, ond doedd dim ots am hynny. Roedd y cwmni, y cerdded a gweithio'r ci yn ddigon. Bu gan Emrys nifer o gŵn dros y blynyddoedd, ond yn ystod ein dyddiau cyntaf yn hela gyda'n gilydd, gast sbaniel fechan o'r enw Meg oedd ganddo, ac un dda oedd hi hefyd. 'Dw i'n cofio Emrys yn saethu ceiliog ffesant ym Mynytho un diwrnod, ac eisteddom ar garreg gerllaw yn sgwrsio tra'r oedd y ci yn chwilota amdani. Cyn hir, daeth Meg yn ôl gyda iâr yn ei cheg.

‘'Dw i'n siŵr mai ceiliog saethais i,' meddai Emrys.

Doedd dim dwywaith ei fod yn iawn, a gyrrodd Meg yn ôl i ganol y drain i chwilio unwaith eto. Ymhen ychydig funudau daeth hi'n ôl, a cheiliog yn ei cheg y tro yma. Nid oedd gan Emrys na finnau syniad o ble daeth yr iâr. Doedd dim ots, i'r bag yr aeth hi!

'Cofia gadw'r plu i wneud plu pysgota,' fyddai cyngor Emrys ar ddiwedd pob diwrnod o hela.

Emrys Owen, cipar afon Llanystumdwy

'Dw i'n cofio sut y byddai un o'm cyfeillion, Dr Barry Corps, yn dod i dreulio penwythnosau gyda mi er mwyn cael ychydig o saethu. Daethom i adnabod ein gilydd trwy gyfaill i Nhad pan gychwynodd Barry ei yrfa fel meddyg yn Ysbyty'r C & A ym Mangor yn ystod y pumdegau. Daeth y ddau ohonom yn ffrindiau da. Priododd â nyrs ifanc, geneth o'r Bala o'r enw Mari, a bu'r ddau yn dychwelyd i ogledd Cymru yn aml wedi iddynt symud i Dundee yn y chwedegau.

Un penwythnos, roeddwn wedi trefnu i fynd i dri neu bedwar o lefydd da er mwyn cael diwrnod go lew, ac roedd Emrys am ddod hefo ni gan nad oedd gennyf gi fy hun bryd hynny.

Ar y nos Wener, roedd Barry a finnau wedi cael dadl dros ddiferyn o wisgi – roeddwn i'n dweud nad oedd hi'n bosib saethu gŵydd efo cetrisen rhif saith oherwydd bod yr ergydion yn rhy fân, ond taerodd Barry y byddai modd gwneud pe bai'r ŵydd yn cael ei saethu yn y lle iawn. Doedd yr un ohonom am ildio y noson honno.

Ar ôl bod yn saethu drwy'r dydd Sadwrn, aethom i

wersyll gwyliau Bytlins i roi clo ar y diwrnod. Roedd y lle ar gau gan ei bod yn aeaf ac roeddwn wedi cael caniatâd rheolwr y gwersyll i fynd yno. Un o nodweddion Bytlins oedd llyn mawr ger glan y môr, lle byddai'r ymwelwyr yn torheulo yn ystod yr haf. Yn ystod misoedd y gaeaf, dim ond hwyaid a gwyddau gwyllt oedd yn mentro yno felly roeddem yn siŵr o gael un cyfle arall i saethu cyn mynd adref.

Dr Barry Corps hefo gwyddau Bytlins ac adar eraill ar ôl diwrnod yn hela.

Toc cyn iddi dywyllu, aethom ein tri i guddio i wahanol rannau o'r llyn a disgwyl am ehediad yr adar. Roedd hi'n noson glir gyda barrug trwm – doedd y barrug ddim wedi clirio'n iawn ar hyd y dydd. Yn sydyn, daeth sŵn gwyddau'n galw o'r tywyllwch a phan ddaethant i'r golwg, roedd yna danio fel petai'n rhyfel byd! Roedd gwyddau Emrys a finnau wedi disgyn i ganol y llyn ond glaniodd yr un a saethwyd gan Barry ar dir sych y cae. Y peth nesaf a welais oedd Barry yn rhedeg ataf a gŵydd yn ei law gan weiddi:

'Pwy sy'n dweud ei bod hi'n amhosib saethu'r rhain efo cetrisen rhif saith?'

Fo oedd yn iawn yn y diwedd!

Gyrrodd Emrys Meg i nôl y ddwy a oedd yn y llyn. Wrth edmygu'r ŵydd fawr ym mreichiau Barry, sylweddolais nad gwyddau gwyllt oedd y rhain, ond epil adar gwyllt a oedd wedi bridio â gwyddau addurniadol Bytlins. Roeddynt yn lled-ddof, a doeddwn i ddim yn siŵr a oedd hi'n hollol gyfreithlon i'w saethu. I wneud pethau'n waeth, roedd yr adar yn y dŵr yn rhy fawr a thrwm i Meg fedru eu cario o'r llyn – roeddwn wedi bwrw amcan eu bod tua deuddeng pwys yr un. Er bod yr ast fechan wedi trio'n galed, gadawodd un wrth ymyl y lan a'r llall yng nghanol y dŵr, a gwrthod mynd yn ôl i'r llyn rhewllyd. Doeddwn i ddim yn mynd i'w gadael yn y fan honno, roedd hynny'n siŵr. Fuaswn i byth yn cael mynd yno eto pe byddai unrhyw amheuaeth fy mod yn saethu adar dof y gwersyll.

Doedd dim dewis gen i. Tynnais fy nillad i gyd heblaw fy nhrôns ac i mewn â fi. Fues i erioed mor oer yn fy nydd. Roedd yn rhaid i mi fynd i mewn ymhell dros fy nghanol er mwyn cyrraedd yr ŵydd bellaf, ond yn y diwedd, yn crynu fel deilen, cefais y ddwy i'r lan. Nid oeddwn yn deall pam bod Emrys a Barry yn chwerthin cymaint wrth i mi ddod allan o'r llyn, tan yr edrychais i lawr a gweld llinell fudur ar draws fy mrest, ychydig fodfeddi o dan fy ngwddf, lle bu lefel y dŵr. Ond doedd dim ots gen i am hynny ar y pryd, gan mai mynd adref i gynhesu oedd yr unig beth ar fy meddwl. Roeddwn yn eithriadol o oer erbyn hyn, ac yn fy mrys i roi fy nillad sych yn ôl amdanaf, anghofiais am fy nhrôns gwlyb. Wrth gwrs, roedd hyn yn achos mwy o chwerthin a thynnu coes gan Emrys a Barry.

'Gadael dy drôns yn Bytlins, wir? Mae llawer wedi gwneud hynny o dy flaen di.'

'Efallai. Ond nid am yr un rheswm,' atebais.

Am flynyddoedd, bu'r ddau'n tynnu fy nghoes bob cyfle a gawsant.

Aeth Emrys a finnau yno eilwaith ymhen pythefnos, ond chawson ni ddim adar y tro hwn. Aethom adref yn waglaw – wel, ddim yn hollol. Roedd fy nhrôns yn dal i fod ar y fainc lle'r oeddwn wedi eu gadael.

'Adref â nhw i'r peiriant golchi,' meddai Emrys.

A dyna wnes i.

Roeddwn ym Mhwllheli am yn agos i dair blynedd, ond cyn symud oddi yno yn ôl i Sir Fôn, fe ddigwyddodd rhywbeth a achosodd mwy o anesmwythyd i mi na'r un digwyddiad arall yn ystod fy holl flynyddoedd yn yr heddlu.

Roeddwn wedi dod i adnabod gŵr o'r dre o'r enw Dic. Pysgotwr môr oedd o â chwch mawr yn yr harbwr. Roeddwn yn hoff iawn o fynd allan hefo fo'n ystod yr haf a'i helpu i godi cewyll cimwch i'r cwch, a phleser oedd pysgota'r mecryll oedd eu hangen fel abwyd. Rydw i wedi bod yn hoff o goginio erioed, ac ambell dro roeddwn yn cael prynu cimwch gan Dic am yr un pris ag yr oedd y cyfanwerthwr pysgod yn ei dalu – pris da iawn o'i gymharu â'r pris y buaswn yn gorfod ei dalu am gimwch mewn siop neu dŷ bwyta.

Un diwrnod, torrwyd i mewn i storfa yn y dref ac fe ladratwyd gwerth miloedd o bunnau o ddiodydd; bocsys o wisgi, rym, bacardi ac ati. Er i mi wneud pob math o ymholiadau, doedd gen i ddim syniad pwy oedd y lleidr. Yna, ymhen rhyw bythefnos, clywais fod rhywun yn gwerthu poteli o wisgi a rym yn rhad o gwmpas y dref. Gwerthwyd rhai i berchennog y tŷ bwyta Tsieineaidd, a chyfaddefodd hwnnw'n syth i'w prynu, ond nad oedd ganddo syniad eu bod wedi eu dwyn. Oherwydd ei onestrwydd, roeddwn yn barod i'w gredu. Nid oedd y pris a dalodd andanynt yn llawer llai na phris siop. Dywedodd wrthyf hefyd mai Dic, y pysgotwr, a oedd wedi eu gwerthu iddo.

Doedd dim arall allwn i ei wneud ond cael gwarant i chwilio tŷ Dic, a chychwynais yno. Gallwch fentro nad oeddwn yn teimlo'n gyfforddus yn gwneud hyn, ond roeddwn wedi mynd ar fy llw pan ddechreuais fel plismon y buaswn yn gwneud fy ngwaith heb ofn na ffafr. Cefais groeso yn nhŷ Dic fel arfer, a phan ddywedais wrtho pam yr oeddwn yno, dywedodd nad oedd o'n gwybod dim am y peth. Mynnai nad oedd wedi gwerthu wisgi na rym nag unrhyw fath arall o wirod i neb, ac nad oedd poteli o'r fath yn y tŷ. Roedd croeso, meddai, i mi chwilio'i gartref yn drwyadl, a dyna a wnes.

Er i mi chwilota'n ofalus, doedd dim golwg o'r poteli. Er hynny, roedd y dystiolaeth yn ei erbyn yn ddigon cryf i'w arestio, ac i lawr i orsaf yr heddlu â ni. Wrth ei holi, a dangos datganiad perchennog y tŷ bwyta iddo, cyfaddefodd Dic fod yr hyn a ddywedodd hwnnw'n gywir, ond nad oedd Dic ei hun yn gwybod eu bod wedi eu dwyn 'chwaith. Dywedodd fod gweddill y poteli yn y tŷ, ac nad oeddwn wedi eu darganfod pan fûm yno. Roedd hyn yn syndod mawr i mi – roeddwn yn siŵr fy mod wedi chwilio'n fanwl.

Aeth â fi yn ôl i'w gartref, a mynd yn syth i fyny'r grisiau i'r ystafell 'molchi. Gafaelodd mewn sgriwdreifer a thynnu'r styllod oedd o amgylch y bath. Yno roedd dau gês o wisgi da ac un cês o rym.

'Doedd gen i ddim syniad eu bod wedi eu dwyn, John bach,' meddai Dic. 'Nagoedd wir, dim syniad o gwbl.'

'Pam dy fod di wedi eu cuddio yn fan'ma ta?' gofynnais.

Nid oedd ganddo ateb.

Yn ddiweddarach, dywedodd ei fod wedi eu prynu yn rhad ofnadwy, am lawer llai na hanner eu pris yn y siopau, ac fe enwodd y sawl a'u gwerthodd iddo. Arestiwyd hwn hefyd – ac er mai ef oedd y lleidr roedd yn rhaid i mi gyhuddo Dic o dderbyn nwyddau wedi eu dwyn. Plediodd Dic yn ddieuog i'r cyhuddiad yn Llys Ynadon Pwllheli ond fe'i cafwyd yn euog, a chafodd ddirwy gan mai hon oedd ei drosedd gyntaf.

Nid oedd Dic yn hapus o gwbl ac fe apeliodd i Lys y Goron. Roeddwn wedi symud i Langefni erbyn hynny ond cefais fy ngalw i Gaernarfon i roi tystiolaeth. Daeth fy nhro i fynd i focs y tyst yn union ar ôl i berchennog y tŷ bwyta Tsieineaidd roi ei dystiolaeth ef. Roedd soseri wedi eu malu ar y llawr ym mhob man, ac erbyn deall, roedd hyn yn rhan o dyngu llw yn ei grefydd o. Ar ôl dweud fy mhwt, eisteddais yng nghefn y llys i wrando ar weddill yr achos. Tro Dic oedd hi'n awr, a'i unig amddiffyniad oedd na wyddai fod yr eiddo wedi ei ddwyn.

Gofynnodd y barnwr yr un cwestiwn ag a ofynais i iddo, sef pam y'i cuddiodd y tu ôl i styllod y bath? Nid oedd ganddo ateb. Pam nad oedd wedi cyfaddef fod y poteli yn y tŷ pan ofynnais iddo amdanynt i gychwyn? Nid oedd ganddo ateb. Sut oedd o'n esbonio ei fod wedi eu prynu am lai na hanner eu pris yn y siopau?

'Nid oedd dim o'i le ar wneud hynny,' meddai Dic. 'Mae John, y ditectif yn y fan acw,' meddai, gan bwyntio ataf yng nghefn y llys, 'yn prynu cimwch gen i am hanner pris y farchnad.'

Wel, fe drodd pob llygaid yn y llys ataf, a theimlwn fy wyneb yn cochi'n syth. Roeddwn eisiau diflannu yr eiliad honno. Nid oeddwn wedi gwneud dim byd o'i le, ond nid oedd posib esbonio hynny ar y pryd. Mae Llys y Goron yn gallu bod yn lle unig iawn, yn enwedig pan gaiff rhywun ei holi'n galed ym mocs y tyst. Er nad oeddwn yn rhoi tystiolaeth ar y pryd, theimles i erioed mor unig yno ag y gwnes i'r diwrnod hwnnw.

Methu yn ei gais apêl wnaeth Dic a bu'n rhaid iddo dalu'r costau. Daeth ei fargyfreithiwr, Mr Merfyn Hughes (y Barnwr Merfyn Hughes Q C erbyn hyn) ataf ar ôl i'r achos ddarfod.

'Pe bawn i'n ymwybodol pan oeddet ti'n rhoi dy dystiolaeth dy fod wedi prynu cimwch yn rhad ganddo, mi fuaswn wedi cael hwyl fawr yn y llys 'ma heddiw,' meddai gyda gwên.

Roedd Dic wedi trio'i orau i ennill y dydd. Dywedodd wrtha' i o flaen y bargyfreithwyr a'r cyfreithwyr ei 'bod hi wedi cachu' arnaf am gimwch rhad eto, a'i fod am ddefnyddio Mr Richard Ellis-Davies, cyfreithiwr yr heddlu, fel abwyd y tro nesaf. Ond doedd o ddim o ddifri', a bu chwerthin ac ysgwyd llaw rhyngom cyn mynd adref. Serch hynny, fe arhosodd teimlad chwithig y diwrnod hwnnw hefo fi am amser maith.

Pennod 6

Llangefni

1977 – 1980

Roeddwn wedi treulio llawer o amser yn ne Sir Fôn, ac yn gyfarwydd iawn â Llangefni gan fod teulu fy mam yn dod o'r dref. Ym mis Ionawr 1977, cefais fy anfon i weithio yno.

Neville Yates, gŵr o ochrau Sir Ddinbych, oedd yr Arolygydd ar y pryd; yn rheoli tri sarjant, tua dwsin o blismyn a dau ohonom yn y CID. Un o Sir Ddinbych oedd fy nghyd-dditectif hefyd sef Esmor Williams, bachgen fferm a dreuliodd ei flynyddoedd cynharaf yn yr heddlu yn ochrau Wrecsam a Chefn Mawr. Bu'r ddau ohonom yn gweithio yng Nghaergybi ar ddechrau'r saithdegau – Esmor yn gwneud ei dri mis o brawf yn adran y CID o gwmpas yr un adeg ag y dechreuais i yn yr un swyddfa. Roeddem wedi gweithio gyda'n gilydd ar strydoedd y dref ac wedi dod yn ffrindiau da. Efallai y cofiwch mai fo ddaru 'ddwyn' tacsi Wil Cachu Iâr o'r tu allan i orsaf yr heddlu yng Nghaergybi hefo Alan Pierce.

Rhyngom, roedd Esmor a finnau'n edrych ar ôl y troseddau mwyaf difrifol a ddigwyddai yn ne Sir Fôn. Roedd hi'n ardal eang – o Langadwaladr a Bethel, i fyny at Walchmai, ar draws at Foelfre, Benllech a Thraeth Coch ac i lawr at arfordir deheuol yr ynys. Fel Pen Llŷn, roedd rhai o'r ardaloedd hyn yn denu lluoedd o ymwelwyr yn ystod yr haf, ond roedd hi'n dipyn prysurach ar hyd y flwyddyn yn ne Sir Fôn nag ym Mhwllheli. Nid lladron lleol yn unig oedd wrthi yma – deuai troseddwyr eraill draw o Fangor, Caernarfon ac ochrau Lerpwl. Fy namcaniaeth i oedd bod lladron o'r tu allan i Gymru yn dod i Fôn ar eu gwyliau, yn dysgu am yr ardaloedd ac yn dod yn ôl i droseddu ar adegau eraill o'r flwyddyn.

Un da oedd Esmor am wneud ffrindiau, ac roeddwn i'n mwynhau gweithio hefo fo. Roedd o'n cyd-dynnu'n dda â phawb a chlywais i neb erioed yn dweud gair drwg amdano; ddim hyd yn oed un o'r nifer fawr o ladron a garcharwyd ganddo dros y blynyddoedd.

'Dw i'n cofio ymweld â fferm hefo fo rhyw dro i wneud ymholiad, a pharcio car y CID ar y buarth. Safai'r ffermwr a'i wraig o'n blaenau, yn methu deall pwy oedden ni. Daeth Esmor allan o'r car.

'Pobl y VAT ydan ni,' meddai.

'Dos i nôl y gwn, Martha,' meddai'r ffermwr wrth ei wraig, gyda gwên – roedd Esmor wedi llwyddo i ysgafnhau ymholiad difrifol yn syth. Ar ôl dweud pwy oedden ni a diben yr ymweliad, cawsom wahoddiad i'r tŷ am baned; paned fferm go iawn hefo lliain bwrdd a bara brith.

Roedd ymweliad fel hwn yn un cyffredin, lle byddai ymholiad arferol yn magu cyfeillion a chysylltiadau newydd, a byddai Esmor wedyn yn galw i'w gweld pan oedd o'n digwydd bod yn yr ardal. Pe byddai rhywbeth yn digwydd yn y cyffiniau wedyn, roedd ganddo ddigon o bobl i alw arnynt am wybodaeth. Clyfar iawn!

Roedd Esmor yn hoff o'i beint, a finnau i'w ganlyn. Rhan o waith ditectif oedd dod i adnabod a chysylltu â phob math o bobl, a rhai o'r llefydd gorau i wneud hyn oedd tafarnau'r sir. I fod yn berffaith onest, roedd pethau yn dueddol o fynd yn flêr o dro i dro, ond gwell efallai yw peidio a dweud yr hanesion hynny.

Ar gyrion Llangefni roedd un o'n hoff westai, a daethom i adnabod perchenogion y tŷ, Ernie a Jean, yn dda. Roedd hwn yn lle difyr, yn cael ei redeg yn dda ac yn llawn cymeriadau bob amser – cyfle i ni gael dianc oddi wrth bwysau gwaith a chael ychydig o wybodaeth ar yr un pryd.

Dywedodd Ernie wrthym un diwrnod ei fod yn amau bod un o weithwyr y bar yn dwyn arian. Roedd popeth yn

Huw Vevar yn blismon ifanc

iawn pan oedd y perchnogion yno ond pan fyddai Ernie a Jean yn mynd allan am bryd o fwyd, roedd enillion y noson yn isel iawn. Gan fod nifer yn gweithio y tu ôl i'r bar, nid oedd ganddo syniad pwy oedd wrthi.

Cafodd Esmor syniad da. Roedd plismon newydd wedi dod i Lannerch-y-medd, bachgen o'r enw Huw Vevar. Nid oeddwn wedi ei gyfarfod, ond deallais nad oedd o'n edrych yn debyg i blismon o gwbl (er, wn i ddim beth oedd hynny yn ei ddweud am y gweddill ohonom). Mab i glerigwr, y Canon Vevar o Fotwnnog, oedd Huw ond, heb fod yn amharchus, fyddai neb yn credu hynny. Y bwriad oedd rhoi Huw, yn ei ddillad ei hun, yn y bar pan âi Ernie a Jean allan, i wylio'r staff yn ofalus.

Daeth y noson fawr, a phan welais Huw am y tro cyntaf, gwelais fod ei ymddangosiad yn berffaith ar gyfer ein cynllun. Doedd o ddim yn fachgen tal iawn o'i gymharu â phlismyn eraill, ac roedd ei wallt cyrliog du yn hirach na gwallt y rhan fwyaf o blismyn. Gwisgai bâr o jîns glas wedi colli'u lliw a chrys go flêr. Ar ben hynny, doedd o ddim wedi eillio ers tridiau ac roedd y tyfiant du'n gwneud iddo edrych yn llai byth fel plismon. Rhoddodd Ernie ugain punt iddo i'w wario yn y bar ac edrychai Huw ymlaen am noson o 'waith' a dipyn o bleser hefyd. Cofiwch, roedd ugain punt yn dipyn go lew o arian yr adeg honno, digon i brynu faint fynnir o gwrw. Gadawodd Esmor a finnau Huw ym maes parcio'r gwesty am saith o'r gloch a gwneud trefniant i ddychwelyd am hanner awr wedi deg.

Gallaf ddychmygu Huw yn mwydro hefo pawb drwy'r nos – y gwydrau'n gwagio a'r sgwrs yn ddifyr. Ond roedd yn siŵr o fod yn cadw llygad barcud ar yr hyn oedd yn digwydd y tu ôl i'r bar.

Aethom yn ôl i'r maes parcio fel y trefnwyd, ac ymhen munud neu ddau, daeth Huw i'r golwg. Daeth at y car gan siglo'n braf yn ei gwrw, yn wên o glust i glust. Roedd wedi gwario'r ugain punt i gyd. Er bod ei dafod yn reit dew, dywedodd ei fod yn gwybod yn iawn pwy oedd wedi bod yn dwyn, a bod y lleidr yn gwneud yr un peth bob tro'r oedd yn rhoi arian yn ei boced ei hun, sef taro'i ddau fys canol ar y bar o'i flaen a churo'i ddwylo un waith. Dim ond ar ôl dwyn arian y gwnai hyn. Aeth y tri ohonom yn ôl i'r swyddfa yn Llangefni a chafodd Huw baned o goffi du melys tra'r aeth Esmor a finnau yn ôl i faes parcio'r gwesty i ddisgwyl i'r lleidr ddod allan.

Aethom yn syth ato pan gerddodd at ei gar a darganfod dros hanner canpunt mewn arian mân yn leinin ei gôt. Fe'i harestiwyd ar ei union ond gwadai iddo ddwyn yr un ddimai o'r gwesty.

Daeth gyda ni i'r ddalfa yn Llangefni ac eisteddodd Esmor a finnau gyferbyn ag ef i'w holi. Roedd hyn cyn amser recordio cyfweliadau ar dâp. Doedd dim ots faint oedden ni'n ei holi, roedd y dyn yn dal i wadu iddo erioed ddwyn ceiniog. Fel hynny y bu hi am awr dda tan i Esmor awgrymu ein bod yn galw ar ein herfyn cudd. Cytunais, ac edrychodd y lleidr arnom mewn penbleth.

Ar ôl i Esmor siarad ar y ffôn am eiliad neu ddwy, agorodd y drws ac ymddangosodd Huw Vevar, ddim llawer sobrach nag oedd o awr neu ddwy ynghynt. Daeth at y bwrdd lle'r oeddem ein tri yn eistedd a defnyddiodd ei ddau fys canol i daro'r bwrdd. Yna curodd ei ddwylo unwaith yn union yr un fath ag y gwnaeth y lleidr ar ôl dwyn arian a ddylai fod wedi mynd i'r til.

''Dw i'n dy adnabod di. *Mild lemonade tops,*' meddai, gan wenu ar Huw. 'OK, iawn bois, be' ydach chi isho 'i wybod?'

Yna, cyfaddefodd i ddwyn o'r gwesty ers misoedd, arian bach yn y dechrau, ond roedd ei ddyhead wedi tyfu gydag amser.

Do, gweithiodd yr 'erfyn cudd' yn dda'r noson honno, ond fuasen ni byth yn cael gwneud peth felly'r dyddiau yma. Mae'n rhaid bod yn llawer mwy atebol a chyfiawn bellach, gan fod pob cyfweliad yn cael ei recordio.

Un o blismyn Llangefni yn ystod y cyfnod yma oedd Brian Evans. Er mai un o ochrau Cwm-y-Glo oedd o, a'i fod wedi treulio cyfnod o'r blaen yn Llangefni, Brian Gwalchmai oedd o i bawb gan iddo fod yn blismon pentref yno am rai blynyddoedd cyn dod yn ôl i Langefni. Roedd Brian yn gawr cryf o ddyn, ymhell dros chwe troedfedd. Cofiaf ei weld am y tro cyntaf pan oeddwn yn fachgen ysgol tua pedair ar ddeg neu bymtheg oed. Byddwn yn mynd i aros gyda

Brian Evans (chwith), Alan Pierce a Tom Jones (ar y dde) yn RAF y Fali

pherthnasau yn Llangefni a deuthum i adnabod un neu ddau o'r bechgyn lleol yn dda gan fynd i'r ddawns yn Neuadd y Dref bob nos Sadwrn hefo nhw. Yn aml iawn, roedd hogiau hŷn na ni yn dod yno'n hwyr i godi twrw, fel arfer ar ôl bod yn hel diod, ac roedd dyrnau'n clecian. Gwelais dros hanner cant yn cwffio un tro – cadw'n glir wnes i! Un noson, gwelais Brian, yn blismon ifanc, yn brasgamu i ganol y gwffes a gafael yn un o'r llanciau, ei gario i dop y grisiau a'i ollwng i'r llawr islaw. I mewn â fo eto i nôl y nesaf, nes oedd y meddwon i gyd wedi mynd. Doedd yr un ohonynt awydd dringo'n ôl i wynebu Brian am yr eildro, nag awydd parhau i gwffio ar y stryd chwaith ar ôl sylweddoli bod Brian yn feistr corn arnynt.

Ychydig cyn ymuno â'r heddlu dechreuais bysgota eogiaid ar yr afon Seiont gyda Gordon Pape, a gadwai siop y cigydd y drws nesaf i siop fy nhad ar Stryd Fawr Bangor. Dysgodd Gordon lawer i mi am bysgota eogiaid, ac roedd y ddau ohonom ar lan yr afon un diwrnod pan welsom Brian yn pysgota'n bwyllog gerllaw. Gan mai un o ochrau Cwm-y-Glo oedd Brian, yr oedd yn ei gynefin.

'Weli di'r dyn acw,' meddai Gordon, 'plismon yn Llangefni ydi o. Os weli di o ar yr afon yma rhyw dro, edrycha'n fanwl lle mae o'n sefyll ac i le'n union mae o'n taflu ei abwyd. Y tro nesaf, dos i'r un lle a gwna'n union yr un fath. Does 'na neb yn gwybod yn well na fo lle mae'r eog yn gorwedd.'

'Mae o'n un reit dda am daflu paffwyr allan o Neuadd y Dref yn Llangefni hefyd,' atebais, gan ddweud yr hanes.

Bûm yn pysgota lawer gwaith yng nghwmni Brian tra'r oeddwn yn Llangefni ac yn ystod y blynyddoedd canlynol. Roedd o'n glymwr plu eithriadol o dda ac yn saethwr a heliwr heb ei ail – doedd dim rhyfedd fy mod yn mwynhau ei gwmni!

Yn ystod yr un cyfnod, deuthum i adnabod Gareth Salt, un wedi ei eni a'i fagu yn yr ardal ac yn gweithio ym Mhorthaethwy. 'Dw i'n ei gofio yn y Llys Chwarter yn Llangefni un tro yng nghwmni nifer o blismyn eraill, cyfreithwyr a bargyfreithwyr. Waeth pa hwyl oedd i'w gael yn y swyddfa, roedd pawb yn ymddwyn yn barchus ac yn hollol briodol tuag at y naill a'r llall yn y llys hwn, yn enwedig o flaen y bargyfreithwyr a'r barnwr.

Cerddodd y barnwr i mewn ac wrth iddo basio, roedd pawb yn dangos y parch dyledus drwy wyro eu pennau. Ond roedd Gareth wedi bod yn yr ysgol hefo'r barnwr ac yn ei adnabod yn iawn.

'Sut ma'i,' meddai Gareth wrth y barnwr, a'i gyfarch wrth ei enw cyntaf.

Roedd pawb wedi eu syfrdanu, yn enwedig arolygydd yr heddlu. Nid oedd cyfarch barnwr fel hyn yn briodol, ond doedd dim ots gan Gareth.

Roedd ganddo fferm fechan y tu allan i Langefni a bu'n ffermio llawn cymaint â gweithio fel heddwas am flynyddoedd. Un diwrnod, daeth dau dditectif o Lundain i Langefni i wneud ymholiadau, ac euthum â nhw am ginio i dafarn y Farchnad. Yr oedd hi'n digwydd bod yn diwrnod marchnad, a gwelais Gareth Salt yn y bar gydag un o ffermwyr eraill yr ardal. Gwisgai esgidiau hoelion mawr yn fwd drostynt, a chortyn bwrn oedd yn dal ei drowsus melfaréd blêr i fyny. Roedd ei siaced wedi rhwygo mewn sawl lle ac roedd gwellt i'w weld yn glir o dan y cap ar ochr ei ben.

'Welwch chi'r dyn acw?' meddwn i wrth y ddau o Lundain, gan bwyntio at Gareth. 'Plismon ydi o.'

Doedden nhw ddim yn fy nghredu i ddechrau, ond dyma un ohonynt yn dweud ar ôl eiliad neu ddwy ei fod yn deall mai gweithio *under cover* yr oedd o. Gadewais iddynt feddwl fod hynny'n wir.

Roedd perthynas dda iawn rhwng yr heddlu ac ynadon yr ynys tra'r oeddwn yn gweithio'n Llangefni. Roedd pawb yn adnabod ei gilydd, a rhoddai un o gadeiryddion y fainc winc a nod i blismon pan wnai bwynt da yn y llys. Cofiaf arolygydd yr heddlu yn erlyn achos o yrru cerbyd yn ddiofal. Roedd nifer o dystion ar ochr yr erlyniad ac ochr yr amddiffyniad ac roedd hi'n agosáu at amser cinio pan ofynnodd cadeirydd y fainc fel hyn;

'Arolygydd, ydi hi'n amser i dorri am ginio ynteu oes yna fwy o dystion ar ein hochr ni?'

Ein hochr ni? Wel, dyna i chi gamgymeriad! 'Dw i'n siŵr fod y diffynnydd yn yr achos yma'n meddwl fod perthynas rhy agos rhwng yr ynadon a'r heddlu!

Roedd plismon Bethel ar y pryd, John Owen, wedi bod yno ers peth amser. John Bodorgan oedd o i bawb, ac roedd yn un o'r plismyn gwlad gorau a welsoch erioed. Welais i mohono erioed heb wên fawr ar ei wyneb crwn, a'i fochau coch yn sgleinio. Roedd John yn 'Lly-wr' mawr, yn defnyddio 'lly' yn gyson wrth siarad. Byddai'n ffonio swyddfa'r CID yn aml, ac fel hyn yr aeth un sgwrs arbennig:

'Gwrandwch, 'lly. 'Dw i wedi cael gwybodaeth, 'lly, am y torri mewn yma, 'lly. 'Dw i eisiau i chi ddod yma ar eich union, 'lly i mi gael rhoi'r hanes i chi, 'lly.'

Fel arfer, pan fyddai John yn cael hanes rywun yn lladrata yn ei ardal roedd y wybodaeth yn agos iawn i'w lle, felly aeth Esmor a finnau yno'n syth. Roeddem wedi bod ar ôl y lleidr yma, pwy bynnag oedd o, ers peth amser.

Ar ôl cyrraedd Bethel cawsom baned a bisgeden gan wraig John, Hilda. Tŷ cyffredin oedd gorsaf yr heddlu ym Modorgan fel mewn sawl pentref arall, gyda John a'i deulu yn byw y drws nesaf i'r swyddfa. Roedd croeso mawr i'w gael yno bob tro, ond ar ôl dod â'r baned, mi fyddai Hilda'n diflannu er mwyn i ni gael siarad busnes.

'Wel, John. Be' ydi'r wybodaeth yma sy' gen ti?'

Roeddem yn awyddus i glywed yr hanes. Cododd John ei lais tuag at gyfeiriad y drws a galw ar ei wraig.

'Hilda, tyrd yn ôl yma, 'lly, a dweud wrth yr hogiau 'ma be wyt ti wedi 'i glywed.'

Nid John oedd wedi cael y wybodaeth ond ei wraig, ac adroddodd yr hanes ar gyflymder eithriadol heb arafu ond i gymryd ei gwynt a dweud, 'a wir i chi..' ambell waith. Roedd John a Hilda yn dîm da.

Ymhen rhai dyddiau, ar ôl gwneud mwy o ymholiadau er mwyn bod yn berffaith saff o'n pethau, euthum gyda John i arestio'r bachgen a oedd yn gyfrifol am dorri i mewn i nifer o dai.

Roeddem ni hogiau'r CID yn hoffi gwisgo'n dda, yn enwedig gan ein bod yn cael dipyn mwy yn ein cyflog misol i brynu dillad gwaith. Disgwyliai'r swyddogion uwch ein pennau i ni fod yn daclus, a siwt dywyll â gwasgod fyddwn i yn ei gwisgo – fel yr un a wisgai cyfaill fy nhad, y ditectif Goronwy Evans, ers talwm. Y diwrnod hwnnw, roedd John yn gwisgo'i ddillad ei hun hefyd, siwt dywyll debyg i f'un i.

Aethom i dŷ'r bachgen ifanc a chnocio ar y drws. Doedd dim ateb. Cnoc arall ychydig cryfach. Dim ateb o hyd, ond gwelais gyrten ffenestr yr ystafell ffrynt yn symud. Symudais at y ffenestr a rhoi cnoc go drom ar y gwydr ac yn syth, daeth pen dynes i'r golwg. Mam y bachgen oedd hi.

'Agorwch y drws,' gorchmynais.

Toc, agorodd y drws a dangosais fy ngherdyn swyddogol iddi'n syth gan ddweud:

'CID o Langefni ydan ni, wedi dod yma i arestio'ch mab am dorri i mewn i nifer o dai yn yr ardal.'

'Diolch i'r nefoedd am hynny,' medda'r fam. Roeddwn i'n meddwl mai *Jehovah's Witnesses* oeddach chi!'

Wel, sôn am chwerthin.

Wrth gwrs, mae pob plismon yn trio'i orau i ymddwyn yn weddus a pharchus bob amser ond weithiau mae'n amhosib peidio â chwerthin, waeth pa mor ddifrifol yw'r amgylchiadau. Cofiaf Kelvin Jones, Cwnstabl 1188 yn Llangefni gynt, yn dweud sut y bu iddo geisio cadw wyneb syth pan gafodd alwad un gyda'r nos i gartref lle bu ffrae deuluol. Daeth gwraig y tŷ, dynes ganol oed a hithau'n wylo, i'r drws ac, yn ôl Kelvin, roedd yn ddigon hawdd gweld nad oedd ganddi ddant yn ei phen. Esboniodd y wraig fod ei chyn-ŵr wedi dwyn ei dannedd gosod er mwyn ei rhwystro rhag mynd allan hefo'i chariad newydd. Wel, dechreuodd Kelvin chwerthin ac er iddo drio'i orau i ymddwyn yn barchus, fe'i collodd hi'n lân. Yn ôl yr hanes, roedd bron ar ei liniau'n chwerthin a bu'n rhaid i'r sarjant oedd hefo fo gymryd drosodd a gwneud ei orau i dawelu'r ddynes fach.

Roedd hi'n bleser cael cydweithio ag Esmor. Roeddem yn deall ein gilydd yn iawn ac yn ddigon profiadol i sylweddoli nad y ffordd arferol oedd y ffordd orau bob tro i daclo problemau a throseddau'r ardal.

Un diwrnod, clywsom fod gŵr ifanc o ochrau Gwalchmai wedi dwyn hwyaden ddof. Wna' i mo'i enwi, ond roeddem wedi dod ar ei draws o'r blaen. Yn ôl yr hanes, roedd wedi dwyn hwyaden ddof o bwll y tu allan i dafarn yr oedd wedi bod yn yfed ynddi. Aeth â hi adref ym mŵt car ei gyfaill ac ar ôl siwrne swnllyd adref, gyda 'chwac cwac' yr hwyaden druan yn eu byddaru, roddodd dro yn ei chorn gwddw, ei phluo, ei choginio a'i bwyta. Nid achos i'r CID oedd hwn mewn gwirionedd, ond roedd y ddau ohonom awydd ychydig o hwyl, a phwy a ŵyr pa straeon fyddai'n dod i'r amlwg wrth ei holi?

Aeth Esmor a finnau i'r safle adeiladu lle'r oedd yn gweithio ac, o flaen nifer fawr o'i gydweithwyr, ei arestio am ddwyn. Ddaru ni ddim dweud, yn bwrpasol, beth yr oeddem yn ei gyhuddo o'i ddwyn.

'Gwrandwch hogia', does ganddoch chi ddiawl o ddim

byd yn f'erbyn i,' meddai. 'Uffern o ddim byd, 'dw i'n dweud wrthach chi. Dim byd o gwbl. 'Dach chi wedi gwneud uffern o gamgymeriad y tro yma.'

Aeth i gefn y car yn dal i brotestio, ond yn lle gyrru i Langefni, stopiodd Esmor y car ar ôl dim ond dau gan llath. Trois i'w wynebu gan ddweud:

'Cwac, cwac, cwac.'

Sylweddolodd yn syth beth oedd gen i dan sylw.

'*Fair cop,*' meddai, ac mewn eiliad neu ddau, roedd y tri ohonom yn chwerthin yn braf. Oedd, roedd wedi dwyn, ac mi fuasai'n siŵr o gael ei gosbi gan ei well. Ta waeth am hynny, penderfynu taro bargen â fo wnaethon ni – addewid i'w ryddhau heb fwy o sôn am yr hwyaden pe byddai'n rhoi rhywbeth bach i ni. Meddyliodd am funud cyn dweud ei fod yn gwybod am fachgen lleol a oedd yn mynd i Fanceinion y Sadwrn canlynol i brynu llwyth o gyffuriau i'w gwerthu yn Llangefni. Dywedodd fod y llanc yn bwriadu cyrraedd gorsaf rheilffordd Bangor ar amser neilltuol.

Aethom ag ef yn ôl i'w waith gan ddweud wrth y fforman ein bod wedi gwneud camgymeriad ac wedi arestio'r bachgen anghywir.

Bu'r ddau ohonom yn disgwyl am y trên yng ngorsaf Bangor ac, fel y dywedodd lleidr yr hwyaden, gwelsom y bachgen ar ei ffordd yn ôl o Fanceinion i Sir Fôn. Roedd ei bocedi'n llawn o gyffuriau o bob math — nid yr helfa gyffuriau fwyaf yn y byd, ond roedd digon ganddo i wneud niwed mawr mewn tref fel Llangefni. Daeth ychydig o ddaioni felly o dranc yr hen hwyaden.

Yn ystod y cyfnod hwn, roedd drwgdeimlad mawr rhwng gwerthwyr hufen iâ a diodydd ar draethau de'r ynys. Cymaint oedd atgasedd un gwerthwr tuag at un o'i gystadleuwyr, fe ddringodd i ben to ei garafán yng nghanol y nos ac agor ffenestr y to. Yna, gyda'r bwriad o'i llosgi, tywalltodd lond tun o betrol i mewn i'r garafán. Cyn ei thanio, penderfynodd nad oedd wedi tywallt digon o betrol i'r twll ac aeth yn ôl i'w gar i nôl mwy. Ymhen peth amser dychwelodd i ben to'r garafán a gwagio llond tun arall iddi. Nid oedd wedi sylweddoli fod y garafán, erbyn hyn, yn llawn o anwedd petrol ar ôl y tro cyntaf, a phan daniodd damaid o bapur a'i ollwng drwy'r twll, fe ffrwydrodd y garafán yn ddarnau ar hyd y maes parcio – ac yntau i'w chanlyn. Bu'r ffrwydrad yn ddigon i ddeffro pawb o fewn milltir a throi'r nos yn ddydd, ac er i'r dyn gael ei luchio ugain llath neu fwy o'r fan, chafodd o fawr o anaf. Dychmygwch botel *Calor Gas* yn hedfan hanner can llath drwy'r awyr – dyna nerth y ffrwydriad.

Chawson ni ddim trafferth i ddarganfod pwy oedd yn gyfrifol, gan fod un neu ddau o'i ddoluriau yn amlwg a'i wallt wedi'i losgi yma ac acw. Fel yr arfer fe chwiliwyd ei dŷ am dystiolaeth yn ei erbyn – tystiolaeth yn ymwneud â'r drosedd hon neu unrhyw drosedd arall.

Wrth chwilio, cawsom hyd i wlân ac esgyrn mân yn nhwll plwg y bath, ynghyd â sylwedd a allasai fod yn waed. Wrth agor y rhewgell gwelsom ei bod yn llawn o gig oen wedi ei rewi, a gwelsom dystiolaeth a awgrymai fod y dyn wedi torri a thrin y cig ei hun. Daethom o hyd i arfau hefyd, yn cynnwys bwa croes a nifer o saethau. Roedd hwn yn erfyn peryglus a distaw iawn.

Ar ôl oriau o wadu, cyfaddefodd y gŵr i saethu defaid ac ŵyn gyda'r bwa croes. Yn wir, roedd wedi byw yn dda ers rhai misoedd ar gig oen a oedd wedi ei ladd a'i ddwyn o gaeau ar draws Môn. Pan ddaeth ei achos gerbron y llys, gallwch fentro bod hanes saethu'r defaid wedi creu cymaint, os nad mwy, o stŵr na llosgi'r garafán; a'r papurau lleol yn llawn o'r hanes.

Ddiwrnod neu ddau ar ôl yr achos, cynhaliwyd Sioe Môn ar safle Mona ac fel yr arfer roedd Esmor a finnau'n edrych

Esmor Williams a finnau yn ymlacio yn Llangefni un Nadolig

ymlaen at gael cymdeithasu â'r cyhoedd. Fel y gallwch ddychmygu, nid oedd llawer o waith yn cael ei wneud ar ddiwrnodau'r sioe; ond cofiwch chi, roeddem yn gweithio oriau hir drwy'r flwyddyn a llawer o'r rheiny heb dâl. Nid oedd ots gan neb ein bod yn cael beth yr oeddem yn ei alw'n 'ddiwrnod i'r frenhines' unwaith neu ddwy'r flwyddyn.

Wel, a dweud y gwir, fe aeth pethau ychydig yn flêr y prynhawn hwnnw. Cawsom ein dau wahoddiad i babell llywydd y sioe a chael ein cyflwyno fel y ddau dditectif a oedd yn gyfrifol am ddal y saethwr defaid. Wel, sôn am le da gawson ni! Roedd y ffermwyr i gyd eisiau ysgwyd ein dwylo a rhoi gwydryn bach o wisgi i ni. Hyd yn oed pe bydden ni eisiau gwrthod y wisgi (a doedden ni ddim!) byddai wedi bod yn anodd iawn i ni wneud hynny.

Bu'n rhaid cael rhywun arall i yrru cerbyd y CID adref y diwrnod hwnnw. Roedd Esmor a finnau'n gallu bod yn hogiau drwg ein hunain weithiau.

Pennaeth y CID ym Môn ac Arfon yn y dyddiau hynny oedd Jack Jones. Deuai Jack o Sir Ddinbych a gweithiodd yn ardal Wrecsam am ran helaeth o'i wasanaeth yn yr Heddlu. *Jack Spangles* oedd ei lysenw, neu *Spangerro*, oherwydd ei hoffter o'r melysion o'r un enw tra'r oedd yn arolygydd yn Llandudno. Yn ôl pob golwg, roedd yr enw wedi sticio er ei ddyrchafiad yn Dditectif Brif Arolygydd yng Nghaernarfon.

Roedd Jack yn ddyn mawr ac yn aml iawn yn y gaeaf gwisgai gôt fawr drom dywyll. Roedd ei wallt du wedi ei gribo'n ôl bob amser ac heb ddim amheuaeth edrychai fel un o'r Maffia. *The Godfather* oedd o'n ei alw'i hun pan oedd yn gwisgo'r gôt honno!

Arferai Jack weiddi digon arnon ni a gwneud yn siŵr ein bod yn y swyddfa ymhell cyn naw'r bore, a'n bod yno'n hwyr y nos hefyd os oedd angen. Cefais fy nwrdio lawer gwaith ganddo, fel y cafodd pawb arall, ond fo oedd y cyntaf i roi canmoliaeth a chefnogaeth hefyd. Pan fyddai rhywbeth wedi mynd o'i le, cyn belled â bod rhywun wedi bod yn onest, Jack oedd y cyntaf i'w amddifyn.

Yn aml, os nad oedd un o'r ditectifs o dan ei ofal yn dda, ac wedi methu â dod i'w waith, byddai Jack yn mynd i'w dŷ'r noson honno. Roedd pawb yn amau mai gwneud yn siŵr bod y claf adref ac yn wirioneddol wael oedd o, ond fe âi a phedwar tun o gwrw hefo fo bob tro i'w rhoi fel anrheg pe byddai'r claf adref ac yn edrych yn symol.

Er bod y *Godfather* yn edrych yn ddigon difrifol, doedd dim ots ganddo gael ychydig o hwyl yn y swyddfa. Pan oedd yn marcio ein hadroddiadau, byddai'n defnyddio pin ffelt. Galwai ei hun yn *Jack Felt Pen* bryd hynny, ac roedd y nodiadau a ysgrifennai arnynt yn dangos ei hiwmor. Er enghraifft, pan oedd ysgol bren wedi ei dwyn, ysgrifennodd: '*take steps to recover this property,*' neu, pan ddygwyd tamaid o gig gan ddau ddyn; '*is this joint theft?*'

Ond roedd Jack yn blismon da a chyfrwys hefyd. Ar y pryd, roedd dwy ddynes yn troseddu ar hyd a lled Prydain Fawr; merched hoyw oeddynt, yn dwyn llyfrau siec fesul cannoedd cyn llogi ceir a theithio'r wlad. Roeddynt wedi lladrata eu ffordd o un pen y wlad i'r llall ers misoedd lawer ac roedd heddluoedd ledled Prydain yn chwilio amdanynt. Byddent yn aros mewn gwestai ac yn diflannu heb dalu, heb aros yn un lle'n rhy hir. Dyna pam na ddaliwyd hwy ynghynt.

Daeth gair fod y ddwy yn aros mewn carafán yn Sir Fôn. Roedd gan Jack ddigon o brofiad i wybod na fyddai'n llwyddo i'w cael o'r garafán drwy yrru plismyn yno felly rhoddodd orchymyn i heddferch o'r enw Carol i newid i'w dillad ei hun – hen ddillad, a rhai ohonynt wedi'u rhwygo. Wedi newid, rhedodd Carol ar draws y parc carafanau i gyfeiriad carafán y ddwy ddynes gan weiddi bod rhywun wedi ymosod yn rhywiol arni.

Mae'n rhaid bod Carol yn actores dda. Agorodd drws y garafán ar ei union a rhedodd y ddwy ddynes ati. Roedd digon o heddweision o gwmpas i helpu Carol i'w harestio a chawsant eu carcharu am rai blynyddoedd.

Tua'r un adeg, cawsom gwynion o rannau eraill o'r wlad am ŵr a oedd wedi symud i fyw i Foelfre. Roedd wedi sefydlu busnes gwerthu citiau crefft copr drwy'r post, a chafodd archebion gan bobl ar hyd a lled Prydain. Haenau tenau o gopr oeddynt, gyda phatrwm fel bod y prynwr yn gallu eu taro gydag erfyn pwrpasol i wneud llun, a'i fframio. Ar ôl derbyn arian gan nifer fawr o bobl, nid oedd wedi anfon y nwyddau iddynt. Chafodd y rhai a oedd yn ei gyflenwi â'r copr a deunyddiau eraill ddim arian ganddo chwaith, er ei fod o'i hun wedi derbyn miloedd o bunnau gan ei gwsmeriaid.

Ar ben hyn i gyd, roedd y dyn yma'n treulio bob gyda'r nos yn nhafarnau'r ynys gan ddweud ei fod yn gyn-aelod o'r SAS ac wedi bod yn gweithio fel milwr cyflog yn Africa. Hoffai brynu diodydd a dweud ei hanes wrth unrhyw un a oedd yn fodlon gwrando arno.

Oedd hwn yn ddyn peryglus? Dyn a ddywedai ei fod wedi lladd cynifer yn y fyddin, ac wedi ymladd am arian yn rhyfeloedd sifil Africa? Ni fedrais ddarganfod dim o'i hanes, ond eto, fuaswn i ddim yn disgwyl dod o hyd i ddim os oedd ei hanesion yn wir.

Doedd dim i'w wneud ond mynd yno a gweld sut fyddai o'n ymateb. Aeth Esmor a finnau i'w dŷ a phan agorodd y drws safai yno'n llenwi'r ffrâm – dyn tal yn ei bedwardegau, yn cario tipyn mwy o bwysau nag yr oeddwn yn ei ddisgwyl. Dywedais wrtho'n syth pwy oeddem, a'i fod yn cael ei arestio am dwyllo cannoedd o bobl a dwyn miloedd o bunnau. Roedd Esmor a finnau'n meddwl ein bod yn barod am unrhyw ymateb, ond caswom ein dau sioc. Fe wnaeth lond ei drowsus. Gwelsom yn sydyn iawn mai celwydd pur oedd ei holl ymffrostio.

Bum yn cynnal ymchwiliadau am rai wythnosau oherwydd bod angen datganiadau gan lawer o dystion o bob rhan o'r wlad. Yn ystod yr ymchwiliad cymhleth hwnnw, cefais gyngor gan y bargyfreithiwr Huw Daniel, a ddyrchafwyd yn ddiweddarach yn farnwr uchel ei barch trwy ogledd Cymru a thu hwnt. Roeddwn wedi cael y fraint o weithio hefo fo o'r blaen, mewn achos yn Llys y Goron yng Nghaernarfon a barhaodd am dros bythefnos. Dysgais lawer iawn ganddo, yn cynnwys sut i gyflwyno tystiolaeth gan ddarparu datganiadau ac adroddiadau fel y gallai bargyfreithwyr eu cyflwyno mewn llys.

Cefais help mawr hefyd gan bennaeth yr adran dwyll yn y pencadlys ym Mae Colwyn, y Ditectif Arolygydd David Rowley. Dysgodd i mi sut i ddarparu materion cymhleth a'u gwneud mor syml â phosib er mwyn i bob aelod o'r rheithgor eu deall.

Wedi i ni gwblhau'r holl ymchwiliadau, safodd y twyllwr gerbron Llys y Goron yng Nghaernarfon. Llediodd yn euog a chafodd gyfnod o garchar. Cefais innau gymeradwyaeth gan y barnwr am fy ngwaith ar yr ymholiad (un o ddeuddeg a gefais yn ystod fy ngyrfa).

Bûm yn ffodus iawn o gael y math yma o addysg gan ddau ŵr arbennig o fedrus. Teimlaf hi'n anrhydedd fod y ddau yn barod i drosglwyddo eu gwybodaeth i mi a mwynhau gwneud hynny.

Roeddwn wedi cael fy nghanmol droeon erbyn hyn am fy ngallu i ddeall achosion cymhleth o dwyll. Canlyniad hyn oedd y cyfle i symud o Langefni i'r pencadlys ym Mae Colwyn, i'r adran a oedd yn gyfrifol am ymchwilio i dwyll a llygredd yn y sector gyhoeddus. Cyfle hefyd i gyfarfod â mwy o gymeriadau a chasglu mwy o hanesion, efallai?

Pennod 7

Yr Adran Dwyll

1980 – 1983

Wel, dyma fi'n cyrraedd y pencadlys ym Mae Colwyn. Roeddwn wedi cyflawni deuddeng mlynedd o wasanaeth yn yr heddlu ac yn gwnstabl o hyd – er fy mod ar y CID ers rhai blynyddoedd doeddwn i ddim bod â llawer o awydd dyrchafu ymhellach. Yr unig wahaniaeth yn awr oedd fy mod ymhlith y rhai a oedd yn rhedeg y sioe.

Roedd CID Gogledd Cymru mewn dwylo da iawn pan gyrhaeddais y Pencadlys – Eric Evans, a oedd yn Dditectif Sarjant ym Mangor pan ddechreuais fel cadét yno yn 1966, oedd pennaeth yr adran. Ditectif Brif Uwch Arolygydd ydoedd erbyn hyn (llond ceg go iawn) a bu ei ddirprwy, y Ditectif Uwch Arolygydd Gwyn Owen, yn Dditectif Sarjant yng Nghaernarfon yn ystod yr un cyfnod.

Gwelais yn sydyn fod gweithio yn y pencadlys yn hollol wahanol i weithio yn un o'r gorsafoedd trefol. Mae llawer yn gyfarwydd â'r adeilad mawr yng Nglan y Don gan fod ei lun yn aml ar y teledu, ond anaml y daw'r cyhoedd yno i wneud cwynion ac nid oes yno ystafelloedd holi na chelloedd i gadw carcharorion.

Er bod nifer fawr iawn o staff yn gweithio yn y pencadlys, dim ond tri ohonom oedd yn gweithio yn yr adran dwyll. David Rowley, a roddodd gymorth i mi gydag ymholiad y twyllwr citiau copr, oedd yr Arolygydd â gofal dros yr adran; yno hefyd roedd Ditectif Sarjant Ken Naughton, un o ochrau Penarlâg yn enedigol, a finnau. Yn fuan ar ôl cychwyn gweithio yno, fe gafodd fy ngwraig a minnau, ynghŷd â Ken a'i wraig Susan, wahoddiad i dŷ Dave a'i wraig Ann am ginio. Bu'r pryd yn gyfle da i ni ddod i adnabod ein gilydd, ac er na wyddwn hynny ar y pryd, roedd yn gychwyn da i dair blynedd gofiadwy. Bu'r gwaith yn agoriad llygad, ac mae'n rhaid i mi ddweud, cefais gymorth ac addysg heb ei ail gan Dave a Ken.

Mae ymchwilio i dwyll ym myd busnes yn tueddu i fod yn gymhleth ac yn gofyn am lawer mwy o waith paratoi na throseddau cyffredin, ond nid oes galw am fwy o allu nag unrhyw dditectif arall. Y gwahaniaeth yw na all un sy'n gweithio yn swyddfa'r CID mewn tref roi sylw digonol i'r gwaith ymchwil pan fo cymaint o achosion eraill yn disgyn ar ei ddesg bob dydd. Hefyd, gan y gellid cael cant neu fwy o dystion mewn un achos, mae'n angenrheidiol cofnodi pob

D. C. ZAWADA (GMP) D. C. JACKSON (W. YORKS) D. S. CRAIG (RUC) D. C. ATKINSON (LINCS) D. C. OSMOND (W. MIDLANDS)

D. C. KIRKHOPE (WARKS) D. C. PRATT (W. YORKS) D. S. CREIGHTON (RUC) D. C. MOORE (N. YORKS) D. C. BRUNTON (NORTHANTS) D. C. NOON (LANCS)

D. I. EVANS (S. WALES) D. C. DAY (GMP) D. S. WIBBERLEY (DERBS) D. C. HARDY (DERBS) D. C. VAUGHAN (STAFFS) D. C. MATTHEWS (STAFFS) D. C. AUTON (CAMBS)

D. C. GRIFFITHS (N. WALES) D. C. WARE (GMP) D. S. GOAD (Devon & Cornwall) D. I. MILLAR (DURHAM) D. C. GREENSILL (HUMBERSIDE) D. I. BARRINGTON (ESSEX) D. C. CAIRD (S. YORKS)

Mr. MBANGA (ZAMBIA) Mr. NJASI (ZAMBIA) D. C. BAKER (DERBS) D. S. LE LERRE (GUERNSEY) D. C. THORPE (DERBS) D. P. W. FENWICK (HUMBERSIDE) D. C. PRITCHARD (MERSEYSIDE) D. C. JOHNSON (MERSEYSIDE) Mr. HASHIM (MALAYSIA)

D. P. W. MORRITT (S. YORKS) D. I. NUTTALL (GMP STAFF) Det Sup SUTER (GMP STAFF) Det Sup HUGHES (GMP STAFF) D. C. I. WILSON (GMP STAFF) D. C. HODGSON (GMP STAFF) D. P. W. KELLY (W. MIDLANDS) datganiad yn bersonol, gan deithio ar hyd a lled Prydain i wneud hynny.

Doeddwn i ddim wedi bod yno'n hir pan gefais gyfle i fynd ar fis o gwrs a gynhaliwyd gan adran dwyll Heddlu Ardal Manceinion i ddysgu mwy am ymchwilio i dwyll busnes a chyfraith cwmnïau. Roedd tua ugain ohonom yno, yn cael darlithoedd gan ysgolheigion, cyfrifyddion, cyfreithwyr, staff swyddfa'r derbynnydd swyddogol ac uwch-swyddogion yr adran dwyll.

Pwysleisiodd un o uwch swyddogion yr adran pa mor bwysig oedd hi i wneud ein gwaith cartref a pharatoi'n fanwl cyn mynd allan i wneud y gwaith, yn enwedig sicrhau bod manylion y cyfeiriad yn gywir cyn mynd allan i weithredu gwarant yn gynnar yn y bore. Dywedodd yr hanes yma wrthym.

Ar ôl darparu'n drwyadl (neu felly y tybiai), roedd o'n un o nifer o dditectifs a oedd am weithredu gwarantau i archwilio nifer o adeiladau o amgylch Manceinion un diwrnod.

Am bump o'r gloch ar fore tywyll yn y gaeaf, roedd o a'i griw y tu allan i'r tŷ yr oeddynt am ei chwilio, ac yn barod am yr alwad i gychwyn. Yn anffodus, roedd niwl tew yn golygu na allent weld mwy na llathen o'u blaenau. Teimlodd ei ffordd ar hyd wal gefn y tŷ nes y daeth at ddrws, a meddwl mai drws cefn y cartref oedd o. Sylweddolodd fod rhywun yr ochr arall i'r drws – peth rhyfedd ar awr mor gynnar. Yng nghanol y niwl, galwodd:

'Pwy sy'na?'

'Billy,' atebodd llais plentyn o'r tu mewn.

'Faint ydi dy oed di, Billy?'

'Saith oed.'

'Ydi dy dad yna hefo chdi?'

'Nac ydi.'

'Ydi dy fam yna hefo chdi?'

'Nac ydi.'

'Oes yna rywun arall yna?'

'Nac oes,' meddai'r bachgen.

'Wyt ti, yn saith oed, ar dy ben dy hun yn fan'na am bump o'r gloch y bore?'

'Ydw.'

'Wel, sut fath o dŷ ydi hwn?'

'Cachdy yn yr ardd,' meddai.

Yng nghanol y niwl, doedd y ditectif ddim wedi sylweddoli nad oedd wedi cyrraedd y drws cefn. Er mwyn paratoi'n drwyadl, dylai fod wedi mynd yno yng ngolau dydd er mwyn gweld y lle yn iawn. Lawer gwaith wedi hynny fe gofiais y neges y tu ôl i'r stori hon, ynghyd â'r chwerthin wrth ei chlywed am y tro cyntaf.

Ar ddiwedd y cwrs, roedd yn rhaid i bob un ohonom gyflwyno darlith unigol o flaen uchel swyddogion adran dwyll Heddlu Ardal Manceinion a gweddill y myfyrwyr. Roedd pwnc wedi ei roi i bawb a chawsom amser i baratoi'n drylwyr. Daeth fy nhro i o'r diwedd. Fues i erioed yn un da am siarad yn gyhoeddus ond roedd yn rhaid gwneud, er gwaetha'r ffaith fod pennaeth yr adran dwyll, y Ditectif Brif Uwch Arolygydd Ted Hughes, a nifer o swyddogion dylanwadol eraill yn eistedd o 'mlaen i.

Allan o ddau ddwsin ohonom, roedd un arall ar y cwrs yn medru siarad Cymraeg. William Pritchard oedd ei enw, bachgen yn enedigol o Gaernarfon a ymunodd â'r heddlu ym Manceinion. Roeddwn wedi gweithio hefo'i frawd, Glyn, yn Sir Fôn.

Twyll gan ddefnyddio cardiau plastig oedd fy mhwnc i, ac er fy mod wedi paratoi yn eithaf trwyadl, nid oeddwn yn edrych ymlaen at orfod siarad. Gyda'm dwylo'n chwys i gyd, penderfynais ddechrau hefo dipyn o hwyl. Sefais o flaen hanner cant o bobl a dechrau siarad:

'Rydw i am roi'r ddarlith yma i chi yn y Gymraeg,'

meddwn, 'fel na fydd neb ond Wil a finnau yn deall beth ddiawl sy'n mynd ymlaen.'

'A finnau hefyd,' atebodd Y Ditectif Brif Uwch Arolygydd Ted Hughes mewn Cymraeg clir gan wenu. 'Mi ydw i'n medru'r iaith cystal â chdi unrhyw ddiwrnod.'

Sut wyddwn i mai dyn wedi ei eni a'i fagu ym Miwmares oedd o?

Er mai swyddogion oedd o 'nghwmpas yn y pencadlys, doedd dim prinder o gymeriadau. Roedd cyfaill fy nhad, Goronwy Evans, yno am sbel– erbyn hyn, roedd o'n Uwch Arolygydd gyda gofal dros gwynion yn erbyn yr heddlu yng ngogledd Cymru.

Dywedodd Goronwy'r hanes yma wrtha' i yn ddiweddar. Cyn iddo ddod i Fae Colwyn, roedd yn uwch arolygydd yn Wrecsam. Roedd tîm pêl droed Wrecsam yn gwneud yn dda yn y dyddiau hynny ac yn chwarae yn yr ail adran, felly un o'i broblemau oedd cefnogwyr y timau eraill a ddeuai i'r Cae Ras bob yn ail ddydd Sadwrn. Byddent yn creu helynt ofnadwy rhwng yr orsaf reilffordd a'r cae, ac wedyn yng nghanol y dref. Yn aml iawn, roedd Goronwy a'r plismyn eraill yn cyrraedd adref ar nos Sadwrn â phoer ar hyd eu gwisgoedd, neu wedi eu hanafu.

Y cefnogwyr casaf, mwyaf treisgar oedd rhai Millwall, a phan ddaeth tîm Millwall i Wrecsam un prynhawn Sadwrn roedd yr heddlu yn disgwyl am eu cefnogwyr yn yr orsaf. Dilynwyd hwy at giât y Cae Ras, lle'r oedd sgip fawr yn aros amdanynt, a datganodd yr heddweision na fyddai'r un ohonyn nhw yn cael mynd i mewn i'r cae heb dynnu ei esgidiau a'u rhoi yn y sgip. Doedden nhw ddim eisiau colli'r

Goronwy Evans yn Uwch Brif Arolygydd erbyn hyn

gêm felly dyna wnaethon nhw, ac yn rhyfedd ddigon, welodd Goronwy a'r hogia ddim helynt o fath yn y byd y diwrnod hwnnw. Ar ddiwedd y gêm, dim ond llond llaw o'r pum neu chwe mil o gefnogwyr Millwall oedd wedi llwyddo i ddod o hyd i'w hesgidiau, felly'n droednoeth a thawel at y trên ac am adref yr aethon nhw.

Oedd yna gwynion yn erbyn yr heddlu ar ôl y digwyddiad? Oedd, a derbyniwyd un neu ddau o lythyrau'n cwyno yn ystod y dyddiau canlynol; ond erbyn hynny roedd Goronwy wedi cael ei symud o Wrecsam i'r pencadlys ym Mae Colwyn a chanddo fo oedd y cyfrifoldeb am ddelio â chwynion yn erbyn yr heddlu. Ddaeth yna ddim byd o'r cwynion hyn am ryw reswm...

Roedd cwnstabl o'r enw John Emlyn Jones, neu John Em, yn gweithio yn ystafell ymgyrchoedd y pencadlys. Y fan honno oedd calon gweithgareddau Heddlu Gogledd Cymru, lle'r oedd pob digwyddiad yn cael ei reoli drwy rwydwaith radio a chyfrifiaduron.

Yn Llangefni y cafodd o'i fagu – ei dad oedd yn edrych ar ôl yr eglwys yno ac roedd John yn aelod o'r côr. 'Dw i'n cofio cyfaill arall i mi o Langefni, Graham Jones, yn sôn am yr hwyl oedd i'w gael hefo fo pan oedden nhw'n blant. Un Nadolig, roedd John, Graham ac un bachgen arall wedi'u dewis i ganu pennill bob un o garol am aur, thus a myrr. Yn ei dro, roedd pob unawdydd i gamu ymlaen i ganu ei bennill a chamu'n ôl i ymuno â gweddill y côr i ganu'r cytgan. Canodd Graham y pennill cyntaf, sef 'aur' ac yna tro John oedd hi i ganu'r ail bennill, 'thus'. Pan ddaeth tro'r trydydd bachgen i ganu'r pennill 'myrr', darganfu fod rhywun (pwy arall ond John Em?) wedi rhwygo'r dudalen berthnasol allan o'i lyfr. Roedd yr Eglwys yn llawn, ac nid nodau swynol a glywodd y gynulleidfa ond llais cynhyrfus:

''Dw i 'di colli'r blydi *page!*'

Mi welais John am y tro cyntaf pan oedd o'n blismon pentref yng Ngwalchmai, yn ddyn bychan, main gyda wyneb dyn ddwywaith ei oed. Ond roedd disgleirdeb yn ei lygaid bob amser ac yn aml iawn wyddai neb be wnai o nesaf. Roedd o'n un da iawn am gymdeithasu â phawb ar ei batsh, a'i unig fai oedd ei fod yn hoff iawn o'i beint.

Beth amser wedyn, fe'i symudwyd i'r pencadlys i weithio yn yr ystafell ymgyrchoedd o dan lygad barcud arolygydd fel na chawsai lawer o gyfle i gambihafio, ac ar ôl treulio peth amser yno daeth John i ddeall y cyfrifiaduron a'r radio cystal â neb.

Pan fyddwn yn gweithio'n hwyr yn swyddfa'r adran dwyll, byddwn yn galw ambell waith ym mar y pencadlys ar y llawr isaf am ddiferyn bach ar y ffordd adref. Fel arfer, byddwn yn cyrraedd yno tua hanner awr wedi naw, a gwelwn John Em yno weithiau'n cael peint sydyn cyn mynd i fyny'r grisiau i gychwyn ei shifft nos am ddeg. Fwy nag unwaith fe'i gwelais o'n prynu tri, pedwar, pump neu chwe pheint o gwrw, eu rhoi ar hambwrdd a'u cario allan o'r bar. Roedd pobl yn cario diodydd yn rheolaidd i'r ystafell snwcer gerllaw, ond nid dyna fwriad John. Rhoddai'r hambwrdd yn y lifft a oedd i fod i gario bwyd rhwng y gegin ac ystafell fwyta'r uwch swyddogion ar y llawr nesaf. Ar ôl gwneud hynny, roedd yn rhyddhau'r lifft fel bod y gwydrau o'r golwg rhwng y ddau lawr. Bob hyn a hyn yn ystod y shifft nos, byddai John yn gofyn am ganiatâd i fynd i'r lle chwech, ac fel roedd hi'n digwydd bod, roedd y toiled y drws nesaf i'r lifft. Dim rhyfedd ei fod angen mynd yno mor aml! Bu'r *silent waiter*, fel yr oedd John yn ei alw, yn ffrind da!

Yn fuan ar ôl cyrraedd y pencadlys, cefais ymdrin ag achos lle'r oedd gŵr o ochrau Wrecsam wedi twyllo nifer fawr o bobl drwy werthu ceir nad oeddynt yn eiddo iddo. Aeth Ken Naughton a finnau i weld un o'r rhai a gollodd arian, sef gwerthwr moduron a oedd yn adnabyddus yng ngogledd Cymru ar y pryd. Roeddem yn eistedd yn ei swyddfa fechan yn gwrando ar hanes sut yr oedd wedi colli, dros nos, dri o'r *Range Rovers* drytaf ar y farchnad ar y pryd, gwerth pymtheng mil o bunnau'r un. Eglurodd fod y fath golled yn drychineb enfawr iddo. Ond wrth ddweud yr hanes, pranciai'r hen fachgen o amgylch y bwrdd yn gynhyrfus, gan ddweud:

'O Griffiths bach, Griffiths bach, Griffiths bach, dyma'r lleidr mwyaf yng, yng, yng Nghlwyd! Ac os ydach chi'n gofyn i mi, 'tydi ei wraig fawr gwell chwaith. Wn i ddim beth i wneud, Griffiths bach, Griffiths bach.'

Roedd o'n dipyn o bry' ei hun, hefyd. Cyn ein galw ni, roedd wedi bod yn nhŷ'r troseddwr, gan fynd â dyn mawr, cryf hefo fo. Y 'gofalwr' oedd hwn, a'r syniad oedd ceisio cael y troseddwr i drosglwyddo'i dŷ iddo yn y fan a'r lle. Yn anffodus i'r gwerthwr ceir, roedd y derbynnydd swyddogol wedi bod yno o'i flaen i sicrhau y byddai eiddo'r troseddwr i gyd yn cael ei rannu yn deg rhwng pawb oedd wedi cael colled.

Ta waeth am hynny, erbyn i Ken a finnau gyrraedd yn ôl i'r pencadlys y prynhawn hwnnw, roeddwn i wedi cael enw newydd, a Griffiths Bach oeddwn i yn swyddfa'r adran dwyll byth oddi ar hynny.

Cawsom gŵyn un tro gan adran o'r Swyddfa Gymreig. Roedd cymhorthdal mawr i'w gael y dyddiau hynny am greu swyddi newydd mewn rhannau neilltuol o Gymru, ac roedd gŵr o dras Gwyddelig wedi cymryd mantais o hyn drwy agor ffatri ym Mlaenau Ffestiniog. Fe'i galwa' i o yn Tony P – roedd yn byw mewn carafán yn Tamworth yng nghanolbarth Lloegr ac, heb fod yn amharchus, yr oedd yn debycach i sipsi na dyn busnes. Cyn pen tri mis, roedd wedi cael digon o arian gan y llywodraeth i agor dwy ffatri ychwanegol a chyflogi cannoedd o bobl leol. Roedd o'n cael swm o arian gan y Llywodraeth am bob person newydd yr oedd o'n ei gyflogi ac ar ôl chwe mis roedd wedi derbyn dros chwe deng mil o bunnau. Gyrrai ei waith papur i Gaerdydd yn gyson ac yn drwyadl bob mis, ond daeth amheuaeth cyn bo hir nad oedd popeth fel y dylai fod. Cryfhau wnaeth yr amheuon ar ôl awr neu ddwy yn holi o gwmpas Blaenau Ffestiniog.

Aeth Dave Rowley a finnau i lawr i Tamworth i arestio Tony yn ei garafán. Dyn bach budur yr olwg oedd o, yn wahanol iawn i bob dyn busnes arall a welais i erioed. Roedd o'i hun yn ddigon distaw, ond roedd ei wraig; Gwyddeles fawr frwnt yr olwg; a'i bryd ar gega a chwffio. Aethom â fo i orsaf heddlu Tamworth i'w holi cyn i bethau fynd yn rhy flêr.

Dechreuais ei holi'n fanwl fel yr oedd Dave a finnau wedi ei drefnu ar y ffordd i lawr. Roedd yn bwysig bod y cyfweliad yn rhedeg yn esmwyth. Beth oedd ei gefndir? Beth oedd ei gefndir mewn busnes? Pa brofiad oedd ganddo o ddelio gyda, a chofnodi, cownts ariannol a gwaith papur yn gyffredinol? Nid oedd Tony P yn ateb yr un cwestiwn yn glir iawn. Yna gofynnodd:

'Peidiwch â malu cymaint o gachu, Mr Griffiths. Pryd ydach chi am ofyn i mi a ydw i'n euog?'

'Wyt i'n euog?' gofynnais.

'Ydw,' meddai.

'Pa mor gam yw'r ffigyrau rwyt ti wedi eu gyrru i'r Swyddfa Gymreig ?'

'Maen nhw'n fwy cam na choes ôl unrhyw gi welsoch chi erioed.'

'Sut wnest ti hyn?' gofynnais eto.

'Roedd hi'n hawdd,' meddai. 'Er fy mod yn dweud bod gen i gannoedd yn gweithio acw, mewn difrif dim ond hanner dwsin oedd yno, a'r rheiny heb lawer o waith i'w wneud. Roedd yr arolygydd o'r Swyddfa Gymreig yn fy ffonio cyn bob ymweliad i ddeud ei fod o'n dod, a mater bach oedd dod o hyd i bobl a fyddai'n cogio gweithio o'i flaen pan gyrhaeddai. Roedd gen i un llyfr iddo fo ac un arall i mi.'

Wel, syrthiodd yr hen Wyddel bach ar ei fai yn syth, chwarae teg iddo, ond bu'n rhaid gweithio am wythnosau lawer i sicrhau bod y dystiolaeth i gyd yn ei lle cyn ei gyhuddo.

Erbyn hyn, roedd Tony wedi diflannu o ganolbarth Lloegr a chlywsom si ei fod ar draws y dŵr yn yr Iwerddon. Cafwyd hyd iddo ac fe'i arestiwyd gyda help ditectif a oedd yn aelod o'r Garda Síochána, heddlu de Iwerddon. Roeddwn yn adnabod Ditectif Sarjant Des O'Reilley o Dun Laoghaire yn dda ar ôl bod yn gweithio gydag ef yn y gorffennol, ac fe deithiais drosodd ar y llong o Gaergybi i'w gyfarfod gyda heddferch o'r enw Carol a oedd yn gweithio yn swyddfa'r adran dwyll am gyfnod. Y bwriad oedd dod â Tony'n ôl i Gymru.

Geneth ddymunol iawn oedd Carol, a phan welodd Des O'Reilley hi, roedd o wedi gwirioni. Anghofiodd am y gwaith gan roi ei fryd ar fynd â ni allan am bryd o fwyd a gwydriad bach, ond roedd gen i fwy ar fy meddwl. Ble oedd Tony, ein carcharor?

'Paid â phoeni,' meddai Des. 'Mae Tony yn y ddalfa ac

mae 'na ddigon o amser cyn i'r llong gychwyn yn ôl am Gaergybi.'

Erbyn gorffen y pryd hamddenol roedd amser yn brin, a dechreuais bryderu go iawn. Doeddwn i byth wedi gweld Tony ac roedd y llong yn gadael Dun Laoghaire mewn ugain munud. Cyn belled ag yr oedd Des yn y cwestiwn, mi fuasai yfory wedi gwneud y tro yn iawn. Heb ei dramgwyddo, pwysleisiais fod yn rhaid mynd. Aeth Des at y ffôn a phan ddaeth yn ôl dywedodd y byddai popeth yn iawn – roedd wedi gofalu y byddai Tony yn disgwyl amdanom yn yr harbwr. Doeddwn i ddim mor hapus!

Gwelsom wrth gyrraedd yr harbwr fod y teithwyr i gyd wedi esgyn a'r llong yn barod i gychwyn. Roedd y bont droed yn cael ei chodi a doedd dim hanes o Tony.

'Dacw fo,' meddai Des.

Edrychais i fyny at fwrdd y llong a dyna lle'r oedd Tony yn disgwyl amdanom gan chwifio ei ddwylo a gweiddi:

'Helo, Mr Griffiths. Brysiwch da chi. Da' ni'n mynd hebddach chi!'

Cael a chael fu hi, ond wrth i'r llong hwylio roedd y tri ohonon ni'n ffarwelio ac yn codi'n dwylo ar Des O'Reilley yn union fel petai'r *Queen Mary* yn hwylio am Efrog Newydd!

Roedd y capten yn gwybod ein bod yn dod â charcharor ar fwrdd y llong ac roedd caban ar gael ar ein cyfer. Nid oedd modd i mi a Carol adael y caban ar yr un pryd rhag ofn i Tony ddiflannu unwaith eto. Er, mae'n wir dweud ei fod wedi cael digon o gyfle i ddianc cyn i ni gyrraedd y llong yn Dun Laoghaire.

Roedd siop *duty free* ar y llong bryd hynny, ac yn ystod y siwrnai dywedodd Tony ei fod eisiau taro bargen â mi. Pe bawn yn gadael iddo fo brynu fy lwfans di-doll i o sigarets, buasai'n gadael i mi ddod a'i lwfans ef o alcohol. Doedd dim gobaith iddo gael mynd ag alcohol i lle'r oedd o'n debygol o

Y swyddog tollau Charles Beckett wedi dod o hyd i sigarétau di- doll – ond nid rhai Tony P!

landio. Doeddwn i ddim yn ysmygu, felly dyna ddigwyddodd.

Ar ôl glanio yng Nghaergybi bu'n rhaid i ni, fel pawb arall, gerdded drwy'r neuadd lle'r oedd y swyddogion tollau yn disgwyl am y dorf. Yn y fan hyn y bûm yn gweithio fel aelod o'r Gangen Arbennig, ond y tro yma Carol, Tony a finnau oedd yn cael ein gwylio gan y swyddogion. Roedd gefyn llaw yn uno garddwrn Tony â f'un i, a chôt drosto i'w guddio. Yn llaw arall Tony roedd potel o wisgi a dau gant o sigarets. Roedd bag arall yn cynnwys yr un peth yn fy llaw arall i. Gwelodd un o swyddogion y tollau, Charles Beckett, Tony ac fe aeth ar ei union amdano. Codais fy mraich gan ddangos y gefyn llaw a dyma'r swyddog yn amneidio i ddangos ei fod yn deall y sefyllfa. Roedd gwên fawr ar wyneb Tony wrth ei basio gan feddwl ei fod o'n twyllo'r swyddogion. Nid oedd hynny yn berffaith wir wrth gwrs – cael fy lwfans i oedd o, ond os oedd y digwyddiad wedi rhoi gwên ar wyneb y carcharor, pam lai?

Erbyn hyn, mae Charles Beckett a'i wraig Enid yn ffrindiau da i mi. Mae ganddo yntau gof o'r digwyddiad hefyd, ac rydan ni'n dau wedi chwerthin lawer gwaith wrth gofio'r hanes, a meddwl am yr hen Tony P druan yn ysmygu ei sigarets 'anghyfreithlon' yn y carchar.

Mae 'na rai achosion o dwyll fydd yn aros yn fy nghof am byth, ac mae achos cloddfa aur Clogau St. David's yn Bontddu, ger Dolgellau, yn un o'r rheiny. Aur o'r fan honno sy'n cael ei ddefnyddio i wneud modrwyau priodas y teulu brenhinol, ac mae gemwaith y gloddfa'n boblogaidd iawn.

Yn ystod yr ymchwiliad, bu'n rhaid i mi ddysgu dipyn go lew am y gloddfa a mynd ymhell i mewn iddi fwy nag unwaith. Cefais gymorth mawr gan yr arbenigwr lleol Jack Williams a'i fab Jeremeia, a'r broblem fwyaf, meddai Jack, oedd bod y gloddfa'n wlyb iawn. Roedd costau cadw'r gloddfa'n sych er mwyn cloddio'r aur yn fwy na gwerth yr aur yn y pen draw. Dywedodd wrtha' i hefyd bod mwy o arian wedi ei wneud yno dros y canrifoedd trwy dwyll na thrwy werthu aur.

Ar ddiwedd yr ymholiad, cafodd dau ddyn eu cyhuddo o ddwyn arian mawr trwy dwyll ar ôl cael cyllid gan gwmnïau a banciau i dalu am beiriannau nad oeddynt yn bod. Dim ond un a gafwyd yn euog yn Llys y Goron yng Nghaernarfon ond hoffwn rannu stori neu ddwy am yr hyn a ddigwyddodd yn ystod yr ymholiad.

Bu'n rhaid i mi fynd i lawr i Lundain sawl gwaith i gyfweld â swyddogion y banciau a thrafod â swyddogion y *Counterfeit Currency Squad* yn Scotland Yard (roedd y sgwad hon mewn cyswllt â Gwasanaeth Heddlu Cudd America oherwydd bod un o'r ddau yr oeddwn ar eu hôl yn y carchar yn y fan honno am dwyllo llywodraeth yr Unol Daleithiau). Cymhleth iawn!

Yn ystod un trip, roedd gen i dri chyfarfod, a'r olaf ohonynt yn Scotland Yard. Roedd yn ddiwrnod braf a doedd dim brys. Penderfynais gymryd y tiwb tanddaearol i orsaf reilffordd Victoria a cherdded o'r fan honno. Tybiais fy mod yn gwybod y ffordd yn iawn — ond pan ddeuthum allan i olau dydd gwelais fod pum neu chwe ffordd yn rhedeg o'r orsaf, a fedrwn i yn fy myw gofio pa un i'w chymryd.

Sylwais ar hen fachgen, yn ei wythdegau dybiwn i, yn gwerthu blodau o stondin gerllaw. Gwisgai gôt ddu laes, het fowler ddu a menyg gwynion heb fysedd. Doedd ganddo fawr o ddannedd yn ei ben a meddyliais pa mor debyg oedd o i'r hen ddyn Steptoe yn y gyfres deledu. Es ato'n llawn hyder, yn rêl swyddog adran dwyll soffistigedig hefo fy siwt smart a'm bag dogfennau, a gofyn:

'P'un yw'r ffordd gyntaf i Scotland Yard?'

'Torrwch ffenestr,' atebodd yn ei acen cocni, heb oedi am eiliad.

Cyn i'r achos yma fynd o flaen y llys, roedd yn rhaid mesur lled twneli'r gloddfa a thynnu lluniau y tu mewn i ogofeydd Clogau St David's. Daeth y Ditectif Sarjant Ken Naughton gyda mi y tro yma, a thynnais ei lun wrthi'n mesur gyda Jeremeia Williams, yr arbenigwr, yn ei helpu. Roeddem ein tri yn gwisgo oferôls gan fod y lle mor llaith a dŵr yn disgyn o'r to.

Ar ôl dychwelyd i'r pencadlys datblygwyd y ffilm, a rhai dyddiau cyn i'r lluniau cael eu paratoi i fynd gerbron y llys, gofynnodd Ken am eu gweld. Agorodd ei lygaid yn fawr pan welodd nhw.

'Tydi'r lluniau yma ddim yn mynd yn agos i'r llys. Ddim hyd yn oed allan o'r swyddfa 'ma,' meddai.

Roedd Ken wedi cynhyrfu'n lân pan welodd ei lun ei hun. Roedd dŵr o do'r gloddfa wedi llifo i lawr trowsus ei oferôl, o gwmpas ei falog a'i glun dde, yn union fel petai wedi gwneud yn ei drowsus. Os oedd Ken a finnau i barhau'n ffrindiau, roedd yn rhaid dinistrio'r llun yma, a dyna wnes i. Bu'n rhaid gwneud heb hwnnw yn y llys.

Parhaodd yr achos am dair wythnos gerbron llys y Goron yng Nghaernarfon. Bu'n rhaid i bawb oedd yn ymwneud â'r achos – y barnwr, y bargyfreithwyr, y rheithgor, y diffynyddion, clerc a holl swyddogion y llys, a ninnau'r

Hefo Jeremia Williams tu allan i gloddfa aur Clogau St. Davids, Bontddu.

heddlu – ymweld â'r gloddfa yn Bontddu a Gloddfa Gwynfynydd ger Ganllwyd. Roedd pawb wedi cael gorchymyn gan y Barnwr D. Morgan Hughes, Q C i ddod a chôt law ond, yn anffodus, roedd y barnwr ei hun wedi anghofio dod ag un. Gofynnodd i mi a oedd modd benthyg un o rywle. Y gorau allwn i ei wneud y bore hwnnw oedd nôl côt iwnifform plismon o orsaf heddlu Dolgellau, tynnu rhifau'r plismon oddi arni a'i chynnig i'r barnwr gan ddweud bod yn ddrwg iawn gen i nad oedd dim byd gwell ar gael.

'Mi wneith hon yn iawn,' meddai'r barnwr. 'Yr unig beth 'dw i ei angen nawr yw helmed, ac mi a' i allan i gyfarwyddo traffig i chi!'

Mae rhywun yn tueddu i anghofio weithiau wrth edrych ar farnwyr mewn llys mai dynion cyffredin ydyn nhw, gyda hiwmor fel pawb arall.

Mae'r un peth yn wir am fargyfreithwyr hefyd. Mr Gareth Edwards oedd yn arwain yr erlyniad i ni yn yr achos yma, a ddyrchafwyd yn diweddarach yn Farnwr Gareth Edwards Q C. I lawr yn nyfnder y gloddfa ac o dan arweinyddiaeth y barnwr, cafodd y twneli, ynghŷd â phob nodwedd berthnasol arall, eu dangos i'r rheithgor.

Ar ôl i bawb ddychwelyd i olau dydd o dywyllwch y gloddfa, trodd Mr Edwards ataf. Roedd yn siarad yn ara' deg, ei fraich a'i law dde yn symud i fyny ac i lawr yn union fel petai yn y llys yn gwneud pwynt pwysig.

'Wyddoch chi be, Mr Griffiths,' meddai. 'Rydan ni wedi gwneud hanes cyfreithiol heddiw. Hwn oedd y tro cyntaf erioed i Lys y Goron gael ei gynnal mewn cloddfa aur yng Nghymru.'

Wel, roedd hynny'n berffaith wir.

Nid ymchwilio i achosion o dwyll yn unig a wnes i yn ystod yr adeg hon. 'Dw i'n cofio gorfod cynorthwyo gwarchodwyr y Tywysog Charles a'r wraig newydd, y Dywysoges Diana, pan ddaethant i ogledd Cymru. Ymweld ag ochrau Tywyn, Sir Feirionnydd oedden nhw, gan gyrraedd Tywyn ar y trên yn y bore. Roeddwn i yn un o nifer o blismyn yno yn eu disgwyl. Fel y gallwch fentro, roedd yn rhaid paratoi'n drylwyr cyn ymweliad o'r math yma – defnyddiwyd cŵn pwrpasol i chwilio am ddeunydd ffrwydrol ac archwiliwyd pob adeilad yn drwyadl.

Roeddwn i a sawl ditectif arall yn sefyll ymhlith cannoedd o aelodau'r cyhoedd a oedd wedi ymgasglu i groesawu'r ddau oddi ar y trên. Roedd pawb yn chwifio'u baneri yn gyffrous, ond roedd gofyn i ni'r heddlu fod yn wyliadwrus iawn rhag ofn bod rhywun yno ar berwyl drwg. Roedd y trên wedi dod i aros wrth y platfform a Charles a Diana yn barod i ddod allan o'r cerbyd pan welais rywbeth na wna' i fyth ei anghofio. Yn ffenestr llofft tŷ yn union gyferbyn â'r orsaf, gwelais y cyrten yn symud a chefais gip ar rywbeth tebyg i wydr telesgopig. Yn reddfol, rhedais draw ar unwaith. Roedd drws ffrynt y tŷ ar agor a dynes mewn oed yn sefyll yno'n edrych tuag at ddrws y trên lle'r oedd Charles a Diana ar fin ymddangos. Rhuthrais i a ditectif arall heibio iddi gan ofyn pwy oedd i fyny'r grisiau.

'Y mab,' meddai.

Nid oedd amser i ofyn am ganiatâd. Aethom ein dau ar

hyd y landin fel y gwynt a gwthio'n hysgwyddau yn erbyn drws y llofft nes oedd y ffrâm yn deilchion. Yno, gwelsom ddyn ar ei gwrcwd yn y ffenestr a rhywbeth ar dreipod yn ei law yn pwyntio at allan. Cyn i ni weld mai camera a lens fawr oedd ganddo, roedd o, y camera a'r treipod ar eu hyd ar lawr. Daeth yn amlwg yn ystod yr eiliadau nesaf nad gwn oedd ganddo, ac nad oedd yn fwriad ganddo saethu aelodau o'r teulu brenhinol. Wn i ddim, hyd heddiw, pwy oedd wedi dychryn fwyaf, ni ynteu'r ffotograffydd amatur!

Yn hwyrach y diwrnod hwnnw, roeddem yn edrych ar ôl yr ymwelwyr brenhinol tra'r oeddynt yn cael cinio mewn plasdy ychydig filltiroedd o Dywyn. Cefais gyfarwyddyd i aros wrth ddrws ffrynt y tŷ a phan ddaeth y cwpwl allan, cefais y fraint o ysgwyd llaw a chael sgwrs â'r ddau. Fi, a phob un arall o swyddogion yr heddlu a oedd yno ar y pryd.

Ar ôl treulio bron i ddwy flynedd yn yr adran dwyll, penderfynais sefyll yr arholiad i geisio dyrchafiad. Roeddwn wedi treulio pymtheng mlynedd yn yr heddlu erbyn hyn ac ni fedrwn weld fy hun yn symud ymlaen ymhellach heb ddyrchafiad. Bûm yn astudio'n galed am flwyddyn ac roeddwn yn un o ddwsin a lwyddodd i gael lle ar encil astudio am ddeng niwrnod cyn yr arholiad cenedlaethol. Cawsom aros dros nos yn y pencadlys o dan ofal yr adran hyfforddiant er mwyn rhoi ein holl amser a'n sylw i astudio heb bwysau gwaith.

Roedd tri phapur i'w ateb yn yr arholiad. Troseddau Difrifol (*Crime*), Traffig a Chyfrifoldeb Cyffredinol yr Heddlu (*General Police Duties*). Ar ôl treulio awr gyda'n gilydd bob bore o dan law un o'r hyfforddwyr, byddai pawb yn mynd i'w hystafelloedd i astudio yn unigol am y weddill y dydd. Byddai te i'w gael am bump o'r gloch ac erbyn chwech, roedd pawb yn ôl yn ei ystafell tan tua hanner awr wedi naw. Bryd hynny, byddem yn cyfarfod yn y bar am beint bach. Ia, amser i ymlacio oedd hwn i fod, ond roedd y sgwrs bob tro'n troi at beth bynnag yr oeddem wedi ei ddysgu'r diwrnod hwnnw. Mae'r gyfraith yn anodd i'w dysgu a'i chofio felly defnyddiem acronymau i'n helpu.

Un o'm cyd-fyfyrwyr oedd Gary Kelly, un hoffus dros ben a llawn hwyl bob amser. Dywedodd Gary un noson ei fod wedi bod yn astudio'r gyfraith a oedd yn ymwneud ag achosi creulondeb i anifeiliaid, a'i fod wedi meddwl am acronym i'w helpu. 'Dw i'n siŵr y cofiaf hwn am weddill fy oes. C B O O K O T I T I F C P O oedd o, ac mae'n rhaid ei esbonio, gan na fydd yn golygu dim i neb ond y criw bychan hwnnw:

C *Cruelly*
B *Beat*
O *Over-ride*
O *Over-load*
K *Kick*
O *Over-drive*
T *Torture*
I *Infuriate*
T *Terrify*
I *Injure whilst conveying or carrying*
F *cause to or provide premises for animal Fighting*
C *Cause, procure or assist any such offence*
P *Poison*
O *Operate upon without due care and humanity*

Roedd llawer mwy na hyn i'r rhan yma o'r ddeddf ond roedd yn bosib ymhelaethu am y gweddill trwy ddefnyddio'r llythrennau hyn. Wel, ar ôl cael peint, roedd pawb yn chwerthin oherwydd bod Gary wedi meddwl am acronym mor rhyfedd. A dyna sut y bu hi am weddill y cwrs. Aeth pawb adref y diwrnod cyn yr arholiad yn dal i'w drafod:

'Cofia'r CBOOKOTIT.'

'Mi fydda' i yn siŵr o wneud!'

Fore trannoeth, roeddwn yn eistedd yn ddigon nerfus mewn ystafell fawr yn un o gant o blismyn yn sefyll yr arholiad. Hanner ffordd trwy'r bore, daeth yn amser i agor y papur a oedd yn gysylltiedig â *General Police Duties*. Nid oeddwn yn edrych ymlaen o gwbl at y pwnc yma ond pan agorais y papur, gwelais gwestiwn llawn, gwerth pump ar hugain o farciau, ar greulondeb i anifeiliaid. Ni allwn gredu beth oeddwn yn ei weld ar y papur o'm blaen. CBOOKOTITIFCPO!

Codais fy mhen i edrych ar bump arall yn yr ystafell a fu ar y cwrs gyda Gary Kelly a finnau. Roedd yn ddigon hawdd gweld eu bod hwythau'n gwenu hefyd – gwên fawr o glust i glust. Mae'n debyg i'r wybodaeth honno helpu i godi fy marciau uwch na'r hanner cant oedd yn rhaid eu cael i lwyddo.

Yn anffodus, bu farw Gary Kelly o ganlyniad i ddamwain car ddifrifol. Mae fy niolch iddo'n fawr – nid yn unig am y CBOOKOTIT, ond am ei gyfeillgarwch a'r hwyl a gawsom yn ystod gwaith caled y cwrs astudio.

Roedd adran cŵn Heddlu Gogledd Cymru yn dod o dan ofal y pencadlys ac yr oeddwn yn dod ar draws y rhai a oedd yn trin y cŵn yn aml. Les Edwards oedd enw un ohonynt – un da iawn am drin ci ac yn hoff o chwarae triciau pob cyfle a gâi.

Daeth Les i mewn i ginio Nadolig y CID un tro efo'i gi, wedi ei wisgo fel heddferch mewn sgert gwta a sannau duon. Dywedodd ei fod yn chwilio am gyffuriau, a dyna lle'r oedd y ci yn gwthio'i drwyn gwlyb at bawb i'w harogli. Gan fod y ddawn gan Les i ddweud jôcs roedd pawb yn eu dyblau, ac felly y diddanodd pawb am bron i awr.

Cyrhaeddodd Les o flaen y pencadlys rhyw ddiwrnod a'i fleiddgi wrth ei ochr. Wrth iddo gyrraedd y drws, daeth y

Prif Gwnstabl, David Owen, a'i wraig allan. Gwelodd Les gyfle a oedd yn un rhy dda i'w golli.

'Prynhawn da, Brif Gwnstabl a Mrs Owen,' meddai. 'Ydych chi wedi cyfarfod fy nghi i, Mrs Owen? Dew, mae o'n gi clyfar wyddoch chi. Mae o'n gallu cyfri'n dda.'

Roedd Les wedi cael sylw Mrs Owen erbyn hyn, ond roedd y prif gwnstabl yn gwybod am ei driciau a 'dw i'n amau ei fod yn disgwyl am rhyw jôc neu'i gilydd.

'Be ydi un ac un?' gofynnodd Les i'r ci.

Dyma'r ci yn cyfarth ddwywaith.

'Be ydi dau a thri?' gofynnodd eto, a dyma'r ci yn cyfarth bum gwaith.

'Faint ydi oed y prif gwnstabl?' gofynnodd nesaf.

Dechreuodd y ci gyfarth... a chyfarth... a chyfarth. Ymhen sbel tynnodd Les ar dennyn y ci, a dechreuodd gerdded ymaith gan ddweud:

'O, tyd o'ma gi bach, neu mi fyddwn ni yma drwy'r dydd.'

Peiriant ar y naw oedd Les Edwards.

Un diwrnod, roeddwn ar ymweliad â gogledd Llundain i wneud ymholiadau ac wedi trefnu i alw yng ngorsaf yr heddlu yn Edmonton. Cyrhaeddais swyddfa'r CID ac roedd neges yn aros amdanaf yno i ffonio'r swyddfa ym Mae Colwyn ar fyrder. Dysgais fy mod wedi llwyddo yn yr arholiad, a chefais daith hapus iawn adref ar y trên y noson honno.

Ymhen tri mis, roeddwn wedi fy nyrchafu'n sarjant a'm gyrru'n ôl i Gaergybi. Roeddwn wedi mwynhau fy nghyfnod yno ddeng mlynedd a mwy ynghynt, ac yn edrych ymlaen at gael dychwelyd i weld rhai o'm hen gyfeillion.

Pennod 8

Dyrchafiad – yn ôl i Gaergybi

1983 – 1984

Ym Mehefin 1983, gadewais fy ngwraig a'm merch ym Mae Colwyn am bythefnos gan nad oedd tŷ'r heddlu yn Rhoscolyn yn barod i ni symud iddo. Trefnais lety dros dro, gan edrych ymlaen yn arw at fynd yn ôl i Ffordd Llundain, Caergybi, lle cefais groeso mor gynnes gan Glyn ac Einir Roberts a Keith, eu mab, pan oeddwn yn fachgen sengl yn y chwedegau. Roedd yn llety arbennig bryd hynny, a doedd dim wedi newid.

Doeddwn i ddim wedi gwisgo iwnifform ers deng mlynedd, ac roedd gwisgo ar gyfer fy shifft gyntaf yn deimlad chwithig braidd. Roeddwn wedi cael iwnifform sarjant newydd sbon ac esgidiau a oedd yn sgleinio fel rhai Gwynedd Michael, yr hyfforddwr dril ym Mhen-y-bont ar Ogwr ers talwm. Wrth eilio'n daclus, dechreuais hel meddyliau am fy nghyfnod yng Nghaergybi yn y chwedegau.

Roeddwn, bryd hynny, wedi bod ar wyliau pysgota yn Iwerddon am bythefnos ac yn awyddus i gadw'r tipyn o locsyn yr oeddwn wedi ei dyfu tra'r oeddwn i ffwrdd o 'ngwaith. Nid oedd gan blismyn hawl i wisgo locsyn yr adeg honno heb ganiatâd, felly ar ôl dod adref rhuthrais i'r swyddfa yn unswydd i ysgrifennu adroddiad yn gofyn a gawn i gadw'r locsyn. Esboniais ynddo fy mod wedi bod i ffwrdd am bythefnos a bod y locsyn yn eitha twt erbyn hyn. Y prynhawn wedyn, euthum yn ôl i gael gweld a oedd yr ateb wedi cyrraedd cyn i mi gychwyn gweithio'r noson honno. Gofynnais i'r Prif Arolygydd O P Hughes, a oedd newydd gyrraedd yn ôl o'r pencadlys.

'Ydi,' meddai, a gwên fawr ar ei wyneb.

Yna, dangosodd fy adroddiad i mi, hefo ateb wedi ei

ysgrifennu arno yn llawysgrifen Phillip Myers, y Dirprwy Brif Gwnstabl ar y pryd. Ni allai fy adroddiad fod wedi mynd yn llawer uwch. Dyma beth oedd wedi ei ysgrifennu arno:

'Brif Arolygydd O P Hughes. Os gwelwch yn dda, gadewch i P C Griffiths wybod y caiff wisgo ei farf pan nad yw yn gweithio.'

Doedd dim rhyfedd fod y Prif Arolygydd yn gwenu.

Fe ddyrchafwyd Phillip Myers yn Brif Gwnstabl tros ogledd Cymru ac yna yn Syr Phillip Myers, Arolygydd yr Heddluoedd yn y Swyddfa Gartref. Cefais gyfle i'w atgoffa o hanes y locsyn tua deng mlynedd ar hugain yn ddiweddarach. Gwenu o glust i glust wnaeth yntau hefyd.

Yn ystod y naw mlynedd y bûm ymaith roedd Caergybi wedi newid, ac nid er gwell. Roedd cyffuriau yn dew yno erbyn hyn, a rhywsut neu'i gilydd roedd pob un o drigolion y dref yn teimlo'r effaith. Efallai fy mod yn gweld hyn yn gliriach na'r plismyn hynny oedd wedi bod yn ei chanol hi ers blynyddoedd.

Roedd yr orsaf heddlu newydd sbon a adewais naw mlynedd ynghynt yn dangos ei hoed yn barod. Roedd dŵr yn dechrau gollwng trwy'r to ac roedd angen bwcedi mewn sawl lle pan fyddai hi'n bwrw glaw. Gwelais fod ôl traul ar y carpedi a muriau'r celloedd bellach yn adrodd sawl hanes. Efallai ei fod yn hen adeilad erbyn hyn ond swydd newydd oedd gen i ac roeddwn yn edrych ymlaen.

Sylwais yn syth fod fy ngwaith yn wahanol iawn i ddyletswyddau'r ardan dwyll. Yma, gallwn ddelio â'r rhan fwyaf o'r achosion mewn un diwrnod. Ychydig iawn oedd yn cymryd dau ddiwrnod, yn wahanol i achosion yr adran dwyll a oedd yn para am fisoedd lawer. Roedd hyn yn newid braf iawn.

Ifor Griffiths oedd Uwch Arolygydd Môn ar y pryd, Tudor Davies oedd y Prif Arolygydd ac Eifion Tegid Parry oedd yr Arolygydd â chyfrifoldeb dros Gaergybi hyd at Amlwch. Roedd pedwar sarjant arall yno ac roeddwn yn adnabod dau ohonynt. Hefyd, roeddwn yn adnabod Ditectif Sarjant Hefin Jones a'i griw o dditectifs i fyny'r grisiau. Roedd fy nghyfaill Alan Pierce yn dal i fod yno hefyd, nes iddo adael i wasanaethu yn yr adran dwyll.

Tom Hughes oedd yn gofalu am y gangen arbennig i lawr yn y porthladd, lle arall oedd yn gyfarwydd i mi. Flynyddoedd ynghynt bûm yn chwilota am grancod a chimychiaid hefo fo mewn pyllau ar draeth Penrhos. Roeddem at ein canolau mewn un pwll pan welais rywbeth du yn gwibio drwy'r dŵr cymylog. Rhuthrodd y ddau ohonom amdano.

'Welist ti hwnna rŵan?' gofynnais i Tom.

'Hwn wyt ti'n feddwl?' atebodd, gan ddal y cimwch mwyaf a welais erioed yn ei law dde. Roedd cyn gyflymed â John Wayne yn mynd am ei wn!

Am y tro cyntaf, roeddwn yn gyfrifol am heddweision eraill. Roedd gen i shifft o bedwar dyn i'w rheoli; tri o rai ifanc ac un yn agos i oed ymddeol; ac un o'm dyletswyddau oedd rhoi argymhelliad ar bob adroddiad a gâi ei gyflwyno ganddynt. Fi felly oedd yn cael dweud a ddylai'r troseddwr gael ei erlyn o flaen y llys ynteu ei rybuddio, neu a ddylid gollwng y mater oherwydd diffyg tystiolaeth. Fel y dywedodd yr Uwch Arolygydd D M I Griffiths wrtha' i ar y diwrnod cyntaf:

'Paid ag aros ar y ffens. Tyrd i lawr un ochr neu'r llall, a bydd yn barod i egluro dy benderfyniad.'

Cyngor da.

Cerddais i lawr Stryd Stanley ar fy mhrynhawn cyntaf yno, yn union fel y gwnes yn 1968. Ond y tro yma, fi oedd yn gwisgo'r dair streipen ac nid Jack 14. Gan fy mod wedi mwynhau cymaint yng Nghaergybi'r tro diwetha', nid oedd yn syndod efallai fy mod yn hel atgofion. Meddyliais am yr hen Gonc ers talwm – roedd yn gas ganddo weld plismyn yn y swyddfa – allan ar y stryd yr oeddynt i fod. Yn ôl yr hanes, neidiai pawb allan drwy ffenestr fach y *parade room* i lawr i'r maes parcio yn y cefn pan glywid sŵn Gonc yn dod ar hyd y coridor, rhag cael ffrae. Byddai dau neu dri yn trio mynd trwyddi ar unwaith ac yn methu – y ffenestr yn rhy fach, neu'r plismyn yn rhy fawr!

Cafodd plismon o'r enw Gwyn Evans, neu Gwyn 64, orchymyn i fynd i ystafell Gonc un diwrnod.

'Be' sy'n bod efo chi, Evans, yn cwffio ar y stryd fawr ar eich *day off?*' rhuodd Gonc.

'Mi alwodd fi yn fastad, syr,' atebodd Gwyn.

'Evans,' gwaeddodd Gonc eto, 'does dim rhaid i mi fynd allan o'r *plis stesion* yma i gael fy ngalw yn fastad, ond tydi hynny ddim yn rheswm i ddechrau cwffio efo pawb.'

Ond roedd y chwedegau dedwydd wedi'n gadael, ac arna' i y disgynnai peth o'r cyfrifoldeb yn awr am gadw trefn yng ngorsaf yr heddlu a dewis dyletswyddau'r plismyn ar fy shifft. Cofiais sut y cafodd Alan Pierce ei yrru i roi trefn ar gŵn un o'r stadau cyngor gan Jack 14. Roedd yn rhoi rhybudd swyddogol i un ddynes am nad oedd enw a chyfeiriad ar goler ei chi. Gofynnodd Alan am esboniad er mwyn gwneud nodyn o'r peth yn ei lyfr.

'Does dim angen enw na chyfeiriad ar goler y ci yma,' meddai'r ddynes. 'Mae pawb yn adnabod y ci gan ei fod o mor debyg i Tommy'r gŵr.'

Roeddwn yn edrych ymlaen at glywed hanesion tebyg gan fy mhlismyn i, gan fy mod i yn awr yn cerdded ar hyd Stryd Stanley gyda thair streipen arian loyw newydd yn sgleinio yn yr haul.

Yn sydyn, fe waeddodd merch arna' i ar dop ei llais o'r ochor arall i'r lôn. Adnabûm hi'n syth fel aelod o un o deuluoedd mwya'r dref. Bu un neu ddau ohonynt drwy'r llysoedd ac yn y charchar, ond un reit ddiniwed oedd hon a bu'n help mawr i mi pan oeddwn yn gwnstabl yn y CID yn ystod fy mlynyddoedd cynnar. Cefais wybodaeth ganddi fwy nag unwaith.

'Sut wyt ti John Griffiths,' meddai mewn llais cras. ''Dw i ddim wedi dy weld di ers talwm. Be ti'n neud efo'r streipiau 'na? Wyddost ti be? 'Dw i'n dal i gael trwbwl efo'r brawd yna 'sgin i 'sti. Mae o'n dwyn rhwbath bob dydd a dod a fo adra i dŷ mam.'

Roedd hi'n rhegi bob yn ail gair, a waeth pa mor newydd oedd fy streipiau, roedd y gorffennol wedi dal i fyny â fi ar fy niwrnod cyntaf fel sarjant. Es ati i'w pherswadio i gadw'i llais i lawr ac i beidio â rhegi, a dyma hi'n gafael amdanaf fel petawn i'n hen gariad iddi. Wn i ddim beth oedd pawb yn ei feddwl!

Digwyddodd rhywbeth arall go debyg ymhen pythefnos pan ddaeth un o'r plismyn ifanc ataf. Dywedodd ei fod yn ymchwilio i ladrad o dŷ lle'r oedd rhywun wedi malu'r mesurydd trydan a dwyn yr arian oedd ynddo. Roedd y plismon yn amau mai gŵr y tŷ oedd yn gyfrifol a'i fod yn ceisio rhoi'r argraff fod rhywun arall wedi torri i mewn trwy'r ffenestr.

Synnwyd y plismon ifanc gan y croeso gefais i gan y dyn – siaradai hefo fi fel hen gyfaill nad oedd o wedi ei weld er blynyddoedd.

'Pam bod dyn fel chdi yn dwyn arian o fesurydd trydan yn dy dŷ dy hun?' gofynnais.

'O, ti'n gwybod sut mae hi, John,' meddai heb geisio gwadu o gwbl. 'Pres oedd dipyn yn fyr. Mi fydd yn rhaid i mi ei dalu o'n ôl, mae'n siŵr.'

'Bydd, mae'n siŵr,' atebais heb wneud gormod o'r faith ei fod wedi cyfaddef. 'Tyrd i lawr i'r swyddfa i wneud datganiad i'r plismon 'ma,' meddwn.

Ar ôl ei gyhuddo a'i ryddhau, holodd y plismon ifanc a oeddwn i a'r dyn wedi bod yn ffrindiau yn ystod fy nghyfnod blaenorol yng Nghaergybi. Roedd yn amlwg ei fod yn dal i fethu deall agwedd y dyn yma tuag ata' i.

Esboniais fy mod wedi ei arestio ddwsin neu fwy o weithiau am feddwi a chwffio. Arferai fod yn fachgen digon call pan oedd o'n sobor, ond roedd yn un am godi twrw bob cyfle a gâi pan yn feddw. Er mai bychan oedd o, roedd o'n fachgen cryf a byddai trafferth ei gael i'r ddalfa. Ar ôl un achos llys, y pennawd ar dudalen flaen y *Daily Post* oedd *PC Kicked in Rail Station Row*. Nid fi a giciwyd y noson honno, a hen hanes oedd yr achos erbyn hyn. Os oedd o eisiau fy nhrin fel hen gyfaill, pam lai? Gwnaeth ein 'cyfeillgarwch' ni hi'n haws i glirio un drosedd arall yng Nghaergybi y diwrnod hwnnw.

Roeddwn i wrth fy modd yn gweithio gyda'r Arolygydd Eifion Parry, a thyfodd ein cyfeillgarwch y tu allan i oriau gwaith. Flynyddoedd ar ôl i ni weithio gyda'n gilydd yng Nghaergybi, llwyddasom i gerdded ar hyd llwybr Clawdd Offa mewn deng niwrnod gyda'n gilydd, ac ers hynny, rydym wedi cyrraedd copaon y Carneddau, y Glyderau ac Eryri yn ogystal â rhai o fynyddoedd yr Alban. Cychwyn yn fuan yn y bore oedd y gamp, a dod i lawr fel roedd y mwyafrif yn esgyn. Lawer tro, byddai Eifion a finnau ar ben mynydd am naw yn y bore, ac yntau'n agor y pecyn papur a warchodai ei frechdan bacwn. Pan oedden ni mewn rhew ac eira, a'r tymheredd ymhell o dan y rhewbwynt, dywedai'n ddeddfol:

'Tyrd o 'ma, John Griffiths. Tydi hwn ddim yn lle i fagu gwaed.'

'Dw i'n cofio trefnu i ni letya mewn tŷ fferm yn ystod ein taith ar hyd Clawdd Offa, hen dŷ oedd wedi cael ei adnewyddu i safon uchel iawn. Gan fod Eifion yn adeiladwr ei hun, roedd ganddo diddordeb mawr yn y gwaith. Tynnodd ei gamera o'i fag yn slei a dechrau tynnu lluniau o ddistiau derw'r nenfwd – camera ffilm oedd ganddo, cyn amser camerâu digidol. Wrth iddo dynnu'r lluniau, clywodd Eifion wraig y tŷ yn dod â phaned o de i ni. Am ryw reswm, doedd Eifion ddim eisiau iddi weld ei fod yn tynnu lluniau o'i thŷ, a pan ddaeth drwy'r drws stwffiodd y camera o dan ei siwmper. Fel yr oedd hi'n digwydd bod, roedd Eifion newydd dynnu llun olaf y ffilm a dyma'r camera'n cychwyn weindio'n ôl ar ei ben ei hun. Tra'r oedd y ddynes yn gweini'r te, doedd dim i'w glywed ond sŵn y peirianwaith o'r tu mewn i'w siwmper. Ceisiodd Eifion gadw wyneb syth, ond wir, fedrwn i ddim. Wn i ddim beth oedd y ddynes druan yn ei feddwl.

Wrth gerdded llwybrau blin Eryri gyda'n gilydd, rhannodd Eifion lawer o'i hanesion, yn cynnwys ei brofiad adeg arwisgo'r Tywysog Charles yn 1969. Roedd yn blismon ifanc yn Wrecsam ar y pryd a galwyd ef, fel llawer o rai eraill, i Gaernarfon. Bu'n rhaid iddynt gysgu yn ysgolion y dalgylch a gyrrwyd Eifion yn un o griw i Ysgol Elfennol Maesincla. Roedd gwelyau dros dro wedi eu gosod yn yr ystafelloedd dosbarth ond roedd yn rhaid i'r plismyn ddefnyddio'r cyfleusterau a oedd wedi eu darparu ar gyfer y disgyblion. Cofiwch mai plant bach oedd y rhain. Ia, plant bach iawn.

Eifion Tegid Parry ar Ben yr Olau Wen yn edrych i lawr at Lyn Ffynnon Lloer

Roedd Eifion yn ei ddagrau wrth gofio'r plismyn mawr yma yn eistedd mewn rhes ar y bowlen; eu traed anferth i'w gweld o dan y drws a'u pennau ymhell uwchben y ffrâm! Gwell, medda' fo, oedd peidio â sôn am yr effeithiau sain...

Yn Wrecsam y treuliodd Eifion y rhan helaethaf o'i gyfnod cynharaf yn yr heddlu. Tybiodd ei brif gwnstabl ar y pryd y byddai dod â'r heddweision yn nes at y cyhoedd yn syniad da, a phrynodd *Mini Mokes* iddynt i deithio i ymholiadau cyffredin. Ffrâm Mini oedd i'r cerbydau bach, ac roeddynt yn reit debyg i jîps bychan gyda tho cynfas ac ochrau agored. Y syniad oedd y buasai'r cyhoedd yn gweld y plismyn yn well. Doedd pob heddwas ddim yn cael gyrru'r *Mini Mokes* ac roedd hi'n dipyn o fraint cael ei ddewis, yn ôl Eifion.

Er eu bod nhw'n oer iawn i'w gyrru, buan iawn daeth y *Mini Mokes* yn boblogaidd ymysg yr hogiau. Ar y shifft nos, roedd pethau'n distewi ar ôl un neu ddau o'r gloch y bore, a dyna pryd y byddai'r sarjant yn gwneud ei waith papur a'r plismyn ifanc yn gwneud dipyn o ddireidi. Yn ystod oriau mân a thywyll y bore, byddai gyrrwr y *Mini Moke* yn codi dau blismon arall a'u rhoi i eistedd yng ngefn y cerbyd. Am y parc â nhw. Dychmygwch – dau blismon yn hongian un bob ochr i'r cerbyd gydag un llaw yn gafael yn y ffrâm a phastwn yn y llall, yn saethu ar draws y parc yn chwilio am gwningod. Pan safai'r cwningod yn llonydd yng ngolau disglair y cerbyd byddent yn cael clonc ar eu pennau gyda'r pastwn. Swper blasus, ond wn i ddim beth fuasai'r prif gwnstabl wedi'i ddweud!

Roedd y cyfnod hwnnw'n un digon diniwed, yn wahanol iawn i brofiadau Eifion a finnau yng Nghaergybi. Aeth llanc a oedd yn droseddwr cyson i dŷ un o heddweision y dref un prynhawn a dychryn ei wraig, cyn rhedeg reiat ar draws y dref. Roedd criw mawr yn chwilio amdano gan ei fod yn fachgen cas iawn o deulu treisiol. Gwelodd rhywun o'n rhedeg ar draws tir fferm ar gyrion y dref ac Eifion a finnau oedd y rhai agosaf ato. Cawsom gip arno, a dyma ddechrau rhedeg ar ei ôl. Mae'n amlwg fod Eifion, hyd yn oed yn y dyddiau hynny, yn fwy abl na fi, oherwydd ar ôl pedwar neu bum can llath roedd fy ysgyfaint yn gwasgu a fedrwn i ddim ond edrych ar Eifion yn bell o 'mlaen i. Ond roeddwn wedi gweld i ble'r oedd o'n anelu ac fe es rownd i ochr arall y ffermdy. Rhedodd y troseddwr tuag ata' i ond wnaeth o ddim sylwi fy mod i yno, felly fe'i gwelais i o'n dringo i ben tas wair i guddio. Disgwyliais i Eifion gyrraedd.

'Lle mae o?' gofynnodd.

Pwyntiais i ben y das wair a dringo i fyny, ond nid oedd golwg ohono. Wedi chwilio, gwelais fod y gŵr wedi disgyn i mewn i dwll y tu mewn i'r das. Nid oedd am ddod allan. Bu'n rhaid i mi fynd i lawr ato, rhoi'r gefyn am ei arddyrnau a'i godi drwy dynnu ar y gadwyn.

Eifion yn coginio'i frecwast wrth gerdded ar draws gogledd yr Alban

Lawer tro ar y Glyderau neu'r Carneddau, pan fyddai Eifion yn disgwyl i mi ddal i fyny ag o, byddai'n fy atgoffa o'r diwrnod hwnnw:

'Mi oeddwn i'n fwy ffit na chdi yng Nghaergybi hefyd os wyt ti'n cofio.'

Gwaith y sarjant oedd erlyn achosion yn y llysoedd ynadon y dyddiau hynny, a 'dw i'n cofio erlyn yn y llys am y tro cyntaf, cyn dyddiau Gwasanaeth Erlyn y Goron. Dim ond dweud yr hanes a chyflwyno manylion yr achos i'r ynadon fyddai ei angen pan fo'r diffynnydd yn pledio'n euog, ond roedd meddwl am wneud hynny am y tro cyntaf yn codi ofn arna' i. Rhoddodd Tudor Davies, y Prif Arolygydd, nifer fawr o ffeiliau i mi'r noson cynt gan ddweud:

'Mae'n rhaid i ti ddysgu bod yn hoff o glywed sŵn dy llais dy hun.'

Dyna'r unig gyngor cefais ganddo.

Daeth y ffeiliau i gyd adref hefo fi'r noson honno ac erbyn dau o'r gloch y bore, roeddwn yn eitha cyfarwydd â nhw. Yn y llys trannoeth, fodd bynnag, teimlwn yn ddigon nerfus. Roedd tri ynad yn eistedd ar y fainc a chlerc o'u blaenau; gwelais amryw o gyfreithwyr, y diffynyddion a'u teuluoedd a nifer o'r cyhoedd yn y cefndir. Ond roeddwn wedi paratoi'n drwyadl ac hyd yn oed wedi ail-ysgrifennu rhai o'r adroddiadau. Gofynnais i glerc yr ynadon, Basil Jones, sut wnes i ar ôl yr achos cyntaf.

'Iawn,' meddai. 'Ond rho dipyn o dân arni, neu yma byddwn ni ar hyd y dydd.'

Felly dyna wnes i, a chyn bo hir roeddem wedi mynd trwy bob achos ar ein rhestr – neu felly y meddyliais i. Daeth Basil yn ôl i'r llys yn cario ffeiliau dwsinau o achosion ychwanegol, rhai nad oeddwn wedi eu gweld o'r blaen. Roeddwn yn nofio ym mhen dyfnaf y pwll unwaith eto, ond yn gwerthfawrogi'r profiad.

Gallai Caergybi fod yn lle hynod o dreisgar, yn enwedig o gwmpas y Nadolig. Wna' i byth anghofio gweithio shifft noswyl Nadolig 1983 – dim ond tri phlismon a minnau oedd ar ddyletswydd. Roedd meddwon wedi ceisio mynd i wasanaeth Eglwys Gatholig y Santes Fair, bu cwffio ar y strydoedd a malwyd ffenestri siopau. Yng nghanol hyn i gyd, fe'n galwyd i un o dafarnau'r stryd fawr gan fod dyn wedi malu gwydryn yn erbyn wal a'i wthio i wyneb dyn arall, gan achosi niwed difrifol. Bu bron iawn iddo waedu i farwolaeth.

Cariwyd yr un a anafwyd allan i ofal hogiau'r ambiwlans cyn arestio'r llall a mynd â fo i'r ddalfa, ond roedd fy mhrofiad yn dweud wrtha' i nad oedd y broblem wedi ei datrys gan fod cyfeillion y ddau yn dal i yfed yn y dafarn. Aeth dau ohonom yn ôl yno ac, heb air o gelwydd, roedd yr awyrgylch yn ffrwydrol. Does wybod sut daeth y syniad i mi, ond heb oedi, tynnais fy helmed ac anerchais bawb ar dop fy llais:

'Ga' i, ar ran Prif Gwnstabl Heddlu Gogledd Cymru, ddymuno Nadolig llawen a blwyddyn newydd dda i chi i gyd!'

A dyma pawb yn gweiddi 'hwrê' fawr. Wel, roedd y merched i gyd eisiau ein cusanu a'r dynion i gyd eisiau ysgwyd ein dwylo – a diolch i'r nefoedd am hynny. Gobeithio nad oedd y prif gwnstabl yn teimlo fy mod wedi cymryd ei enw a'i safle'n ofer. Credaf bod Rhywun wedi edrych ar f'ôl y noson honno.

Yn ystod streic y glowyr gyrrwyd nifer o blismyn o Gaergybi i wahanol rannau o Loegr i weithio. Yn ystod y cyfnod hwn, doedd dim llawer o heddweision ar ôl yng Nghaergybi – dau gwnstabl a sarjant oedd ar ddyletswydd o chwech y bore tan chwech y prynhawn a'r un nifer yn y nos. Fel hyn y bu hi am rai wythnosau ac roeddwn yn pryderu rhag ofn i ladron a throseddwyr y dref ddod i wybod. Ar nosweithiau Gwener a Sadwrn, gyrrwn un plismon mewn fan fawr i yrru o gwmpas y strydoedd, rownd a rownd yr un llefydd. Gosodwyd cotiau a helmedau ar y seddi cefn i geisio rhoi'r argraff bod nifer o blismyn ynddi. Chawson ni ddim mwy nag arfer o helynt, felly mae'n rhaid fod y twyll wedi gweithio!

Cyrhaeddais gorsaf yr heddlu un bore am chwarter i chwech yn barod i weithio am chwech. Fel yr arfer, un o'm dyletswyddau cyntaf oedd mynd i'r ddalfa i drafod sefyllfa unrhyw garcharorion gyda sarjant y nos. Deallais y bore hwnnw fod Gwyddel mawr tew yn un o'r celloedd ar ôl cael ei arestio'n dod oddi ar y cwch o Dun Laoghaire yn feddw gaib. Y polisi yr adeg honno oedd rhoi unrhyw feddwon trafferthus mewn cell nes y byddent yn sobri, yna'u rhybuddio a'u rhyddhau.

Edrychais arno tua deg ac, yn wir, roedd o'n eitha sobor. Rhoddais rybudd iddo a dychwelyd ei eiddo iddo yn barod i'w ryddhau. Yn sydyn, dechreuodd ailadrodd yr un peth dro ar ôl tro:

'O, be' fuasai fy nheulu yn 'i ddweud rŵan? Beth fuasai fy nghyfaill James Galway yn 'i ddweud?' gan ysgwyd ei ben.

Tynnais fy llygaid oddi arno am eiliad tra'r oeddwn yn gwneud y gwaith papur. Dim ond am eiliad, ond pan edrychais yn ôl arno, roedd wedi tynnu potel litr o wisgi o'i fag a'i thywallt i lawr ei gorn gwddw nes oedd ei ddwy lygad fel sêr unwaith eto. Yn ôl i'r gell â fo.

Ceisiais wneud yr un peth eto am ddau o'r gloch cyn i mi orffen fy shifft ond roedd ganddo dair potel litr arall yn ei fag ac roeddwn i ofn y buasai'r un peth yn digwydd eto. Roedd hi'n amlwg ei fod wedi prynu dros ei lwfans o wisgi di-dreth ar y cwch ac allwn i wneud dim ond galw ar un o swyddogion y Tollau. Daeth Charles Beckett draw ymhen sbel, a dywedais yr hanes wrtho o flaen y carcharor, a oedd yn eitha call eto erbyn hyn. Heb oedi, gafaelodd Charles yn y poteli, ac o flaen y Gwyddel fe dywalltodd eu cynnwys i lawr y sinc. Bu bron i'r Gwyddel grio yn y fan, ond i ffwrdd â fo, yn sobor am y tro.

Fel y dywedais cynt, mae Charles a'i wraig Enid yn ffrindiau da i mi erbyn hyn. Gofynnais iddo un noson a oedd o'n cofio'r Gwyddel yn crio wrth iddo dywallt ei wisgi i lawr y sinc.

'Ydw,' meddai Charles yn ddigon truenus yr olwg. 'Mi fu bron i minnau â chrio hefyd wrth wneud y fath beth.'

Roeddwn yn adnabod Hefin Jones, y Ditectif Sarjant yng Nghaergybi ar y pryd, ers blynyddoedd. Roedd o'n Dditectif Gwnstabl yng Nghaernarfon tra'r oeddwn i yn gwneud yr un swydd ym Mhwllheli, ac roeddem yn dod ar draws ein gilydd yn gyson yn ystod y dyddiau hynny.

Un bore, aeth o a Ditectif Gwnstabl Glyn Pritchard allan i rywle yng nghanol Sir Fôn (Glyn oedd brawd Wil a fu ar yr un cwrs â mi ym Manceinion). Roedd rhywun wedi torri i mewn i dŷ yn ystod y noson cynt tra'r oedd gwraig y tŷ, gwraig weddw, yn cysgu. Achos difrifol iawn, ac roedd y ddau wedi gwneud eu gorau i archwilio pob man yn fanwl a gwneud ymholiadau yn y cyffiniau. Ar ôl gwneud hynny allen nhw, aethant yn ôl i'r tŷ a dywedodd Hefin wrth Glyn am gymryd datganiad ar bapur gan y wraig yn nodi beth oedd wedi ei ddwyn o'r tŷ.

Eisteddodd y ddau i lawr hefo'r ddynes a dechreuodd Glyn ysgrifennu. Yna gofynnodd Hefin i'r wraig:

'Ydi *Daily Post* heddiw gennych chi os gwelwch yn dda?'

'Ydi,' meddai'r wraig, gan feddwl yn sicr bod rhywbeth pwysig yn y newyddion. 'Mi â' i i'w nôl o ar unwaith i chi, Sarjant.'

Toc, daeth y ddynes yn ei hôl a'r papur newydd yn ei llaw. Safodd Hefin ar ei draed a chymerodd y papur oddi arni. Plygodd y papur cyn ei roi o dan ei gesail.

'Lle mae'r lle chwech os gwelwch yn dda?' gofynnodd.

Roedd hyd yn oed Glyn Pritch wedi rhyfeddu!

Yn Nhachwedd 1984, cefais gynnig symud yn ôl i Bwllheli fel Ditectif Sarjant, a derbyniais y swydd yn llawen. Yn ôl i'm hen gynefin, ac at y cymeriadau yr oeddwn wedi dod i'w hadnabod y tro diwethaf.

Pennod 9

Yn ôl ym Mhwllheli

1984 – 1989

Roedd Pwllheli yn dref llawer prysurach nag oedd hi pan adewais saith mlynedd ynghynt. Erbyn hyn, roedd Bytlins yn agored drwy'r flwyddyn a mwy o bobl nag erioed yn dod ar wyliau i Abersoch, Nefyn a Morfa Bychan.

Alun Price, un yn enedigol o Ddolwyddelan, oedd y Prif Arolygydd, y pennaeth â gofal dros yr ardal. Roeddem wedi gweithio gyda'n gilydd yng Nghaergybi ar ddechrau ein gyrfaoedd yn y chwedegau ac roedd o wedi cadw cysylltiad â'r ardal honno gan ei fod yn canlyn geneth o Gaergybi, Yvonne. Yn ystod y cyfnod hwnnw aeth y ddau i lawr yn y car i draeth Cymyran i garu, ac mae'n rhaid bod y caru yn angerddol y noson honno gan i'r llanw ddod i mewn o'u hamgylch heb iddynt sylwi. Nid hwnnw oedd unig gamgymeriad Alun – mi ddwedodd yr hanes wrth rhywun. Fel y gallwch fentro, aeth amser maith heibio cyn i'r hogiau adael iddo anghofio'r anffawd.

Jeffrey Guile a Huw Vevar oedd y ddau Dditectif Gwnstabl gyda mi yn swyddfa'r CID, y ddau yn blismyn a chyfathrebwyr da. Os cofiwch chi, Huw helpodd Esmor a fi i ddal lleidr oedd yn dwyn o far gwesty ger Llangefni pan oedd yn gweithio'n Llannerch-y-medd. Mab y Canon Vevar o Fotwnnog oedd Huw, a chan ei fod wedi ei fagu yn yr ardal roedd yn gyfarwydd â phawb ym Mhen Llŷn a phawb yn ei adnabod yntau. Ar y llaw arall, mab i swyddog tollau o Gaergybi oedd Jeff ac er nad oedd yn siarad Cymraeg, roedd wedi bod yn blismon ym Mhwllheli a Llanbedrog am flynyddoedd ac wedi priodi Cymraes. Dros y blynyddoedd roedd wedi dysgu digon o'r iaith i drafod pethau syml fel y tywydd, ond gan ei fod yn 'ddyn pobol', gallai gymysgu â phawb.

Un diwrnod gaeafol, aeth Jeff a finnau i westy'r Tŷ Gwyn yn Abersoch i wneud ymholiad. Roedd y gwesty ar gau a dim ateb wrth y drws ffrynt. Aethom rownd i'r cefn a gwelsom fod y drws hwnnw'n agored. Rhoddais gnoc arno a gweiddi i geisio cael sylw'r perchennog. Cyn i ni gael amser i weiddi eilwaith clywsom y sŵn cyfarth mwyaf ofnadwy a daeth ci anferth ar garlam tuag atom gan ysgyrnygu. Safai perchennog y ci y tu ôl iddo yn sgrechian. Chawson ni ddim amser i droi a rhedeg, ac erbyn hyn, does gen i ddim cof beth wnes i heblaw rhewi yn y fan a'r lle! Yr hyn yr ydw i'n ei gofio ydi gweld Jeff yn rhoi ei ddwy law ym mhocedi ei drowsus er mwyn arbed beth oedd oddi tan y defnydd. Diolch i'r nefoedd ei fod wedi gwneud, oherwydd dyna'n union lle y plannodd y ci ei ddannedd! Pan dynnodd Jeff ei ddwylo allan, roedd y croen wedi ei rwygo oddi ar ei figyrnau gwaedlyd.

Cafodd y ddynes afael ar y ci, yn amlwg wedi'i chynhyrfu'n lân.

'O, peidiwch, da chi, â dweud wrth yr heddlu. Os gwelwch yn dda, peidiwch,' meddai, drosodd a throsodd.

'Ni ydi'r heddlu!' atebodd Jeff.

A dyma hi'n dechrau sgrechian a chrio unwaith eto. Wel, ni aeth y mater ymhellach. Ar ôl lladron oedden ni, nid cŵn yn brathu ac, os cofia' i'n iawn, cawsom baned a chacen ganddi yn ogystal â'r wybodaeth yr oeddem ei angen.

Y peth rhyfedd oedd bod y wybodaeth honno wedi ein harwain i dy tafarn arall, ym Mhwllheli y tro yma. Roedd hwnnw wedi cau hefyd a rownd i'r drws cefn yr aethom unwaith yn rhagor. Mi feddyliech y buasai dau dditectif profiadol wedi dysgu'r wers y tro cyntaf, ond na. Dyma roi cnoc ar y drws ac, heb air o gelwydd, daeth sŵn cyfarth dychrynllyd eto, am yr ail dro o fewn awr a hanner.

'Dy dro di i gael dy frathu y tro yma,' meddai Jeff. 'Dw i ddim am ddod allan hefo chdi eto!'

Roedd Jeff a Huw yn rhai hwyliog i weithio hefo nhw ac yn cyd-dynnu yn dda â'i gilydd hefyd. Mae gwaith ditectif yn flin ac yn ddifrif yn aml iawn, a'r oriau'n hir. Fy marn i oedd bod cael dipyn o hwyl o dro i dro wrth wneud y gwaith yn beth da. Roeddwn yn gwneud yn siŵr y byddai yna gyfle am gêm fach o snwcer i ymlacio ar ddiwedd y dydd, yn union fel yr oedd Ken Brookes-Jones yn ei wneud pan ddechreuais yn yr adran — yr hyn oedd Jeff yn ei alw'n *attitude adjustment period* cyn mynd adref at y teulu.

'Ydych chi'n barod am dipyn o *attitude adjustment, Sarj?*' gofynnai.

'A'i i roi y peli ar y bwrdd.'

Cafodd Jeff a Huw gŵyn gan ffermwr yn ochrau Edern un tro bod rhywun yn torri i mewn i'w dŷ yn rheolaidd. Roedd o'n byw ar ei ben ei hun ar y fferm ac yn arfer mynd allan am beint bob nos Sadwrn. Ar ôl dod adref un noson, fe welodd fod ffenestr y parlwr yn agored ac arian wedi ei ddwyn o focs ar y silff ben tân lle byddai'n cynilo'i bres peint. Digwyddodd yr un peth y nos Sadwrn ganlynol hefyd. Gofynodd Jeff a Huw iddo a oedd rhywun newydd wedi dechrau dod i'r tŷ yn ddiweddar. Dywedodd y ffermwr fod bachgen o'r pentref wedi bod yn gwneud rhywfaint o waith iddo. Ym marn Huw nid oedd angen chwilio llawer pellach, ond nid oedd darn o dystiolaeth yn erbyn y llanc.

Aeth y ffermwr am beint fel arfer y nos Sadwrn wedyn, ond y tro yma roedd Huw a Jeff yn cuddio yn ei dŷ. Buont yn cuddio yn y tywyllwch am awr neu ddwy cyn i'r llanc gyrraedd. Gwrando ar swn llygod yn crafu oedden nhw pan glywsant ei sŵn yn agor y ffenestr. Wedi disgwyl iddo ddringo i mewn i'r ystafell, gwneud ei ffordd at y lle tân a rhoi ei law yn y bocs, gwaeddodd Huw a Jeff ar dop eu lleisiau:

'Bww!'

Gwnaeth y bachgen lond ei drowsus, ac fe'i arestiwyd yn y fan a'r lle. Fe'i cosbwyd o yn y llys a chyn belled ag y gwn i, ni fu mewn unrhyw fath o firi ar ôl hynny. 'Dw i ddim yn siŵr p'un ai'r gosb ynteu'r braw a gafodd y noson honno a wnaeth y tric.

Roedd dwyn o geir yn broblem go fawr yn Llŷn ac Eifionydd y dyddiau hynny, fel mewn rhannau eraill o'r wlad. Gan ei bod yn ardal mor brydferth byddai nifer fawr o ymwelwyr yn gadael eu moduron mewn meysydd parcio yng nghanol y wlad neu mewn cilfachau ar ochr y ffordd cyn mynd i gerdded llwybrau neu dreulio oriau ar y traeth. Yn aml iawn byddai arian, llyfrau siec a chardiau banc wedi eu cuddio yn y ceir.

Roedd rhai lladron yn arbenigo ar ddwyn y math yma o eiddo o geir. Byddent yn teithio i lawr o Lerpwl neu'r cyffiniau fesul dau neu dri, ar benwythnosau fel arfer pan fyddai'n braf. Y peth cyntaf yr oeddynt yn ei wneud oedd dod o hyd i lythyrdy neu flwch postio yn agos i geir a oedd wedi eu gadael am oriau. Weithiau mi fyddai'r troseddwyr yn gwneud ffrindiau hefo'r ymwelwyr cyn iddynt adael y car er mwyn gweld beth yn union oedd yn cael ei adael ar ôl, ac am faint o amser y byddai'r car yno. Eiliadau'n unig fyddai hi'n ei gymryd i falu ffenestr car ond roedd angen cael gwared o'r eiddo a ddygwyd mor gyflym â phosib, felly byddent yn cadw unrhyw arian parod ac yna'n postio llyfrau siec a chardiau banc i gyfeiriad addas yn Lerpwl. Tua deng munud roedd hi'n ei gymryd i wneud y cwbl, a doedd dim tystiolaeth yn y byd i'w cysylltu â'r drosedd.

Nid oedd y lladron yma'n rhai hawdd i'w dal er ein bod yn gwybod yn fras o le y byddent yn dwyn. Serch hynny buom yn llwyddiannus amryw o weithiau. Un tro roedd Jeff a Huw wedi parcio mewn cilfach ar ochr y ffordd rhwng Aberglaslyn a Beddgelert. Lle gwael iawn i guddio, ond nid oedd y ddau dditectif yn edrych fel plismyn o gwbl y diwrnod hwnnw. Roeddynt yn eistedd ar gadeiriau haul yn gwisgo *shorts*, sbectol haul a fawr ddim arall, ac yn coginio ar farbeciw. Roedd pêl-droed ar y gwellt gerllaw. Gwelsant un car yn gyrru i fyny ac i lawr y ffordd sawl gwaith ac roedd ymddygiad y dyn a'r ddynes a deithiai ynddo yn ddigon i'r ddau dditectif eu hamau.

Ymhen sbel daeth y car yn ei ôl, ond y tro yma fe arhosodd wrth ochr car arall mewn cilfach barcio tua dau gan llath i fyny'r ffordd. Jeff oedd yng ngofal y binociwlars a chawsai Huw sylwebaeth gyson:

'Mae'r car wedi stopio,' meddai Jeff.

'Be' maen nhw'n neud?' gofynnodd Huw.

'Mae o wrth ffenestr y car.'

'Be' mae o'n neud rŵan, ta?'

'Mae ganddo jac codi car yn ei law.'

'Be' mae'n wneud rŵan?'

'Mae'n torri'r ffenestr flaen y car ac mae'n mynd i mewn iddo fo.'

'Be' mae o'n neud, be' mae o'n neud?' Roedd Huw yn codi ei lais, ac ni allai ddioddef mwy o'r 'gweld ail law'.

'Tyrd â nhw yma. Fi pia nhw.' Tynnodd y binociwlars o ddwylo Jeff a'u codi at ei lygaid ei hun, ond roedd y strap yn dal i fod o amgylch gwddf Jeff a bu bron iddo dagu!

Rhywsut neu'i gilydd, llwyddodd y ddau i ddringo i'r car fel yr oedd y troseddwyr yn gadael, a'u dilyn. Stopiwyd y lladron ar gyrion Beddgelert, ond chredai'r ddau o Lerpwl ddim mai plismyn oedd Jeff a Huw. Roedd lliw haul ar y ddau ag oglau coconyt cryf yr olew haul yn dew o'u hamgylch. Doedd dim math o gerdyn adnabod na gwarant swyddogol ym mhocedi eu *shorts*. Wrth eu herlid, roedd yr hogiau wedi gweld y lladron yn lluchio bag yn cynnwys yr eiddo a oedd wedi ei ddwyn i'r clawdd, ond gwadu'r cwbwl wnaeth y ddau.

Pan gefais air gydag un o'r lladron yn y gell ym Mhwllheli y bore trannoeth, dal i wadu oedd o – mae'n amlwg ei fod yn hen law arni. Y peth agosaf at gyfaddefiad oedd:

'Yr unig beth ddyweda' i yw hyn. Nid oedd dy fechgyn di yn edrych yn debyg i blismyn o gwbl.'

Plediodd y ddau yn euog o flaen y llys, ond wnaethon nhw ddim dweud yr un gair arall. Canmoliaeth i Jeff a Huw gan ladron profiadol o Lerpwl mae'n siŵr gen i. Cofiwch, nid achos o ddwyn o un car oedd hwn. Bu'r lladron yma'n gwneud bywoliaeth dda drwy ddwyn fel hyn am amser hir iawn, gan ddefnyddio'r sieciau a'r cardiau banc bob cyfle a gawsant.

Mi ddwedais i yn gynharach nad oedd Huw yn debyg i blismon pan oedd yn Llannerch-y-medd ac, os rhywbeth, roedd yn llai tebyg fyth i heddwas erbyn iddo gyrraedd Pwllheli. Roedd ganddo fop o wallt du cyrliog a phur anaml roedd o'n taro crib trwyddo. Gwisgai ddyffl-côt yn y gaeaf, yn y swyddfa yn ogystal ag ar y stryd. Byddai'n cwyno weithiau, am hwyl, pa mor brysur oedd hi wedi bod ac yntau ar ben ei hun yn y swyddfa, neu *home alone*, fel y dywedai.

Un da oedd Huw yn y dyddiau hynny am gyfweld rhywun dan amheuaeth, ond mae'n rhaid mynd yn ôl rai blynyddoedd i esbonio sut y datblygodd ei ddull o holi carcharorion.

Fe gwrddais â'i dad a'i fam fwy nag unwaith a chael croeso mawr ganddynt bob tro. Roedd teulu ei dad yn dod o Rwsia – sy'n egluro'r cyfenw Vevar. Ar ddechrau'r ganrif ddiwethaf penderfynodd taid Huw ymfudo o Rwsia i'r Unol Daleithiau. Teithiodd ar draws Ewrop ac ar draws Prydain gyda'r bwriad o groesi o Gaergybi i'r Iwerddon. O'r fan honno, byddai llong yn ei gario ar draws Môr yr Iwerydd i Efrog Newydd i ddechrau bywyd newydd, fel yr oedd miloedd o rai eraill yn ei wneud ar y pryd. Ar ei daith drwy

Gymru cafodd le i aros yn Ffordd Farrar, Bangor a syrthiodd mewn cariad â merch y tŷ. Anghofiodd am America a phriodi; ac ymhen hir a hwyr ganwyd mab iddynt, sef tad Huw. Galwyd hwnnw i wasanaethu yn yr Eglwys yng Nghymru ac erbyn hyn, fel y dywedais, tad Huw oedd Canon Botwnnog.

Pan oedd yn fachgen ifanc, byddai Huw yn eistedd, Sul ar ôl Sul, yn yr Eglwys yn gwrando ar ei dad yn pregethu. Mae'n rhaid gen i fod y pregethau wedi gwneud argraff fawr arno, gan y byddai eu cynnwys yn cael ei ail-adrodd yn ystod cyfweliadau â charcharorion dan amheuaeth. Y tro cyntaf y clywais i o'n mynd trwy'i bethau, allwn i ddim credu fy nghlustiau. Âi'r holi rhywsut fel hyn:

'Rwyt ti wedi colli dy ffordd yn y byd 'ma. Rwyt ti fel darn bach o gangen sydd wedi marw, wedi'i thorri oddi ar y goeden ac wedi disgyn i li mawr yr afon. Rwyt ti, yn union yr un fath â'r gangen fechan, yn llifo yng nghanol tonnau'r afon, heb obaith o ddod i'r lan. Dim gobaith o gwbl. Boddi yw'r unig beth sydd o dy flaen. Myfi,' meddai gan godi ei lais i greu effaith, 'myfi ydyw'r unig un all dy arwain di i'r lan. Fi ydyw'r unig un fedr dy achub, ond cyn i ti gael dy achub, cyn i ti gael maddeuant, mae'n rhaid i ti syrthio ar dy fai. Nawr yw dy gyfle i ddweud wrtha' i lle'r wyt ti wedi cuddio'r eiddo yma rwyt ti wedi ei ddwyn.'

Wn i ddim pwy oedd yn dychryn fwyaf, fi ynteu'r carcharor, ond yn aml iawn, roedd y bregeth yn gweithio. Oedd, hyd yn oed o flaen troseddwyr profiadol o ddinasoedd Lloegr. Roedd gan Huw restr o bregethau ac os nad oedd dim byd arall yn gweithio, a'r lleidr yn dal i wadu, byddwn yn dweud wrth Huw:

'Rho'r bregeth iddo.'

Cofiwch, yr wythdegau oedd hi, ymhell cyn i dapiau recordio gael eu defnyddio mewn cyfweliadau. Mae pethau yn wahanol iawn erbyn hyn.

'Dw i'n cofio mynd hefo Huw i arestio dyn yn Birkenhead yng nghanol yr wythdegau. Wedi torri i mewn i dai a dwyn eiddo yn Abersoch oedd o – chofia' i ddim o fanylion yr achos erbyn hyn, ond mae'r atgof am yr holi hefo fi hyd heddiw.

Aethom ar ein hunion i'r ddalfa yn Birkenhead yn unol â'r drefn swyddogol, er mwyn gadael i'r heddlu yno wybod ein bod yn yr ardal ac y byddem yn dod â charcharor i'r ddalfa cyn bo hir. Dywedodd y rhingyll yno wrthym fod Heddlu Glannau Merswy wedi dechrau arbrofi gyda pheiriant tâp i gofnodi cyfweliadau, a bod yn rhaid i bawb a oedd yn cyfweld carcharor ddilyn y drefn yma. Erbyn deall, roedd pob un o'r heddweision yno wedi cael hyfforddiant a digon o ymarfer cyn i'r cynllyn ddechrau, yn wahanol i ni. Fel y disgwyliech, roedd ffordd briodol o gynnal y math yma o gyfweliad, a bu'n rhaid i ni ddysgu'n gyflym.

'Dim pregethu heno, Huw,' meddwn wrtho.

'Gawn ni weld,' atebodd, a gwên ar ei wyneb.

Taith pum munud oedd hi o'r ddalfa i dŷ'r troseddwr, ond ar ôl ei arestio, am ryw reswm, cymerodd dri chwarter awr i ni deithio'n ôl i'r ddalfa. Chofia' i ddim sawl pregeth a glywodd y troseddwr yn y cyfamser, ond erbyn i ni gyrraedd y ddalfa roedd wedi cyfaddef y cwbl, a phob brawddeg wedi ei hymarfer yn drwyadl cyn mynd yn agos at y peiriant recordio.

Roeddwn allan yng nghar y CID gyda Jeff un diwrnod pan ddaeth galwad i ddweud bod Sarjant Pwllheli ac un o'r plismyn lleol wedi dod o hyd i gorff dynes mewn tŷ yn Abersoch. Wedi taith o dros hanner awr ar hyd ffyrdd llawn ymwelwyr cyrhaeddais y tŷ a chael gair gyda'r Sarjant Eric Williams. Adroddodd y manylion – roedd y wraig mewn gwely ar y llawr isaf a photel wag o dabledi cysgu wrth ei hochr. Edrychai'n debygol ei bod wedi lladd ei hun. Roedd

Eric wedi galw'r meddyg a threfnwr angladdau'r crwner, ond doedd yr un ohonynt wedi cyrraedd eto. Ar ôl cael golwg sydyn yn yr ystafell wely i fodloni fy hun nad oedd arwydd o drais, aeth Jeff a finnau o amgylch y tu allan i'r tŷ i wneud yn siŵr nad oedd rhywun wedi torri i mewn. Roedd popeth i'w weld yn iawn. Aethom yn ôl at Eric, yr heddwas a'r corff. Yn sydyn, gwelais lygaid a cheg Eric yn agor led y pen. Roedd y dillad gwely a orchuddiai'r corff yn symud i fyny ac i lawr!

'Argian Dafydd, ma' hi'n anadlu!' meddai. 'Cansla'r blydi hers a galwa am ambiwlans ar unwaith!'

Ymhen diwrnod neu ddau roedd y wraig yn holliach. Mae'n ddigon hawdd chwerthin erbyn hyn, ond ar y pryd roedd y digwyddiad yn un difrifol. Dysgais i ac Eric wers werthfawr iawn y diwrnod hwnnw.

Roeddwn wrth fy modd yn cael bod yn ôl ym Mhwllheli, yn rhannol oherwydd fy mod wedi ail-gychwyn pysgota yng nghwmni fy hen gyfaill Emrys Owen, y cipar afon o Lanystumdwy. Cefais sawl diwrnod cofiadwy yn ei gwmni o a'i frodyr Edgar a Griff.

Roeddem yn manteisio ar bob cyfle i bysgota llynnoedd fel Brenig, Trawsfynydd neu Gwmystradllyn. Erbyn hyn, roedd Emrys wedi cael cryn lwyddiant fel aelod o dîm pysgota Cymru, ac wedi pysgota ochr yn ochr ag un o f'arwyr i yng nghystadleuaeth y Bwrdd Dŵr. Dywedodd yr hanes wrtha' i.

Cyrhaeddodd Emrys lan y llyn ar ddiwrnod y gystadleuaeth a darganfod ei fod wedi ei baru mewn cwch gyda Gareth Edwards, y chwaraewr rygbi. Cyflwynodd cadeirydd y Bwrdd Dŵr y ddau i'w gilydd, ac wrth ysgwyd llaw, dyma Emrys yn dweud:

'Chdi ydi Gareth Edwards? Uffern bach wyt ti ynte?' Rêl Emrys.

'Ie,' meddai Gareth. 'Ond roeddwn i 'mhell dros chwe troedfedd ar y cae yna 'sti.'

''Dw i'n gwybod, ac yn cofio'n iawn,' atebodd Emrys.

Cawsant ddiwrnod arbennig o dda yng nghwmni'i gilydd, ac yn ôl Emrys, yn y cinio wedyn hefyd. Mae tocyn pysgota Gareth Edwards am y diwrnod hwnnw gen i byth, ac wedi ei ysgrifennu arno mae'r geiriau:

'I Dditectif Sarjant John Griffiths. *Tight lines* a rhwyd wlyb. Gareth Edwards.'

Yn ystod yr un cyfnod cefais fore da iawn ar yr Afon Dwyfawr. Gwyddwn fod yr amodau'n berffaith ar gyfer dal eog ac roeddwn ar yr afon am bump y bore, fel yr oedd hi'n gwawrio. Rhwng pump a naw, cefais ddau eog yn pwyso chwe phwys yr un ac roeddwn wrth fy modd yn eu dangos i Emrys a oedd ar y pryd yn ysgrifennu colofn i'r cylchgrawn cenedlaethol *Trout and Salmon*. Adroddiad misol y Ddwyfawr, y Ddwyfach a'r Ddwyfor ydoedd, yn datgan pa bysgod gafodd eu dal, yn lle a chan bwy. Darllenais y cylchgrawn ymhen ryw fis a gwelais, mewn syndod, fod John Griffiths o Bwllheli wedi dal dau eog yn pwyso naw pwys yr un. Ffoniais Emrys ar unwaith.

'Rwyt ti wedi gwneud camgymeriad,' meddwn. 'Nid pysgod naw pwys oedden nhw, ond pysgod chwe phwys.'

''Dw i'n cofio'n iawn,' atebodd. 'Ond tydi pysgod chwe phwys ddim gwerth sôn amdanyn nhw, nag ydyn?'

Rêl Emrys.

Roeddwn wedi cadw cysylltiad ag Emrys a'i deulu tra bûm ymaith o Ben Llŷn gan gyfarfod i saethu hefo'n gilydd ddwywaith neu dair bob gaeaf. Gallwn wneud hynny'n amlach yn awr ar ôl dychwelyd i'r ardal.

Bu gen i gi da yn nechrau'r wythdegau, adargi aur o'r enw

Ross. Roedd o'n nofiwr gwych a allai nofio ymhell o dan y dŵr ar ôl hwyaden nad oedd eto wedi ei lladd. Bu bron i mi ei golli un diwrnod wrth iddo geisio dod allan o'r afon â hwyaden yn ei geg – roedd llif yn yr afon a'r glannau yn serth, ac fe gafodd yr hen gi ei gario o dan frwyn a gwraidd ar ochr y lan. Bu'n rhaid i Emrys afael yn fy nghoesau wrth i mi wyro drosodd i'w gyrraedd. Llwyddais i afael yn ei sgrepan a'i dynnu i fyny, a gwelais ei fod wedi dal ei afael yn yr hwyaden.

Cefais adargi aur arall o'r enw Angus ymhen sbel i gadw cwmni i Ross. Trefnodd Emrys noson o saethu hwyaid yn agos i aber y Ddwyfor gan ddweud:

'Tyrd â'r ci bach efo chdi i mi gael gweld sut mae'n dod yn ei flaen.'

'Dwn i ddim,' atebais. 'Dim ond deng mis oed ydi o. Efallai 'i bod hi braidd yn fuan.'

'Tyrd â'r ddau efo chdi,' awgrymodd Emrys. 'A gadael i Ross wneud y gwaith caled.'

A dyna wnes i, gan gyrraedd aber yr afon toc cyn iddi dywyllu ar noson wlyb a gwyllt o Dachwedd. Aeth Emrys gan llath i fyny'r afon a disgwyliais innau am yr ehediad, y ddau gi wrth fy ochr. Roedd gwynt cryf yn cario pwcedi o law oer yn syth o gyfeiriad y môr, a bu'n rhaid i mi droi coler fy nghôt i fyny'n uchel i geisio cadw'n weddol sych a chynnes. Bu'n bwrw'n ddi-baid ers dyddiau, ac roedd llif yn yr afon. Chefais i ddim cyfle ar dderyn y noson honno ond clywais Emrys yn tanio ergyd yn y pellter. Roedd clyw'r hen Ross wedi dechrau mynd, ond clywodd Angus hi, gan eistedd i fyny ar unwaith. Mewn eiliad, disgynnodd hwyaden i'r afon wrth f'ymyl a neidiodd Angus y ci bach ar ei hôl ar unwaith. Roedd yr afon lydan yn donnau mawr ond nofiodd Angus at yr hwyaden a'i chodi. Er iddo gwffio'n ei erbyn roedd y llif yn rhy gryf, ac fe'i gwelais yn cael ei sgubo i lawr at y môr. Roedd hi wedi tywyllu erbyn hyn, ac nid oeddwn yn gallu ei weld. Yn fwy na hynny, nid oedd y ci bach wedi cael profiad fel hyn o'r blaen.

Ymhen dim, cyrhaeddodd Emrys gan ofyn a oeddwn i wedi gweld hwyaden yn disgyn. Dywedais yr hanes wrtho'n boenus; ond yn sydyn, beth welson ni oedd Angus yn cerdded tuag atom â'r hwyaden yn ei geg. Hwn oedd yr aderyn cyntaf iddo erioed ei adennill! Rhoddais gyfle iddo ddod ato'i hun ac er fy mod yn falch o'i weld yn cyraedd yn ôl yn ddiogel roeddwn yn fwy balch fyth fod Emrys yno i'w weld yn gwneud mor dda.

'Mae gen ti gi da yn fan'na. Be' ddiawl mae o'n wneud rŵan dŵad?' gofynnodd Emrys, gan weld Angus yn mynd yn ôl i'r afon ac ymladd â rhywbeth yn y dŵr llonydd ger y lan.

Y peth nesaf welson ni oedd Angus yn cario sewin pedwar pwys i'r lan a'i roi wrth fy nhraed. Roedd y pysgodyn yn cwffio'n galed ond roedd gan y ci afael da ynddo ger ei gynffon.

'Wel, uffern o gi ydi hwn,' meddai Emrys. 'Welais i mo'r fath beth yn fy nydd.'

Rhaid dweud y gwir, roedd ychydig o glwy ar y pysgodyn a dyna pam, mae'n debyg, ei fod yn gorwedd mor agos i'r lan.

Ar y ffordd adref, galwais am beint bach a gwelais Derec, gwerthwr pysgod y dref, yn y dafarn. Roedd yn rhaid i mi gael dweud yr hanes.

'Faint wyt ti eisiau amdano?' gofynnodd.

'Tydi'r ci yma ddim ar werth,' atebais.

Tra 'mod i'n sôn am gŵn, mae'r hanes hwn yn werth ei ddweud hefyd, ond am reswm hollol wahanol. Byddai fy nghyfaill Dr Barry Corps yn dal i ddod acw am dipyn o bysgota neu saethu, ac un o'n hoff lefydd am ergyd oedd fferm Marshall Fox ym Mynytho. Un garw oedd Marshall, yn aml yn flêr ei olwg, ond welais i erioed galon fwy gan neb.

Dr Barry Corps a finnau ar ôl diwrnod o bysgota

Yn aml iawn roedd brethyn ei gôt neu'i gap wedi rhwygo a byddai'n mynd am ddyddiau heb eilio'i ên. Roedd fflachiadau fel tân yn ei lygaid pan siaradai. Byddwn yn mynd â photel o wisgi yn anrheg iddo weithiau cyn y Nadolig er mwyn diolch am dipyn o saethu – a dod oddi yno efo gŵydd.

Roeddwn wedi paratoi i fynd yno hefo Barry un bore Sadwrn. Doedd Barry ddim wedi bod yno o'r blaen, na chyfarfod Marshall chwaith. Ar ôl cyrraedd, fe gyflwynais y naill i'r llall, gan ddweud:

'Barry, Marshall Fox yw'r dyn yma, Marshall, dyma Doctor Barry Corps.'

'Dew, doctor ydych chi, ia?' gofynnodd Marshall yn syth, a'i law yn rhwbio'r tyfiant tridiau ar ei ên.

Roeddwn yn ofni y byddai'n holi am iechyd, a dyna, 'dw i'n siŵr, yr oedd Barry yn ei ddisgwyl hefyd. Does dim byd gwaeth na gofyn y fath gwestiwn i ddoctor ar ddechrau diwrnod o saethu. Ta waeth, wnaeth Marshall ddim holi ymhellach, ond mi ddaeth am dro hefo ni, fel y gwnai weithiau.

Cawsom gwningen neu ddwy ond dim byd arall. Hanner ffordd trwy'r bore, gofynnodd Marshall fel hyn:

'Sut fath o ddoctor ydych chi, doctor?'

Dyma hi'n dod eto, meddwn wrthyf fy hun.

'Arbenigwr. Llawfeddyg plastig, pennaeth adran losgiadau,' atebodd.

'Dew!' Roedd Marshall wedi ei synnu, ond bu farw'r sgwrs yn syth.

Yna, dywedodd Marshall ei fod wedi sicrhau caniatâd i ni saethu mewn gardd fawr yn perthyn i dŷ haf nid nepell o'r fferm. Cawsom wyth ffesant yno mewn deng munud – digon o adar i fodloni'r tri ohonom. Yna, daeth car o rywle ac am ryw reswm ceisiodd Marshall guddio'r adar yr oedd o'n eu cario. Stwffiodd ddau geiliog i bocedi tu mewn ei gôt a dechreuodd siarad â gyrrwr y car fel petai dim o'i le. Nid oedd wedi sylweddoli fod pennau'r adar i'w gweld trwy dwll yng ngwaelod y ddwy boced a'u cynffonnau yn pwyntio i'r awyr, rhywle o gwmpas ei glustiau! Roedd Barry a minnau yn ein dyblau'n chwerthin.

Wedi'r modurwr fynd, ac wedi i Marshall weld ein bod wedi cael amser mor dda, gofynnodd y cwestiwn a oedd wedi bod ar ei wefusau drwy'r bore:

'Ga' i ofyn am dipyn bach o gyngor gennych chi os gwelwch yn dda, doctor?'

'Wrth gwrs,' atebodd Barry.

'Wel, fel hyn mae hi,' dechreuodd. 'Mi brynais gi defaid dair wythnos yn ôl am hanner cant o bunnau, a fedra' i wneud dim byd hefo'r diawl. Mae'n rhedeg ar ôl defaid ac yn ymosod arnyn nhw. Rydw i wedi bod yn ôl at hwnnw werthodd o i mi, ac mae wedi addo y ca' i fy mhres yn ôl am y ci. Y broblem ydi hyn. Roedd o mor wyllt, fedrwn i ddim dal y diawl bach. Yr unig dro oedd o'n dod ata' i oedd i gael bwyd. Wel, be wnes i, doctor, oedd gwagio holl dabledi cysgu'r ddynes acw i ganol ei fwyd ac mae'n cysgu byth.'

'Pryd ddigwyddodd hyn?' gofynnodd Barry.

'Pythefnos yn ôl,' atebodd Marshall.

'Wel, nid milfeddyg ydw i, ond mi ga' i olwg arno fo i ti.'

Er ei fod yn cysgu'n dawel pan edrychodd Barry arno, roedd y ci wedi ei glymu wrth gadwen drom i'w rwystro rhag dianc.

'Pythefnos, ddywedsoch chi?' meddai. 'Mae'n anadlu yn iawn ac mae ei galon yn curo'n berffaith. Gwnewch yn siŵr fod ganddo ddigon o ddŵr ar ôl iddo ddeffro.'

Ymhen tair wythnos neu fwy, gwelais Marshall unwaith eto.

'Sut hwyl gest ti efo'r ci defaid yna?' gofynnais.

'Iawn, John bach,' atebodd Marshall. 'Mi ddeffrodd ymhen dau ddiwrnod wedyn. Roedd o dipyn yn simsan ar ei draed yn y dechrau, ond buan y daeth ato'i hun. Mi gefais fy mhres yn ôl hefyd. Diolch i'r doctor i mi, wnei di?'

Mae Barry a minnau wedi chwerthin sawl gwaith wrth ailadrodd yr hanes dros y blynyddoedd.

Ia, un garw oedd Marshall Fox.

Un o fanteision bod yn aelod o'r heddlu oedd cael pysgota yng nghystadlaethau Cymdeithas Chwaraeon Rhyngwladol Yr Heddlu. Dechreuodd y cystadlaethau hyn yn yr wythdegau, ond roedd llawer o glod yn ddyledus i Oscar Evans o Fethel a phobl debyg iddo am ddatblygiad y symudiad pysgota o fewn y gymdeithas.

Dyn mawr cryf oedd Oscar gyda gên, yn ôl Emrys, debyg i un *Desperate Dan*. Plismon yn yr adran draffig yng Nghaernarfon fu o am ran helaeth o'i wasanaeth, cyn gweithio fel cydlynydd ysgolion. Roedd wrth ei fodd yn pysgota, ac yn bysgotwr pluen hynod o dda. Roeddwn i'n digwydd bod ym mhencadlys adrannol yr heddlu yn Maesincla, Caernarfon, un diwrnod pan glywais lais Oscar yn galw arna' i o'r ochr arall i'r iard:

'Hei, John Griffiths, John Griffiths, tyrd yma am funud bach i mi gael gair hefo chdi. Gwranda, gwranda,' meddai, ei lais yn llawn brwdfrydedd. 'Wyt ti'n edrych ymlaen at y tymor pysgota nesa 'ma?'

Wel, oeddwn, ond dim ond dechrau mis Tachwedd oedd hi, ac newydd orffen oedd y tymor diwetha! Pysgota oedd bywyd Oscar.

Cynrychiolodd Oscar ei wlad fel aelod o dîm cenedlaethol Cymru nifer o weithiau. Ar ddiwedd y saithdegau, trwy ei gysylltiadau yn yr Alban, cafodd wahoddiad i fynd â thîm o Heddlu Gogledd Cymru i bysgota gydag aelodau gwahanol ranbarthau Heddlu'r Alban yn Loch Leven, Fife. Cystadleuaeth i bysgotwyr heddlu'r Alban oedd hi, ac roeddwn i yn un o'r wyth o Ogledd Cymru a oedd i bysgota yn eu plith. Daeth Brian Evans o Langefni, Gwilym Hughes o Wrecsam a John Jones, neu John 'Wa' o Fethel a Garndolbenmaen gynt, hefo ni hefyd. Cawsom groeso mawr gan yr Albanwyr a chinio bendigedig ar ddiwedd y dydd. Yn y blynyddoedd wedi hynny, ymunodd Lloegr a Gogledd Iwerddon, a chyn bo hir roedd y cystadlaethau rhyngwladol blynyddol wedi eu sefydlu.

Cyn cael cystadlu roedd yn rhaid yn gyntaf ennill lle yn nhîm Heddlu Gogledd Cymru, a hynny fel arfer yn golygu tair cystadleuaeth yn Llyn Brenig a Thrawsfynydd. Oscar fyddai'n trefnu'r cwbwl a chofiaf sut y byddai'n atgoffa pawb o'r rheolau cyn cychwyn pysgota:

'Dim sefyll yn y cwch, dim ond i chwarae pysgodyn.'

'Dim plu mwy na rhif deg.'

'Dim pysgota tu ôl i'r cwch.'

''Dw i ddim eisiau gweld neb yn stopio pysgota i fwyta'i frechdanau.'

Roedd yn un da am roi cyngor hefyd.

'Os cei di ddiwrnod tywyll a dwl yn Llyn Brenig, efo gwynt a glaw trwm, rho di *Mallard and Claret* ar y bob ac mi gei di bysgod, *garan*...blydi...*teed* i ti.'

Byddai ei lais yn codi hanner wythfed wrth orffen y frawddeg.

Fishing bobbies are national champions

By Hilma Edwards

FOUR North Wales policemen have hooked themselves a big catch by winning a national fishing championship.

The team beat off stiff opposition from 60 colleagues from all over the country to bring the Police Athletics Association British Fly Fishing championship back to North Wales for the second time.

They also carried off the honours for the heaviest catch of the day, and the heaviest single fish of the day at the competition which was held on the Lake of Monteith near Stirling, Scotland, last week.

The victorious quartet, who brought home the Strathclyde team trophy were Pcs Brian Evans of Llangefni, Oscar Evans the schools liaison officer based at Caernarfon, Detective Sgt John Griffith of Pwllheli and Inspector Mike Roberts of Wrexham, who between them caught 30 lbs 9 oz of rainbow trout.

Oscar Evans caught six trout, weighing a total of 12 lbs 3 oz, which brought him the individual championship.

He crowned a successful day for the North Wales anglers by netting the trophy for the heaviest fish at 3 lb 7 oz.

Oscar Evans, Bethel, and John Griffith, Pwllheli, with their fishing trophies

The team beat off competition from nine rival teams from Scotland, Northern Ireland and England.

As well as the splendid trophies, each was presented with an engraved flybox.

Det Sgt John Griffiths of Pwllheli said: "It was a dull, windy day — just the right kind of day for fishing. Had it been sunny, the fish would have lurked in the bottom of the lake.

"I really enjoy fishing from a boat, and often travel to Llyn Brenig near Cerrigydrudion to fish," he said.

Toriad allan o'r Daily Post ar ôl i griw Oscar fod yn pysgota ar ran Heddlu Cymru yn yr Alban

Fish are apprehended

A TEAM of North Wales policemen caught a total of 27 trout weighing 22lb 3oz when they competed in the North Wales heat of the Benson and Hedges Fly Fishing championship last Friday.

The competition was held at Llyn Brenig in Clwyd and the team were trying to qualify for the Welsh final, where they would face nine teams competing for the Welsh title, and a chance to represent their country in the International Final in September.

The anglers were, left to right; PC Oscar Evans community liaison officer based at Caernarfon, Detective Sargeant John Griffiths based at Pwllheli, Inspector Mike Roberts based at Ruabon, Detective Constable Gwilym Hughes based at Ruabon, Acting Inspector Glyn Williams based at Rhyl and PC John Kenneth Jones based at LLangefni.

Toriad arall o'r Daily Post ar ôl bod yn pysgota mewn cystadleuaeth yn Llyn Brenig

Treuliais oriau pleserus iawn yng nghwmni Oscar dros y blynyddoedd. Bu i mi rannu ystafell mewn gwesty hefo fo unwaith cyn cystadleuaeth yn Loch Leven. Roeddwn yn y lle chwech ar fore'r cystadlu pan glywais gnoc ar y drws, a llais Oscar o'r ochr arall.

''Dw i'n mynd i lawr am frecwast. Cofia di sychu dy dîn yn iawn rŵan, John Griffiths. Does yna ddim byd gwaeth na physgota mewn cwch am wyth awr heb sychu dy dîn yn iawn.'

Cyngor da unwaith eto, meddyliais. Dywedais yr hanes wrth yr hogiau eraill y noson honno, er mawr lawenydd i bawb.

'Mae'n rhaid ei fod wedi digwydd iddo fo ryw dro, yli,' meddai Gwilym.

Unwaith, bûm yn ddigon ffodus i ennill lle yn nhîm cenedlaethol heddlu Cymru. Tîm o bedwar oedd yn cystadlu'r diwrnod hwnnw yn erbyn pysgotwyr eraill o'r Alban, Lloegr a Gogledd Iwerddon yn Llyn Menteith yn Swydd Stirling. Allan o chwe deg o gystadleuwyr y diwrnod hwnnw, daeth Oscar yn gyntaf, Brian Evans yn ail a finnau'n drydydd, gan ennill bob cwpan rhyngom. Diwrnod cofiadwy, gyda chymeriad cofiadwy. Bu farw Oscar yn 2010 wedi salwch hir ac, yn sicr, mae colled fawr ar ei ôl.

Cefais wybod yn ddiweddar sut y cafodd un o'r pysgotwyr eraill, John Jones, ei lysenw John 'Wa'. Pan oedd yn blismon ifanc, roedd yn teithio mewn car patrol yng nghwmni plismon mwy profiadol. Byddai radio'r car yn cael ei defnyddio i alw'r pencadlys, neu yn amlach, byddai'r pencadlys yn galw un o'r ceir i drosglwyddo neges. Arwydd galwad pencadlys Heddlu Gwynedd yr amser hynny oedd W A: ac W A un, dau, tri ac yn y blaen oedd arwyddeiriau'r moduron.

'W A (pencadlys) yn galw W A pump (y modur),'
'W A pump yn derbyn', er enghraifft.
Ar ôl clywed hyn nifer o weithiau, gofynnodd John,
'Wel, pwy ydi'r "Wa" ma dywed?'
A John 'Wa' fu o byth ar ôl hynny.

Yn ystod y cyfnod hwn, roeddwn yn gyfrifol am ardal Eifionydd hefyd a byddwn yn ymweld â gorsafoedd yr heddlu ym Mhorthmadog a Beddgelert unwaith neu ddwy bob wythnos.

Roedd bachgen o'r enw Dafydd Christian, sifilian, yn ateb y ffôn ac yn ymwneud â'r cyhoedd wrth y cownter yng ngorsaf heddlu Porthmadog. Byddai wrth ei fodd pan gyrhaeddwn i yno o Bwllheli a gweiddi 'Mr Christian!' ar dop fy llais fel y gwnaeth Charles Laughton yn y ffilm *Mutiny on the Bounty*.

'O, chi sydd yna Sarj?' fyddai'r ateb.

Cofiaf gyrraedd y swyddfa un diwrnod ac fel yr agorais y drws daeth hen wraig fechan i'm cyfarfod ac fe sefais i un ochr er mwyn gadael iddi fynd allan o'r adeilad. Camais i mewn a gweld Dafydd Christian a heddwas arall yn eu dyblau, yn chwerthin nes oedd eu hwynebau'n goch a'u dagrau'n llifo. Dyma beth oedd wedi digwydd.

Roedd y ddynes fach oedrannus wedi dod at y cownter, a phan ofynnodd Dafydd Christian iddi beth oedd ei chwyn, dyma hi'n dweud:

''Dw i wedi cael y pigiad.'

'Beth ydych chi'n feddwl, "wedi cael y pigiad"?' gofynnodd Dafydd.

'Y pigiad, yr *injection* yn fy mraich,' meddai.

'Pam ydach chi'n dod yma i ddweud wrtha' i?' gofynnodd eto.

'Y doctor ddywedodd wrtha' i am ddod yma i ddweud fy mod i wedi cael y pigiad.'

Peth rhyfedd, meddyliodd Dafydd.

'Pa ddoctor oedd o?'

Ar ôl cael enw'r doctor, gofynodd Dafydd iddi eistedd, ac yna ffoniodd y doctor er mwyn cael eglurhad. Fel yr oedd Dafydd yn dweud yr hanes wrtho, fe glywodd y doctor yn disgyn oddi ar ei gadair dan chwerthin. Yna, fe esboniodd y doctor beth oedd wedi digwydd.

Cafodd yr hen ddynes fach frathiad gan y ci drws nesaf. Aeth at y doctor, ac ar ôl iddo lanhau'r briw, dyma fo'n dweud wrthi y byddai'n syniad da iddi gael pigiad tetanws. Ar ôl cael y pigiad, dyma'r hen ddynes yn gofyn:

'Be sy'n digwydd rŵan?'

'Ewch i ddweud wrth yr heddlu,' meddai.

A dyna'n union wnaeth hi.

O dro i dro, byddai plismyn ifanc yn symyd o adran i adran er mwyn cael profiad o wahanol fath o ddyletswyddau. Daeth plismon ifanc i swyddfa'r CID ym Mhwllheli am gyfnod i ddysgu am y gwaith – John Richards, bachgen o Fangor oedd newydd ymuno â'r heddlu. Fe chwaraeodd Huw a Jeff bob math o driciau arno, pethau digon diniwed, ond roedd un tric yn dilyn y llall am ddyddiau. Gwelais a chlywais beth oedd yn digwydd o'm swyddfa. Dywedodd Huw a Jeff wrtho un diwrnod eu bod eisiau potel o wisgi ganddo i sicrhau y byddai'n cael adroddiad da pan adewai'r adran ymhen pythefnos. Y diwrnod wedyn, roedd John yn gweithio yn y pencadlys adrannol ym Maesincla a phan ddaeth yn ôl i Bwllheli ymhen deuddydd, rhoddais botel o wisgi iddo wedi ei llenwi hefo te oer. Ar fy ngorchymyn, aeth â'r botel i swyddfa'r hogiau gan ei rhoi ar y ddesg o'i blaenau a dweud:

'I wneud yn siŵr fy mod yn cael adroddiad da mae honna.'

Roeddwn wedi dweud y cwbwl wrth y Ditectif Arolygydd Roy Gregson. Fel y rhoddodd John y botel ar y ddesg, canodd cloch y ffôn a dyma un o'r hogiau yn ateb. Roy oedd yno.

'Beth ddiawl ydach chi'n ei neud ym Mhwllheli 'na?' meddai. 'Mae John Richards wedi bod yma ddoe ac wedi dweud wrth bawb bod yn rhaid iddo fo brynu potel o wisgi i chi os ydi o am gael adroddiad da. Mae'r Prif Uwch Arolygydd o'i gof, mae o wedi gwylltio'n gacwn.'

Bu Huw a Jeff yn ddistaw iawn am y rhan fwyaf o'r bore ond teimlais ar ôl awr neu ddwy ei bod yn amser cyfaddef. Cefais faddeuant yn ddigon sydyn gan y ddau, a chafodd John lonydd am weddill ei gyfnod yn yr adran. Os ydi rhywun yn rhoi, mae'n rhaid cymryd hefyd, yn 'toes?

Un arall a ddaeth atom am dri mis i weld a oedd defnydd ditectif ynddo oedd Peter Gaffey, bachgen o Benrhyndeudraeth. Roeddwn wedi ei gyfarfod o o'r blaen yng Nghaergybi pan oedd yn heddwas ifanc.

Yn ystod yr un cyfnod byddem yn cael cwynion am hen fachgen a arferai 'ddangos ei hun' yn y toiledau ger yr orsaf drenau ym Mhwllheli. Digwyddai hyn pan fyddai plant yn dod o'r ysgol yn y prynhawn, ac roedd yn rhaid rhoi stop arno'n reit sydyn. Roedd gennym syniad go dda pwy oedd o, ond byddai'n rhaid ei ddal wrthi – yn *red handed* os liciwch chi.

Aeth Peter a minnau yno y diwrnod canlynol, a chyn bo hir, gwelsom y dyn yr oeddem yn ei amau yn agosau. Gwisgai'n union fel yr oeddem yn ei ddisgwyl – côt law laes frown fudur a chap pig am ei ben. Wedi ei ddilyn at yr orsaf gwelsom ef yn mynd i mewn i'r toiledau cyhoeddus.

'Rho funud iddo,' meddwn wrth Peter. 'Ac yna dos i mewn i edrych be sy'n digwydd.'

Disgwyliais y tu allan a thoc, daeth Peter allan yn cydio yng ngwar yr hen fachgen. Roedd o'n trio ei orau i guddio ei wên, ond methu wnaeth o ac fe ddechreuodd chwerthin yn afreolus.

'Pam cymaint o chwerthin?' gofynnais wedyn.

'Welais i mo'r fath beth yn fy nydd,' meddai Peter. 'Mi oedd o'n hongian fel mul. 'Swn i'n taeru mai babi eliffant oedd o 'mlaen i.'

Wel, dyna fu diwedd yr achos. Roedd y gŵr yma yn ei wythdegau ac wedi byw ym Mhwllheli ar hyd ei oes heb gamu oddi ar y llwybr cul. Bu'r siom o gael ei ddal yn gwneud y fath beth yn ddigon i'w atal rhag mentro gwneud wedyn, a chafodd rybudd swyddogol gan fod Gwasanaeth Erlyn y Goron yn datgan ei fod yn rhy hen i fynd o flaen ei well.

Erbyn heddiw, mae Peter Gaffey wedi ei ddyrchafu'n Dditectif Brif Arolygydd. Rydw i'n hoffi meddwl fod y tri mis a dreuliodd yng nghwmni Jeff, Huw a finnau wedi helpu rhywfaint bach ar ei daith lwyddiannus. Mae un peth yn siŵr, mae'n dal i gofio'r diwrnod hwnnw pan fu'n chwerthin hyd at ddagrau yng ngorsaf reilffordd Pwllheli.

Ambell dro, byddai angen bod allan tan oriau mân y bore yn chwilio am droseddwyr. Peth hwylus iawn i'w gael ar adegau felly oedd cyfarpar i weld yn y nos heb olau, neu *image intensifier*, sydd yn gwneud i'r fagddu edrych fel canol dydd. Y broblem oedd bod yn rhaid gwneud llwyth o waith papur i brofi'r angen am y teclyn cyn y byddai'r pencadlys yn ei ryddhau.

Yn ffodus, nid oedd yn rhaid i ni ym Mhwllheli fynd drwy'r rigmarôl yma. Roedd gan fy nghyfaill Emrys y cipar un a berthynai i'r Bwrdd Dŵr, a dim ond gofyn am ei fenthyg oedd eisiau.

Un peth na wna' i byth ei anghofio yw Huw Vevar yn gwisgo'r cyfarpar ac yn gyrru'r car fel y diawl heb olau yng nghanol y nos, a finnau'n eistedd y drws nesa iddo yn gweld dim. Dyna i chi'r profiad mwyaf brawychus a gefais erioed. Mwya'n y byd yr oeddwn i'n cynhyrfu a chwyno, mwya'n y byd roedd o'n gyrru. Faddeua' i byth iddo!

Mae'n hawdd, wrth feddwl am y pethau doniol a ddigwyddodd yn ystod fy nghyfnod yn yr Heddlu, anghofio'r pethau drwg a chas yr oeddem yn ei weld ac yn ymdrin â hwy. Marwolaeth, tristwch, anaf difrifol, colled, trais ac ymosodiadau rhywiol – roeddynt i gyd yn rhan o'r gwaith. Tuag at ddiwedd fy nghyfnod ym Mhwllheli cawsom nifer o gwynion am gamdrin rhywiol yn erbyn plant. Mae achosion fel hyn yn anodd iawn eu trin. Mae'n amhosibl, ar adegau, edrych i lygaid troseddwr heb deimlo na dangos casineb tuag ato. Roedd delio ag achosion fel hyn un ar ôl y llall yn dylanwadu arnom i gyd, ac mae'n rhaid i mi ddweud pa mor falch oeddwn o broffesiynoldeb Huw a Jeff yn ystod y cyfnodau annifyr hyn.

Roedd Meibion Glyndŵr yn brysur ym Mhen Llŷn, fel mewn sawl ardal arall, yn ystod yr wythdegau, fel y cofiwch. Er bod yr ymgyrch yn erbyn tai haf wedi cychwyn ers rhai blynyddoedd, roedd y sefyllfa wedi gwaethygu erbyn diwedd y degawd. Mae amryw wedi gofyn i mi sut oedd plismon fel fi, yn Gymro, yn teimlo ynglŷn â'r peth. Ar un llaw, roedd prisiau tai yn codi allan o gyrraedd y bobl leol, a'r gymdeithas Gymraeg yn yr ardaloedd hyn yn lleihau. Ar y llaw arall, roedd yr ymgyrchoedd llosgi yn droseddau difrifol.

Roeddwn i'n cofio sut oedd hi yn y dechrau, cyn dyddiau'r llosgi, pan fyddai aelodau o Adfer neu Gymdeithas yr Iaith Gymraeg yn torri i mewn i dai haf. Mewn gwirionedd, gwneud er mwyn cael eu dal oedden nhw, ac er mwyn cael cyhoeddusrwydd pan ddeuai'r achos o flaen y llys. Nid tai haf yn unig oedd yn ei chael hi, ond arwyddion ffordd Saesneg hefyd. Lawer gwaith bûm yn arestio'r rhai a oedd yn gyfrifol, ond ni fu drwgdeimlad tuag ataf, na gen innau tuag atynt hwy. Bu'n rhaid i mi arestio un o fy nghyfeillion ysgol un tro ac mae'n rhaid dweud ein bod wedi trin hynny fel dipyn o sbort.

Edrychwch ar yr hyn sydd wedi ei gyflawni ers y dyddiau hynny. Arwyddion ffordd dwyieithog, Deddf yr Iaith Gymraeg – mae hyd yn oed ceir yr heddlu yn dangos y gair 'Heddlu' erbyn hyn! Ond mi ydw i wedi cerdded i mewn i ddwsinau o dai a oedd wedi eu llosgi i'r llawr. Mae arogl hyll y dinistr yn dal i fod yn fy ffroenau hyd heddiw, ac ni ddaeth unrhyw dda o hynny. Yn fy marn i, mae cadarnrwydd yr iaith Gymraeg yn ganlyniad i ymdrechion heddychlon pobl sydd wedi siarad yn gyhoeddus neu weithio'n gyfiawn yn y cefndir.

Mae pawb yn gwybod erbyn hyn bod y Gwasanaeth Diogelwch yn Llundain wedi bod yn brysur yng Nghymru yn ystod y cyfnod yma. O dro i dro deuai arolygydd o'r pencadlys i'r gorsafoedd heddlu llai yng nghwmni dyn a oedd yn cael ei gyflwyno fel '*Mr Smiley* o Lundain,' neu rywbeth cyffelyb.

Sylwodd Huw fod pob un o'r dynion dieithr yma'n gwisgo esgidiau brôgs swêd brown. Ar ôl cyfarfod un ohonynt byddai'n gofyn yr un cwestiwn bob tro:

'Does dim eisiau gofyn o ble'r oedd o'n dod, nag oes? Ydyn nhw'n cael y sgidia 'na fel rhan o'u gwisg gan y Llywodraeth dŵad?'

Yn niwedd yr wythdegau, sefydlwyd adran arbennig i geisio dal y rhai a oedd yn llosgi'r tai haf. Cefais fy anfon i weithio yno, ond gwell i mi beidio â mentro dweud llawer am y cyfnod hwnnw gan fy mod wedi gorfod arwyddo datganiad o dan y Ddeddf Cyfrinachau Swyddogol.

Ar ôl rhai misoedd yn yr adran fe'm dyrchafwyd a chefais fy ngyrru i Gaernarfon fel Arolygydd. Rhaid i mi ddweud i'm cyfnod ym Mhwllheli, yng nghwmni Jeff, Huw a'm cyfeillion eraill, fod yn un hapus dros ben, ac roedd hi'n chwith gadael.

Pennod 10

Sbel yng Nghaernarfon a Phennaeth yr Adran Dwyll

1989 – 1998

Mae Caernarfon yn llawn o gymeriadau, ond erbyn 1989 doedd gen i ddim llawer o amser i fynd allan i'w plith. Dyna anfantais bod yn Arolygydd mae gen i ofn!

Roedd fy swyddfa newydd ar lawr cyntaf gorsaf yr heddlu ym Mhen Deitsh. Wel, dyma i chi adeilad â hanes iddo, yn sownd yn adeilad y llysoedd ac yn union gyferbyn â'r castell. Tu ôl i'm desg hongiai nifer o gleddyfau seremoni'r hen Heddlu Sir Gaernarfon gynt. Gwelais aml i uwch swyddog yn eistedd oddi tanynt yn y gorffennol, ond fy nhro i oedd hi erbyn hyn. Roedd swyddfa'r CID gyferbyn â'm swyddfa i, a chlywn chwerthin yr hogiau o dro i dro. A bod yn hollol onest, yn fan'no hefo'r hogiau y buaswn wedi hoffi bod.

Teimlwn yn gartrefol iawn ym Mhen Deitsh gan fod nifer o bysgotwyr eraill yn gweithio yno. Y Ditectif Sarjant oedd Hugh Hughes, pysgotwr y bûm yn ei gwmni lawer gwaith. Er ei fod yn rhoi oriau mawr i'w waith, roedd Hugh hefyd yn ysgrifennydd Cymdeithas Pysgota Afonydd Seiont, Gwyrfai a Llyfni. Roedd yn angerddol dros anghenion yr afonydd a'u pysgotwyr a theimlai'n gryf, er enghraifft, na ddylai pobl ganŵio arnynt yn ystod y tymor pysgota na'r cyfnod claddu. Un tro rhedodd i mewn i'r Seiont ar ôl nifer o ganŵs – yn ei ddillad. Baglodd ar draws y cerrig wrth geisio cael gafael yn un ohonynt, ac i mewn â fo dros ei ben i'r dŵr! Hugh Canŵ fu ei lysenw am wythnosau wedyn.

Gan fod pysgota'n ddileit i gymaint ohonom, byddai hanesion pysgota yn cael eu hadrodd yn aml a finna wrth fy modd yn eu clywed. Mewn cystadleuaeth dal crothell, neu *greyling*, un mis Tachwedd, bachodd un o'r hogiau, Phil Griffiths, eog tua deng pwys gan wneud yn hynod o dda i'w gael i'r lan gyda'i fachyn bach a'i lein ysgafn. Bu'n rhaid iddo ei roi yn ôl yn yr afon, wrth gwrs, gan fod y tymor pysgota eogiaid wedi gorffen.

Gwelais Phil yng ngorsaf yr heddlu dridiau wedyn a dywedais wrtho fy mod eisiau ei weld yn fy swyddfa ar unwaith gan fy mod wedi cael cwyn amdano.

'Be ydi hyn 'dw i'n ei glywed amdanat ti'n dal eog ar ôl i'r tymor gau?' gofynnais, gan geisio cadw wyneb mor syth ag y medrwn.

Dechrau chwerthin wnaeth Phil, a chefais yr hanes i gyd ganddo, bob plwc, naid a thro'r pysgodyn. Fy nhro i oedd hi yn awr i wneud fel ddaru Melbourne Rogers i mi flynyddoedd ynghynt ym Mhwllheli.

Yr oeddwn yn falch o gael gweithio unwaith yn rhagor gyda Dei Parry 306, gan fy mod wedi mwynhau ei gwmni yng Nghaergybi flynyddoedd ynghynt. Un sionc ei feddwl oedd o bryd hynny ac un felly oedd o byth.

Cawsom broblem fach yng Nghaernarfon rhyw dro pan ddaeth nifer o deithwyr, neu sipsiwn crwydrol, i faes parcio yng nghanol y dref. Byddai'r math yma o beth yn digwydd o dro i dro ac yn anffodus roeddynt yn dod â'u budreddi a'u blerwch hefo nhw. Byddai eu dillad yn sychu ar y cloddiau a llanast dros y lle, heb sôn am yr achosion o ddwyn.

Yn anffodus, nid oedd gan yr heddlu hawl i'w symud oherwydd mai mater sifil ydoedd. Y drefn oedd i'r cyngor gael gorchymyn llys i'w gorfodi i adael, ac wedyn gallai'r heddlu gefnogi swyddogion y cyngor i'w symud ymlaen. Fel y byddech chi'n disgwyl, roedd y teithwyr yn ymwybodol iawn o'r gyfraith hon.

Y tro yma, roeddwn wedi gyrru dau neu dri o blismyn i'r gwersyll dros gyfnod o ddeuddydd neu dri. Yr un ateb gawsant bob tro, sef 'mi awn ni yfory,' ond nid oedd symud arnyn nhw.

Aeth Dei Parry i'w gweld y diwrnod canlynol ar ôl darganfod mai yng nghyffiniau Birmingham bu'r criw cyn cyrraedd Caernarfon. Galwodd hanner dwsin o'r dynion ato a dweud fel hyn:

'Gwrandwch, mae yna Dditectif Sarjant Brown a thri ditectif arall o Firmingham yn dod draw yma yfory yn un swydd, ac mae'n awyddus i'ch gweld chi i gyd. Gwnewch yn siŵr eich bod chi yma am un ar ddeg y bore, neu mi fydd ei daith yn ofer. Cofiwch chi rŵan.'

Yna gadawodd y fan heb un gair arall.

Erbyn bore trannoeth, nid oedd arwydd ohonynt yn unman. Oedd, mi oedd Dei Parry yn dal i fod yn un cyfrwys!

Un arall o fanteision gweithio yng Nghaernarfon oedd fy mod yn nes at deulu a ffrindiau. Bu brawd fy mam, Hugh Hughes, yn cadw siop ddillad dynion yng Nghaernarfon am flynyddoedd ac roedd gennyf feddwl mawr iawn ohono. Fo aeth â fi i bysgota am y tro cyntaf pan oeddwn yn blentyn ifanc a byddai wrth ei fodd yn adrodd fy hanes yn dal fy mrithyll cyntaf yn bedair oed, gan ddweud fy mod wedi disgwyl ar hyd fy oes am y profiad!

Fy Yncl Hugh,
yr un a'm dysgodd i bysgota

Oedd, roedd Yncl Hugh wrth ei fodd yn dweud hanesion, er bod rhai pobl yn dweud ei fod yn cymysgu ei baent ei hun yn ogystal â'u lliwio. Wrth gwrs, roedd bod yng nghanol y Cofis yn rhoi digon o ddeunydd iddo.

Ar ôl ymddeol o'r siop, aeth i weithio'n rhan amser yn amgueddfa Segontiwm. Daeth ffermwr i mewn un prynhawn distaw gan ddweud wrth Yncl Hugh ei fod wedi clywed am y lle, ond erioed wedi bod yno o'r blaen. Roedd ei wraig yn siopa yn y dref, ac felly roedd wedi cymryd y cyfle i ddod i weld yr amgueddfa drosto'i hun. Cynigodd Hugh ei dywys o gwmpas, a dyna fu. Roedd y ffermwr wedi ei synnu pan ddangosodd fy ewythr ddeial haul iddo.

'Mae hwn, edrychwch, yn ddeial haul arbennig a hen iawn. Dim ond dau ohonyn nhw sydd i'w gweld drwy'r holl fyd, ac mae'r llall yn Rhufain.'

'Dew,' atebodd y ffarmwr. 'Oes gennych chi le yn y fan honno hefyd?'

Ia, rhyw hanesion fel 'na oedd gan Yncl Hugh.

Fe'i trawyd yn wael tra bûm yng Nghaernarfon ac fe es i ymweld ag ef yn Ysbyty Gwynedd ychydig ddyddiau cyn iddo farw. Gan fy mod yn gwisgo fy iwnifform ar y pryd, daeth nyrs ataf i ofyn pam oeddwn i yno. Esboniais mai mater personol oedd o, mai yno i weld fy ewythr oeddwn i. Roedd o mewn ystafell fach breifat, yng nghwmni ei wraig a'i ddau fab. Awyrgylch reit drist oedd yno, fel y gallech ddychmygu.

Pan oedd Yncl Hugh yn fachgen ifanc mae stori iddo fynd yng nghwmni ei dad, fy nhaid i, am dro i'r Dingle yn Llangefni ar ôl yr oedfa rhyw fore Sul. Gwelsant eog yn yr ysgol ddŵr yr ochr isaf i Lyn Pwmp, a bu'r demtasiwn yn ormod. Ar ôl ei dynnu allan o'r dŵr, rhedodd y ddau adref yn eu siwtiau dydd Sul, y rheini'n wlyb diferol, a'r eog o dan siaced siwt fy nhaid. Ar ben hynny, roedd Taid wedi colli ei het fowler. Wedi cyrraedd adref, cawsant y drefn yn ofnadwy gan Nain. Nid am wlychu a baeddu, na cholli'r het, na dod a'r eog adref, ond am wneud y fath beth ar y Sul.

Wrth edrych ar y teulu'r diwrnod hwnnw yn yr ysbyty, a deigryn yn llygaid pawb, fe gofiais am yr hanes. Sefais yn y drws a thynnu fy llyfr bach du o 'mhoced a'i agor. Gafaelais mewn pensel gan gogio dechrau ysgrifennu.

'Dyma fo,' cychwynais, ''da ni wedi ei ddal o'r diwedd. Potsio eog yn yr afon Cefni yn 1928.'

Chwerthodd pawb lond eu boliau, yn enwedig fy ewythr, ac fe drodd deigryn tristwch yn ddagrau hapus am ychydig funudau. Roeddwn yn falch fy mod wedi medru gwneud iddo chwerthin yn yr oriau olaf rheiny, gan ei fod o wedi dod â chymaint o lawenydd i mi ar hyd fy oes.

Ychydig ynghynt, 'dw i'n cofio dweud wrth Yncl Hugh:

'Mi fuaswn wrth fy modd yn medru cymryd ychydig o'r boen yna oddi arnoch chi.'

'John bach,' atebodd. 'Fuaswn i byth yn ei roi o i ti.'

A dyna'r cof diwethaf sydd gen i ohono.

Fues i ddim yng Nghaernarfon yn hir. Roedd y Prif Gwnstabl wedi dweud wrtha' i y diwrnod y cefais fy nyrchafu ei fod eisiau i mi symud i'r pencadlys cyn bo hir i reoli'r Adran Dwyll.

Ymhen deng mis, roeddwn yn ôl ym Mae Colwyn, neu'r 'Cremlin' fel y galwai rhai'r pencadlys, ond y tro yma roeddwn i'n un o'r rhai a oedd yn rhedeg y sioe – Pennaeth yr Adran Dwyll.

Adran fechan oedd hon i ddechrau ond bûm yn lwcus iawn o gael dynion campus wrth f'ochr. Tŷ yn perthyn i'r heddlu gyferbyn ag adeilad y pencadlys oedd ein swyddfa – tŷ tair llofft a oedd wedi'u troi'n swyddfa bob un i'r ddau gwnstabl a'r sarjant. I lawr y grisiau roedd dwy ystafell fyw – swyddfeydd i mi a'r ysgrifenyddes a chegin hefyd i ni gael paned a lle i fwyta amser cinio. Lle bach clyd iawn heb neb i boeni llawer arnom, er y byddai'r Ditectif Brif Uwch Arolygydd Gwyn Rees Williams yn dod draw o dro i dro i drafod y gwaith a chael paned.

Phil Welsh oedd y Ditectif Sarjant. Sais o Lannau

Merswy oedd o'n enedigol, a dreuliodd rhywfaint o'i amser cyn ymuno â'r heddlu yn gweithio i bobl y dreth incwm. Roedd Phil yn ŵr profiadol, llawn hiwmor ac yn bêl-droediwr mawr. Byddai'n mynd ag un o'r hogiau, Alan Pierce (ia, Alan eto!) i wylio'i dîm, Tranmere Rovers, yn gyson.

Paul Harrison oedd un o'r ddau gwnstabl yno, yntau hefyd yn fachgen profiadol ac yn ymchwiliwr trwyadl iawn – ond pe clywn am unrhyw aelod o'r adran y disgyn, torri llestr, troi gwydryn o ddŵr neu losgi 'i hun wrth wneud paned, Paul fyddai o. Nid oedd yn syndod felly ei fod wedi cael y llysenw *Hazardous Harrison*. Paul Peryglus yn y Gymraeg, efallai?

Tyfodd yr adran yn ystod fy amser yno a bu llawer o fynd a dod, ond bu Alan Pierce yno trwy gydol yr amser. 'Dw i'n credu fy mod wedi gweithio hefo Alan yn hirach nag unrhyw un arall yn ystod fy amser yn yr heddlu, ac roeddwn yn falch iawn o'i gael yn y tîm yn ystod y cyfnod hwn.

Daeth Geoff Mitchell, a oedd wedi cychwyn yn y Gangen Arbennig gyda mi ym mhorthladd Caergybi amser maith yn ôl, yno hefyd. Nid oeddwn wedi gweithio ag ef, na gweld llawer ohono a dweud y gwir, ers hynny. Tipyn o gês oedd Geoff. Roedd hanes amdano unwaith, flynyddoedd yn ôl, yn cael gŵr ifanc i gyfaddef i gyflawni trosedd drwy roi colandr hefo gwifren yn dod allan ohoni am ben y llanc a dweud mai peiriant synhwyro celwydd oedd o!

Un arall a ddaeth atom oedd Eifion Wyn Jones, gŵr o Langoed yn enedigol, a'r hynaf ohonom. Ysmygwr cetyn oedd Eifion, sy'n egluro pam y cafodd y llysenw 'taid'. Cafodd pawb fraw yn y swyddfa un bore pan daniodd ei getyn yn rhy agos i'r synhwyrydd mwg gan wneud i'r clychau ganu.

Cofiaf un achos lle'r oedd nifer fawr o ddogfennau wedi eu casglu – gwybodaeth a oedd o ddiddordeb i'r derbynnydd swyddogol yn Llundain hefyd. Gan fod y swyddfa honno â chymaint o hawl â ninnau arnynt, daeth merch ifanc o Lundain atom am bythefnos i'w darllen. Merch o Asia oedd hi, geneth ddymunol iawn yr olwg ac fel y gallwch fentro, roedd yr hogiau yn gwneud yn siŵr ei bod hi'n gyfforddus bob amser. Daeth i'n hadnabod i gyd mewn dim o dro gan ein galw wrth ein henwau cyntaf. Ar ôl clywed beth oedd pawb yn galw'i gilydd, roedd hi wedi bod yn galw Eifion yn 'taid' am ddyddiau cyn i rhywun ddweud wrthi mai llysenw oedd o, a'i ystyr. Doeddwn i erioed wedi gweld rhywun â chroen tywyll yn cochi o'r blaen, ond er ei hembaras, fe welodd yr ochor ddoniol.

Toc ar ôl i mi gyrraedd yr adran, cawsom glywed fod gŵr o ochrau Wrecsam, trwy ei gwmni, wedi twyllo nifer o unigolion a chwmnïau eraill ar hyd a lled Prydain o tua hanner miliwn o bunnau. Gwerthu peiriannau i wneud bocsys cardfwrdd oedd o; peiriannau mawr a chymhleth gwerth can mil o bunnau a mwy yr un. Cawsai dâl am beiriannau nad oedd ganddo'r hawl i'w gwerthu, neu rai nad oedd wedi eu hadeiladu eto, a gwario'r arian heb gyflenwi'r nwyddau. Roedd yn byw yn eithriadol foethus ar arian pobl eraill, yn gwario tri chant o bunnau'n aml ar botel o win coch mewn tŷ bwyta. Dro arall fe wariodd dros bedair mil o bunnau mewn un noson yng nghlwb nos Y Parot Gwyrdd yn yr Eidal. Cafodd fenthyciad o ddegau o filoedd o bunnau gan y banc ac roedd dyled fawr ar ei gardiau credyd hefyd.

Rhoddais y dasg o ymchwilio i mewn i'r achos yma i Alan Pierce, ond sylweddolais yn fuan nad oedd modd i'r achos lwyddo heb gael tystiolaeth o'r Eidal, lle'r oedd y peiriannau yn cael eu hadeiladu. Mae'r broses o gael tystiolaeth o wlad dramor yn un gymhleth ar y gorau, ond yn gyntaf roedd yn rhaid gweld a oedd y tystion yn Ferona, ac bwysicach, dyn o'r enw Signor Grassi a'i fab yn Monza, yn fodlon ein helpu.

Heb eu tystiolaeth a'u cymorth nhw, nid oedd pwrpas gwastraffu'n hamser.

Penderfynais gysylltu â nhw'n uniongyrchol, ond sut oedd gwneud hyn? Roedd eu cyfeiriad, rhif ffôn a thelecs gennyf, a dyma benderfynu gyrru telecs. Nid oeddwn wedi cysylltu ag Eidalwyr yn y byd masnachol o'r blaen, ac a dweud y gwir, yr unig brofiad oedd gen i o Eidalwyr ym myd busnes oedd o ffilm *The Godfather*, nid bod honno'n enghraifft dda! Rhoddais bensel ar bapur gan ddychmygu mai Marlon Brando oeddwn i, â llond fy ngheg o wadin. Dechreuais fel hyn:

'Mae Prif Gwnstabl Heddlu Gogledd Cymru yn gyrru ei barch tuag at Signor Grassi a'i deulu.'

Dyna ddechrau da, meddyliais, yn union fel y buasai'r *Godfather* wedi ei wneud.

Cyn pen pythefnos cefais alwad ffôn gan gwmni o gyfreithwyr masnachol yn Llundain a oedd wedi gweithredu droeon ar ran cwmni'r teulu Grassi. Roedd mab Signor Grassi yn dod i Brydain ymhen yr wythnos, ac roedd yn fodlon ein cyfarfod ym Manceinion. Dyma ddechrau ar y daith hir o gasglu'r dystiolaeth drwy deithio hyd a lled Prydain er mwyn cofnodi degau o ddatganiadau a chasglu dogfennau. Alan wnaeth y rhan helaethaf o'r gwaith ac, mae'n rhaid i mi ddweud, unwaith yr oedd Alan yn cael asgwrn rhwng ei ddannedd, doedd dim stop arno fo.

Yn fuan un bore, aeth Alan a finnau i arestio'r troseddwr honedig. Roedd yn byw mewn tŷ mawr crand ychydig filltiroedd y tu allan i Wrecsam. Gwelsom ddysgl teledu lloeren yn yr ardd bron cymaint â'r un sy'n Jodrell Bank! Agorodd y drws yn ei byjamas ac ar ôl dweud wrtho pam yr oeddem wedi galw, aeth i newid. Roedd o'n ŵr mawr trwm, ymhell dros ei ddwy lath, a'r un ffunud â Tommy Cooper o ran pryd a gwedd ac yn ei ffordd o siarad.

Aethom â fo i orsaf yr heddlu yn Wrecsam i'w holi. Cyn

pen dim, roedd o'n barod i syrthio ar ei fai. Gofynnwyd iddo sut yr oedd wedi paratoi'r dogfennau ffug a ddefnyddiodd i dwyllo pobl. Erbyn deall, roedd wedi copïo penllythyrau cwmnïau eraill a'u defnyddio i ysgrifennu at ei gwsmeriaid ei hun. Defnyddiodd beiriant ffacs i geisio cuddio'i waith twyllodrus.

'Roedd hi'n hawdd,' meddai. 'Papur swyddogol, ffotocopïer, ffacs. Ffacs, ffotocopïer, papur swyddogol. Ha, ha, ha. *Just like that!*'

I bwysleisio'i eiriau, symudodd ei ddwylo – yn union fel Tommy Cooper. Roedd hi'n anodd i Alan a finnau gymryd y cwbwl o ddifrif.

Ar ôl rhai misoedd, cawsom ganiatâd gan lywodraeth yr Eidal i fynd yno i gasglu'r dystiolaeth angenrheidiol, ond nid oedd hon yn dasg hawdd. Un prynhawn Sul, cyrhaeddais faes awyr Fenis gydag Alan ac yno i'n cyfarfod roedd dau dditectif lleol, gan y byddai angen lifft arnom i Ferona. Mae'r Eidalwyr yn hoff o yrru'n gyflym ac roeddem ar fin darganfod bod yr un peth yn wir am heddlu'r wlad hefyd! Ar y daith, gofynnodd un ohonynt a fyddem yn hoffi paned o goffi. Syniad da, meddyliais, a stopiodd y car wrth gaffi bach ar ochr y ffordd. Dilynom y ddau at y bar a daeth pedair paned ar unwaith. Erbyn i Alan a finnau afael yn y cwpanau bychain o'r espresso cryfaf a gefais erioed, roedd y ddau arall wedi eu llyncu ac ar y ffordd allan. Gwnaethom ninnau'r un fath. Mae'n amlwg nad mwynhau cwpaned o goffi oedd y drefn, ond cael ergyd sydyn o gaffîn cryf. Yn ôl i'r car â ni i gael ein gyrru'n gyflymach nag erioed, dros gant wyth deg cilomedr yr awr yn ôl y cloc, ia, dros gan milltir yr awr y rhan fwyaf o'r ffordd! Gwelais fod migyrnau Alan yn wyn wrth wasgu'r sêt o'i flaen. O'r diwedd, gwelsom dagfa draffig o'n blaenau a bu'n rhaid arafu – diolch i'r nefoedd am hynny. Ond fuon ni ddim yn llonydd yn hir. Tynnodd y plismon nad oedd yn gyrru lamp las o rhyw gilfach a'i rhoi ar ben y to.

Trodd y gyrrwr drwyn y car heibio i'r rhes oedd o'i flaen a rhoi ei droed i lawr unwaith eto ar hyd yr ysgwydd galed. Coeliwch fi, mi fysa' Lewis Hamilton wedi dychryn. Gofynnodd Alan faint o amser gymerai hi i yrru'r holl ffordd i Rufain. Dywedodd ein cyfaill yn sedd y teithiwr fod y rhan fwyaf o bobl yn cymryd chwe awr neu fwy, ond y gallai Franco, y gyrrwr, wneud y daith mewn pedair. Synnwn i ddim. Roedd y ddau ohonom yn wirioneddol ddiolchgar o gael cyrraedd Ferona yn ddiogel.

Fore trannoeth, aethom i'r llys yn Ferona gyda chyfieithydd o Adran Gyfiawnder yr Eidal. Cawsom fynd o flaen y barnwr yn ei siambr bersonol. Ystafell wedi ei dodrefnu'n daclus ac yn syml oedd hi, heb ddim o'r addurniadau mawreddog a welsom yng ngweddill y llys. Gŵr cymharol ifanc oedd o, a chofiaf fod y llun enwog o'r myfyriwr Tsieineaidd yn sefyll o flaen y tanc yn Sgwâr Tiananmen ar y wal y tu ôl iddo.

Buom yno am y rhan helaethaf o'r dydd, ac fe aeth popeth yn iawn. Wrth ysgwyd llaw'r barnwr ar ein ffordd allan, synnais o weld mai jîns denim a phâr o *drainers* oedd o'n ei wisgo o dan ei ŵn farnwrol. Welais i erioed mo hynny ym Mhrydain!

Ar ôl cael amser i edrych o gwmpas Ferona a thynnu llun Alan yn gafael yn y cerflun enwog o Juliet, roedd hi'n amser cychwyn am Monza lle'r oedd Signor Grassi yn adeiladu ei beiriannau. Bu honno hefyd yn siwrnai i'w chofio.

Daeth plismon o Monza i'n hebrwng, ac os oedd y ddau a ddaeth â ni o Fenis i Ferona yn gyrru'n gyflym, roedd hwn yn saith gwaith gwaeth. Bob tro y byddem yn pasio car arall, roedd o'n troi ei ben yn araf ac yn edrych yn gas ar y gyrrwr, fel petai'n faw isa'r domen. Fel yr oeddem yn cyrraedd Monza, daethom ar draws croesfan i gerddwyr lle'r oedd dynes mewn oed yn ceisio croesi. Wnaeth y gyrrwr stopio? Dim peryg, ddaru o ddim hyd yn oed arafu. Roedd yr hen ddynes fach yn troi yn ei hunfan a'i bagiau ar y llawr ym mhob man. Aeth ein gyrrwr yn ôl ati, ac Alan a finnau'n meddwl ei fod am ymddiheuro. O, na. Agorodd y ffenestr gan weiddi *turistico!* arni. Er nad oedd gen i lawer o Eidaleg, roeddwn yn deall yn iawn nad 'sori' oedd hynny'n ei olygu! Unwaith yn rhagor, roedd Alan a finnau'n falch o weld diwedd y daith.

Fel yn Ferona, roedd yn rhaid mynd gerbron y llys i gasglu'r dystiolaeth o flaen barnwr. Byddai'r datganiadau yn cael eu cofnodi yno a'u gyrru i ni ym Mhrydain gan lywodraeth y ddwy wlad, ond roeddem yn cael mynd a chopïau o waith papur yn ôl hefo ni, ac mi oedd hyn yn help mawr.

Cyn cael cyfarfod â Segnor Grassi roeddem i dreulio peth amser yng nghwmni'r barnwr yn y llys yn Monza. Wel, barnwres i fod yn berffaith gywir – dynes smart ofnadwy yn ei thridegau ac yn ymwybodol iawn o'i rhywioldeb yn ôl pob golwg. Gwisgai siwmper lac gyda gwddf isel heb lawer o ddim oddi tani. Drwy'r bore aethom drwy bapurau diddiwedd yn ymwneud â'r achos, ac roedd hi'n anodd iawn cadw'n llygaid arnynt a dweud y gwir! Doedd dim amheuaeth ei bod yn gwybod yn iawn beth oedd hi'n ei wneud, a mwya'n y byd roedd hi'n plygu dros y bwrdd, anodda'n y byd oedd hi i edrych ar y papurau. 'Pan yn Rhufain,' medden nhw...

Cawsom gyfarfod â Signor Grassi o'r diwedd – dyn neis, parchus. Aeth â ni i weld ei ffatri a chawsom wydraid o win yn ei gwmni, yn hapus ein bod wedi cael y dystiolaeth angenrheidiol i gyd.

Wedi i ni orffen ein gwaith, aethom ein dau i grwydro o gwmpas Monza. Yn sicr, doedd y ddinas dim mor brydferth â Ferona; fodd bynnag, roedd gweld y lle yn addysg. Ond yn ddiarwybod i mi, roeddwn i am gael mwy o addysg yn hwyrach y noson honno.

Wedi cerdded dipyn go lew, daethom ar draws bar

bychan ar gongl stryd. Dim ond siop groser fechan gyda phwmp tynnu cwrw a hanner dwsin o boteli tu ôl i'r cownter ydoedd mewn gwirionedd. Roedd dwsin o fyrddau yn yr ystafell, a phymtheg o ddynion mewn oed yn mwynhau diferyn a sgwrs. Cododd un neu ddau eu pennau pan welsant ni'n cerdded i mewn gan nad oedd twristiaid yn mentro i'r math yma o le fel arfer. Archebodd Alan beint ac roeddwn innau'n hapus hefo gwydraid o win coch.

Roedd gêm bêl-droed ar y teledu ac roedd y dynion i gyd yn amlwg â diddordeb mawr. Ar ôl iddi orffen, ac ar ôl i Alan wagio ei wydr sawl gwaith, aeth at y dynion i drafod pêl-droed. Wel, mae'n rhaid i mi ddweud mai'r sgwrs honno ydi'r un ddoniolaf a welais ac a glywais erioed. Nid oedd y dynion yn medru llawer o Saesneg, ond dipyn mwy, efallai, nag oedd gan Alan o Eidaleg. Ceisiodd sôn am unrhyw gysylltiad rhwng pêl-droed Cymru a phêl-droed yr Eidal. Aeth Alan drwy'i bethau yn canmol John Charles ac Ian Rush gan fod y ddau wedi chwarae i dimau yn yr Eidal, a *Galles,* tîm Cymru. Rhywsut neu'i gilydd roedd pawb yn deall ei gilydd yn berffaith. Efallai mai effaith y cwrw oedd yn gyfrifol am hynny, ac roedd hi'n hwyr iawn arnom ni'n gadael.

Cerddom am beth amser cyn cyfaddef ein bod ar goll yn llwyr. Roeddem mewn rhan o Monza nad oeddem yn gyfarwydd â hi, yng nghanol strydoedd cul lle'r oedd dillad yn sychu ar lein wedi'i chrogi rhwng adeiladau blêr a thlawd yr olwg. Yna daethom at sgwâr a oedd dipyn yn oleuach na'r strydoedd cefn tywyll. Ar un ochr i'r sgwâr gwelsom dri car heddlu a motor beic, a hanner dwsin o blismyn yn pwyso arnynt tra'n cael sgwrs a smôc. Roeddynt i gyd yn cario gynnau. Gwelsant ni'n dod o'r tywyllwch, ac mae'n rhaid ei bod yn hollol amlwg nad pobl leol oedden ni. Aethom atynt i siarad.

'Gwatcha fi'n cael lifft adref i'r gwesty,' meddai Alan.

Cyn i mi fedru ei stopio, gwelwn Alan yn cerdded atynt gan weiddi:

'*Policia Galles.* John Charles. Ian Rush.'

Ar yr un pryd, gwelais y plismyn yn rhoi eu dwylo ar eu gynnau, a chliciedi diogelwch y gynnau peiriant yn cael eu gollwng.

'Dyma'n diwedd ni,' meddwn wrthyf fy hun. 'Yr achos twyll fydd y lleiaf o'n problemau ni.'

Roedd Alan yn dal i fynd trwy'i bethau pan ofynnodd un ohonynt i mi:

'*Contacto?*'

Diolch i'r nefoedd. Roedden nhw'n credu mai plismyn oeddem ni, a diolch eto fy mod yn cofio enw'r cyswllt.

'*Inspectora Gallini,*' atebais.

Toc ar ôl iddo gael sgwrs ar ei radio, dyma ddangos drws y car i ni a chynigiodd lifft i ni yn ôl i'n gwesty. Roedd Alan yn dal i siarad am y pêl-droedwyr fel yr oeddem yn ysgwyd llaw hefo pawb. Wrth i ni eistedd yn y car, dyma fo'n rhoi pwniad i mi hefo'i benelin.

'Tacsi adref. Ddywedais i wrthat ti, yn do?'

Wrth sefyll ym maes awyr yn Milan yn disgwyl am awyren i fynd â ni am adref, sylwais fy mod yn sefyll wrth ymyl Richard Branson. Bu bron i mi â gofyn iddo pam nad oedd yn teithio mewn balŵn y diwrnod hwnnw, ond meddyliais eilwaith. Roeddwn wedi cael digon o gyffro'r wythnos honno'n barod.

Fisoedd yn ddiweddarach, yn Llys y Goron yng Nghaer, plediodd y gŵr a edrychai fel Tommy Cooper yn euog i nifer o gyhuddiadau o dwyll ac fe'i gyrrwyd i'r carchar am bedair blynedd. Cafodd Alan a finnau gymeradwyaeth gan y barnwr am y ffordd yr oeddem wedi cwblhau'r ymholiad. Wyddwn i ddim beth fuasai'r barnwr wedi'i ddweud pe bai'n ymwybodol o bopeth a ddigwyddodd yn yr Eidal...

Er mai ymchwilio i dwyll difrifol oedd ein gwaith yn yr adran, roedd yn rhaid rhoi help llaw i adrannau eraill o dro i dro. Cafodd Alan alwad i fynd i Gastell Conwy un diwrnod yn ystod ymweliad y frenhines – ac ar ôl clywed am ei anturiaethau wrth hebrwng y Tywysog Charles i'r Fali roeddwn i'n edrych ymaen at gael yr hanes ganddo.

Dros baned y bore wedyn, dyma fo'n cychwyn.

'Wel, dyna lle'r oeddwn i,' meddai, 'y tu mewn i'r castell yn fy siwt orau, yn disgwyl amdani hi. Roedd carped coch wedi ei osod yn arbennig, a band y Gwarchodlu Cymreig yno hefo'u mascot, yr afr wen. Gofyn am drwbwl oedd hynny, a dyma'r afr, wrth gwrs, yn baeddu'r carped funudau cyn i'r frenhines gyrraedd. Llwyth mawr reit yn y canol. Daeth rhyw foi pwysig ata' i hefo bwced a rhaw a dweud wrtha' i am ei glirio.

'Gwranda, mistar, meddwn; wedi dod yma i edrych ar ôl y frenhines ydw i, dim i lanhau rhyw lwmp o gachu. Gwna fo dy hun.'

Roedd pawb yn y swyddfa'n chwerthin erbyn hyn, ond doedd Alan ddim wedi gorffen.

'Daeth y frenhines cyn bo hir,' eglurodd Alan eto, 'a dynes arall hefo hi. Wel, roeddwn wedi fy synnu. Dynes fach neis iawn yr olwg ydi hi, yn edrych fel petai wedi medru bod yn nain i unrhyw un ohonon ni, a finnau yno, reit wrth ei hochr. Roedd hi'n rhy boeth iddi mae'n rhaid, a thynnodd ei chôt hefo help y ddynes arall 'ma. Dyma honno'n troi rownd, plygu'r gôt a'i rhoi i mi. Y fi, myn diawl, hogyn o Ryd Ddu yn gafael yng nghôt y frenhines! Dew, wyddoch chi be? Roedd hi'n ddigon hawdd gweld ei bod hi'n gôt dda, yn un drom a brethyn da iddi. Edrychais ar y label i weld o ble roedd hi wedi'i phrynu hi. O rywle yn Oxford roedd hi wedi dod.'

Wel, gallwch fentro, roedd pawb yn y swyddfa yn eu dyblau!

Dair neu bedair blynedd yn ddiweddarach, roedd Alan yn gweithio mewn tîm o fewn yr adran dwyll a oedd yn meddiannu asedau a gafwyd drwy ladrata neu ddelio mewn cyffuriau. Mae'r ddeddf sy'n rhoi'r hawl i wneud hyn yn datgan bod yn rhaid i bob banc gydweithio â'r heddlu, a bod cyfrifoldeb arnyn nhw i ddweud wrth yr heddlu am unrhyw symudiadau amheus yng nghyfrifon y cyhoedd. Roedd un person ym mhencadlys pob banc â chyfrifoldeb am gysylltu â swyddog perthnasol o'r heddlu mewn achosion fel hyn a byddai Alan yn teithio i Lundain yn aml er mwyn cynnal cyfarfodydd a chyflwyno gwysion llys.

Daeth Alan i'm swyddfa un bore gan ofyn i mi a oeddwn yn gwybod ei fod yn mynd i Lundain y diwrnod wedyn.

''Dw i'n mynd i gyfarfod dynes ifanc newydd o'r enw Chris yn y banc fory. Mae hi'n hynod o gymwynasgar ac yn mynd allan o'i ffordd i'm helpu bob amser. Mae ganddi hi lais rhywiol iawn ac mae hi'n swnio'n beth handi dros ben ar y ffôn. Ga' i fynd â hi allan am ginio ar y ffyrm, a gwneud cais am y treuliau?'

'Wel, Alan,' atebais. 'Fedri di gyfiawnhau'r peth os bydd rhywun yn gofyn i ti wneud hynny rhyw dro?'

'Medraf tad,' meddai. 'Mae hi'n gwneud yn dda i ni yn barod, ac mi fuasai'n fantais ei chael ar ein hochr ni yn y dyfodol.'

Rhoddais fy nghaniatâd.

Drannoeth, aeth Alan i dderbynfa pencadlys y banc yn awyddus a gofyn am Chris. Gyrrwyd o i eistedd, gyda'r eglurhad y byddai Chris yn dod i lawr yn y lifft i'w weld toc. Roedd o'n edrych ymlaen am ei ginio a'r cwmni yn eiddgar.

Ni fu'n rhaid iddo ddisgwyl yn hir. Agorodd drws y lifft a gwelodd Alan ŵr bach merchetaidd yn gwenu'n neis wrth gerdded tuag ato.

'Helo Alan, Chris 'dw i,' meddai, gan ysgwyd ei law yn llipa.

Chofia'i ddim erbyn hyn beth a ddigwyddodd amser

cinio. Mae'n siŵr gen i fod y ddau wedi cael pei a pheint wrth ochr rhyw far yn hytrach na'r pryd rhamantus a'r botel o win yr oedd Alan wedi ei gynllunio. Gallwch ddychmygu'r siom. Gallwch ddychmygu'r tynnu coes hefyd, am fisoedd lawer!

O dro i dro roedd yn rhaid cael gwarantau i chwilota am dystiolaeth mewn adeiladau, yn enwedig ar ddechrau ymholiadau mawr a chymhleth. Ar adegau, byddai'n rhaid cael fan i ddod â'r holl ddogfennau'n ôl i'r swyddfa. Weithiau byddai'n rhaid archwilio nifer o adeiladau ar unwaith, a'r rheini mewn rhannau gwahanol o'r wlad. Bryd hynny, roeddwn yn gyrru timau o dri heddwas i bob man oedd i'w chwilio yn fuan yn y bore, cyn i neb godi. Roeddem yn sicr felly y byddai pawb oedd dan amheuaeth yn lle y disgwyliem iddynt fod.

Roeddwn i yn paratoi i wneud hyn yng Nghernyw rhyw fis Rhagfyr, gyda Geoff Mitchell a John Jones. Nid oedd John yn aelod o'r adran – un o aelodau'r sgwad troseddau dwys oedd o, wedi dod i'n cynorthwyo. Fel rhan o'r paratoadau roeddwn wedi cysylltu â heddlu Cernyw, a mynd gerbron ustus i roi tystiolaeth er mwyn cael y warant. Roedd popeth yn ei le ar gyfer ein cyrch ni ac ar gyfer y pedwar tîm arall oedd yn mynd i fod yn gwneud yr un peth â ni ar hyd a lled Prydain. Fy nhasg olaf oedd dweud wrth reolwyr y gwesty lle'r oeddem yn aros ein bod yn mynd allan yn fuan, gan obeithio y buasem yn ôl cyn iddynt orffen gweini brecwast. Beth allai fynd o'i le?

Pan gychwynom am bump y bore roedd hi'n dal yn dywyll, a fawr o olau yn nerbynfa'r gwesty. Yn anffodus, doedd neb wedi dweud wrth y porthor nos ein bod yn mynd allan yn fuan, ac wrth ein gweld yn stelcian yn y tywyllwch meddyliodd hwnnw mai ceisio gadael y gwesty heb dalu oedden ni! Pan groesodd John Jones y dderbynfa, gwibiodd y porthor fel y gwynt o'r cysgodion a'i daclo cystal ag unrhyw flaenwr yn Stadiwm y Mileniwm. I lawr â fo! Dyna ddechrau da i'r diwrnod. Aeth gweddill y bore'n dipyn gwell, rhaid dweud.

Mae'n amhosibl rhagweld sut mae troseddwyr yn mynd i ymateb o'n gweld wrth y drws am chwech y bore. Daeth y dyn, a oedd dan amheuaeth o dwyll o dros bedair miliwn o bunnau, at y drws y bore hwnnw yn gysglyd iawn.

'O Adran Dwyll Heddlu Gogledd Cymru ydan ni,' meddwn wrtho, gan ddisgwyl er mwyn cofnodi ei eiriau cyntaf.

'Dewch i mewn, 'dw i wedi bod yn eich disgwyl chi,' meddai. 'Gwrandwch, fedra' i wneud dim byd yn y bore heb banad o de. Faint ohonoch chi sy 'na? Ydych chi'n cymryd llefrith a siwgr?'

Rêl twyllwr coler a thei.

Adran Dwyll Heddlu Gogledd Cymru tua 1997
Cefn – o'r chwith i'r dde: Alan Pierce, Cledwyn Davies, Jeff Guile, Carol Thomas (Carol Jones erbyn hyn) Ian Smith, Paul Harrison a Kevin Jones.
Blaen – fi, Joy Crook (ysgrifenyddes) Geoff Mitchell (ar ddiwrnod ei ymddeoliad) Pam Williams (ysgrifenyddes) ac Andy Jenks-Gilbert.

Yn ystod fy holl amser yn arwain yr Adran Dwyll, ni chefais ond cymorth campus gan y swyddogion uwch fy mhen. Y Ditectif Brif Uwch Arolygydd Gwyn Williams, y Ditectif Arolygydd Gareth Jones, Peter Ackerley, Eric Jones a Colin Edwards yn eu tro. Roedd eu drysau'n agored bob amser, ac nid oes gennyf ond parch a diolch iddynt i gyd. Roeddwn i fel pennaeth ar yr Adran Dwyll yn cael mwy o gyswllt hefo nhw na'r rhan fwyaf o blismyn, a deuthum i ddeall sut yr oeddynt yn gweithio, a sut y byddai'r rhan fwyaf ohonynt yn plethu hiwmor i'w dyletswyddau difrifol.

Yn aml iawn, roedd rhai o'r achosion yr oeddwn yn gyfrifol amdanynt yn faterion pwysig ac o ddiddordeb i'r cyhoedd – rhai ohonynt yn achosion gwleidyddol. Byddai'r wasg yn pwyso'n galed am wybodaeth o dro i dro ac roedd yn rhaid cysylltu â'r uwch swyddogion ar adegau.

Y Dirprwy Brif Gwnstabl John Tecwyn Owen oedd â chyfrifoldeb dros y CID yng Ngogledd Cymru yn ystod y cyfnod yma. Er mai un o ogledd Cymru oedd o, ac yn Gymro da, yn Sir Gaer y treuliodd y rhan fwyaf o'i yrfa yn yr heddlu. Roedd gen i barch mawr tuag ato gan ei fod yn ddyn medrus iawn, a chefais gymorth ganddo lawer gwaith.

Roeddwn yn swyddfa'r Dirprwy un bore am hanner awr wedi naw. Ar ôl bod yno am ddeng munud, safodd John Owen ar ei draed ac edrych allan trwy'r ffenestr.

'Argian Dafydd,' meddai'n uchel gan edrych ar ei oriawr. 'Ydi hi'n hynny o'r gloch yn barod?'

Sefais ac edrychais allan a gweld uwch swyddog sifil yn cyrraedd i'w gwaith yn hwyr – fel yr arfer yn ôl pob golwg. Nid oedd John Owen yn methu llawer.

Gofynnodd i mi roi darlith i grŵp o bobl o Rwsia un diwrnod. Wedi dod i Brydain oedden nhw i ddysgu rhywbeth am fyd busnes yn y Gorllewin, a'm cyfraniad i oedd cyflwyniad i dwyll mewn busnes. Roeddwn wedi paratoi beth oeddwn am ei ddweud, a threfnu i Dditectif Sarjant o'm hadran gymryd rhan yn y ddarlith. Warwick Gabbetis oedd o, un a ymunodd â'r adran ar ôl i Phil Welsh adael. Bu Warwick a minnau yn gydweithwyr yn y gorffennol yn ogystal ag yn yr adran. Tynnais goes Warwick mai'r rheswm yr oeddwn eisiau ei gymorth oedd am ei fod yn debyg iawn o ran pryd a gwedd i Lenin gyda'i ben moel, mwstas a phwt o locsyn gafr.

Ar fore'r ddarlith, galwodd y Dirprwy, neu'r Dep fel y'i gelwid, ar bawb a oedd yn mynd i siarad o flaen y Rwsiaid i'w swyddfa. Roedd dros hanner dwsin ohonom yno, ac roedd John Owen eisiau gwybod yn union beth oeddem am ei ddweud gan fod nifer o bwysigion o fyd busnes am fod yno hefyd. Dywedais wrtho beth oeddwn wedi'i baratoi, ac yna edrychais ar Warwick. Fedrwn i ddim peidio â chwerthin.

'Paid di â meiddio,' meddai Warwick, gan bwyntio'i fys ataf.

'Be' sy'n bod? Be' ydach chi'ch dau yn 'i gynllwynio?' gofynnodd y Dep.

Ar ôl rhoi darlith i'r Rwsiaid. Mae John Tecwyn Owen, y Dirprwy Brif Gwnstabl yng nghanol y rhes gefn, a Warwick Gabbetis, yn debyg i Lenin, yn y cefn ar y dde.

'Dim ond fy mod yn meddwl y buaswn i'n dod â Lenin hefo fi,' atebais.

Gwelodd y Dep y tebygrwydd yn syth.

'Wel, rwyt ti wedi 'i gwneud hi rŵan, yn do?' meddai Warwick.

Efallai wir, meddwn wrtha' i fy hun.

Y prynhawn hwnnw, mewn ystafell gynhadledd fawr yn y pencadlys, es trwy fy narlith o flaen y Rwsiaid. Roedd yn rhaid siarad yn araf er mwyn i'r cyfieithydd gael amser i wneud ei gwaith. Wedyn, tro Warwick oedd hi, ond cyn iddo ddechrau siarad, gofynnodd y Dep gwestiwn i'r Rwsiaid.

'Oes rhywun yn adnabod y gŵr yma?'

Daeth ateb gan un ohonynt, a dyma'r cyfieithydd yn dweud:

'Mae ganddyn nhw le iddo mewn arch yn y Sgwâr Coch.'

Hanner cyfle oedd y Dirprwy John Tecwyn Owen ei angen i greu dipyn o hiwmor. Yn drist iawn, bu ef a Warwick Gabbetis farw ymhell cyn eu hamser, ac mae colled fawr ar eu holau.

Tra bûm i'n bennaeth â gofal dros yr Adran Dwyll, cawsom nifer fawr o gwynion am dwyll a llygredd mewn busnesau yn ogystal ag mewn banciau, swyddfeydd cyfreithwyr ac o fewn llywodraeth leol drwy ogledd Cymru. Allen ni ddim gadael ymholiad ar un ochr er mwyn ymchwilio i fater arall, dim ots pa mor ddifrifol oedd y gwyn. Ar un adeg, tyfodd yr adran o bedwar, fel yr oedd hi pan gyrhaeddais yno, i adran o ddau ar bymtheg, rhai ohonynt yn gweithio yno dros dro. Roedd mwy na digon ar blât pawb!

Cefais fwynhad a boddhad mawr fel pennaeth yr adran, ond erbyn 1998 yr oeddwn yn teimlo fy mod wedi treulio digon o amser yn yr heddlu. Daeth yn amser i edrych i'r dyfodol.

Pennod 11

Ymddeoliad

1998 ymlaen

Mae pob aelod o'r heddlu yn cael cyfle i ymddeol ar ôl pum mlynedd ar hugain ond mae'r mwyafrif yn aros nes eu bod wedi cyflawni deng mlynedd ar hugain o wasanaeth.

Ar ôl tair ar ddeg ar hugain o flynyddoedd yn yr heddlu, cefais gyfle i weithio i gwmni o gyfreithwyr yn Lerpwl. Rhagfyr 1998 oedd hi, a daeth yr amser i 'roi fy nhiced i mewn'.

Roeddwn wedi cael cyfle i ddweud ffarwel wrth nifer fawr o'm cydweithwyr yn ystod yr wythnos, a chael sgwrs yn ôl y drefn hefo'r Prif Gwnstabl ar y pryd, Mr Michael Sargent. Yna, daeth fy niwrnod olaf. Yn y bore, gyrrais i Gaer yng nghwmni heddferch o'r adran o'r enw Carol i drafod rhyw achos gyda bargyfreithiwr. Ar ôl cinio, cefais gyfle i gyfarfod â phenaethiaid y CID trwy ogledd Cymru. Ar ôl dweud gair neu ddau a dymuno pob lwc i mi yn y dyfodol, gofynnodd y Ditectif Uwch Arolygydd Peter Ackerly i mi ddweud gair bach. Doeddwn i ddim eisiau bod yn rhy ddwys. Roeddwn yn eistedd wrth ochr y Ditectif Brif Arolygydd Don Cronin, a chofiais i'n llwybrau groesi ugain mlynedd ynghynt pan oedd Don yn dditectif gwnstabl yn Llandudno a minnau yn Llangefni. Y stori hon adroddais i felly cyn gadael.

Roedd dyn yn y ddalfa yn Llandudno ar ôl troseddu yn ne Sir Fôn. Ar ôl ei gyhuddo, roedd yn rhaid tynnu ei lun a chymryd ôl ei fysedd, ond nid oedd hynny'n ddigon gan Don. Perswadiodd y carcharor i roi print o'i draed hefyd, y tro cyntaf i'r fath beth gael ei wneud yn hanes Heddlu Gogledd Cymru am wn i. Y tro cyntaf yn yr holl wlad, mae'n debyg, a'r tro olaf!

Cinio penaethiaid CID Heddlu Gogledd Cymru
Cefn – o'r chwith i'r dde: Steve Beedham, John Ifor Jones, Roy Gregson, fi, Mike Mahoney, Colin Edwards, Gareth Luke, Chris Corchoran, Richard Hughes, John Williams, John Clayton.
Blaen – Eric Jones, Gareth Jones, John Tecwyn Owen (Dirprwy Brif Gwnstabl), Gwyn Rees Williams, John Cooke (Cynorthwywr i'r Prif Gwnstabl) a Peter Ackerley.

Ond roedd pethau'n wahanol bryd hynny, a phlismyn yn teimlo'n fwy rhydd i gael hwyl yn y gwaith. Mae cymaint ar eu hysgwyddau'r dyddiau yma, a phob un i'w weld yn rhuthro o un digwyddiad i'r llall cyn gwneud mynydd o waith papur. 'Dw i'n gobeithio bod hogiau ifanc heddiw yn cael yr un sbort ag a gawson ni, oherwydd mae hynny'n hanfodol i allu gwneud y math yma o waith am flynyddoedd.

Wedi i mi adael y swyddfa am y tro olaf, cefais barti ymddeol mawr ym Mae Colwyn. Daeth ffrindiau a chydweithwyr yno o bob rhan o ogledd Cymru a'r tu hwnt – rydw i wedi enwi llawer ohonyn nhw yn y llyfr yma – ac roeddwn yn falch iawn o'u gweld i gyd. Yn wir, roedd hi'n noson i'w chofio. Doeddwn i ddim yn siŵr sut y buaswn yn teimlo ar y noson, ond wedi i mi gyrraedd, llawenydd, nid tristwch, oedd yn fy nghalon. Amser i edrych ymlaen oedd hwn, er ein bod wedi chwerthin y noson honno dros lawer o'r hen hanesion yr ydw i wedi eu rhannu hefo chi yn y llyfr yma.

Ar ôl cyrraedd adref o'r parti y noson honno, dechreuais feddwl am yr holl newidiadau a welais yn ystod fy ngyrfa fel plismon. Yng nghanol y chwedegau nid oedd gan heddweision na ffôn symudol na hyd yn oed radio personol, tra bo'r teclynnau mae plismyn yn eu cario'r dyddiau yma yn gyfrifiaduron bach sy'n gwneud bob dim! Mae popeth, hyd yn oed ymholiadau cymhleth, yn cael eu rheoli gan gyfrifiaduron erbyn hyn, a fyddai neb yn breuddwydio llenwi llyfr cofnodion fel y gwnai Gordon Pritchard, un twll ac un, ers talwm. Mae'r iwnifform wedi newid sawl gwaith ac mae sôn am ddod â helmedau'n ôl yn lle'r capiau pîg *baseball* gwirion 'na. Y cynta'n y byd gorau'n y byd ddeuda' i. Ac edrychwch ar weddill yr iwnifform. Mae plismon yn edrych yn debycach i filwr heddiw gan fod yn rhaid iddo ei amddiffyn ei hun yn erbyn cyllyll neu waeth. Erbyn hyn mae'n rhaid i'r heddlu ddilyn newidiadau yn y gymuned – beth mae hyn yn ei ddweud am gyflwr y gymuned? A sut y bydd hi mewn hanner can mlynedd eto?

Cofiaf hyd heddiw'r hwyl a gawsom ni'r cadéts ym Mrynrefail yn 1966. Aros gyda'r heddlu tan ddiwedd ein gyrfa wnaeth y rhan fwyaf ohonon ni – cyn ymddeol, roedd Dafydd Morgan yn Arolygydd yn Sir Fôn, Alwyn Thomas yn Sarjant ym Mhwllheli a Phil Evans yn Dditectif Sarjant yn yr un lle. Dyrchafwyd Gwyn Jones yn Uwch Arolygydd. Roedd Bob Rowlands a Dafydd Evans ill dau yn dditectifs heb eu hail; Robin Thomas oedd un o sarjants Llangefni ac roedd John Griffith yn Arolygydd ym Mhwllheli. Gorffenodd Ken Owen ei yrfa fel Prif Arolygydd yn Llandudno. 'Dw i'n dal i weld un neu ddau ohonynt o dro i dro y tu allan i archfarchnad neu, yn fwy rheolaidd fel mae'r blynyddoedd yn mynd heibio, mewn angladdau.

Ar ôl ymddeol – dathlu fy mhenblwydd yn 60 efo Jeff Guile a Huw Vevar

Wedi gweithio am gyfnod byr i'r cyfreithwyr yn Lerpwl dod yn ôl i Fôn wnes i yn y diwedd. Mae bywyd yn fwy pleserus nag erioed, a minnau'n cael digon o gyfle i bysgota, tyfu llysiau, cerdded mynyddoedd yn ystod yr haf a hela hefo'r ci yn ystod y gaeaf. Drwy hela deuthum i adnabod nifer o gymeriadau'r ardal ac ymuno â chriw sy'n gweithio'u cŵn i guro adar i'r helwyr yn Sir Fôn.

Roedd un ohonynt yn curo adar ym mhob tywydd bob dydd drwy'r tymor tan oedd o'n naw deg dau. William Henry Jones neu Henry Prince oedd ei enw, o Langadwaladr. Cafodd ei eni a'i fagu yn nhafarn y *Prince Llewelyn* yn Aberffraw a Henry Prince fu o erioed. Lawer gwaith bûm yn ei helpu i ddringo dros glawdd o un cae i'r llall.

'Diolch i chi, John bach,' dywedai. 'Mi wna' i eich helpu chi pan fyddwch chi'n hen.'

Byddai Ffrancwyr yn dod i saethu acw weithiau, a bryd hynny byddai Henry wrth ei fodd. Bu yn y fyddin ac roedd yn un o'r rhai a ryddhaodd Ffrainc yn ystod yr Ail Ryfel Byd.

Pan ddiolchai'r Ffrancwyr iddo, byddai Henry'n ateb yr un fath bob tro:

'Beth oedd enw'ch mam? Efallai 'mod i'n 'i hadnabod hi...'

Roeddem yn cael cinio i ddathlu diwedd bob tymor saethu a phob un ohonom yn dod â'i wraig, ei gymar neu ffrind. Gan fod Henry yn ŵr gweddw ers blynyddoedd maith, byddai'n dod a 'ffrind' efo fo – un wahanol bob tro!

Mi gofia' i o'n dweud wrtha' i yn agos at ddiwedd un tymor, ddim llawer cyn diwedd ei oes:

'Mae gen i beth handi yn dod i'r cinio hefo fi'r flwyddyn yma, John. Lefren fach newydd a honno'n beth ifanc, ddel hefyd. Tydi hi ddim ond wyth deg pedwar.'

Peiriant ar y naw oedd Henry Prince. Mae'n siŵr y byddai ei holl hanesion yn ddigon i lenwi llyfr cyfan.

Un arall o'r criw yw Dafydd Lynes, hen blismon yr un fath a finnau ac yn llawn o hanesion am yr hen ddyddiau.

Ar ôl ymddeol – Yn dal i fod ymhlith criw o gymeriadau yn curo adar a hela yn Sir Fôn

Roeddwn wedi gweithio hefo Dafydd ym Mhwllheli yn y saithdegau ac wedi dod ar ei draws yn ddiweddarach yn Sir Fôn hefyd. Roedd ei dad, Tom Lynes, yn blismon o'i flaen ac yn heliwr mawr ar hyd ei oes. Dywedodd Dafydd yr hanes yma am ei dad wrtha' i yn ddiweddar.

Roedd Tom Lynes yn blismon drwy'r Ail Ryfel Byd. Yn ystod y cyfnod hwnnw syrthiodd awyren fomio Almaenig yn y Carneddau. Gwelwyd bod un dyn wedi neidio allan gan ddefnyddio parasiwt ac aeth y Gwarchodlu Cartref ar ei ôl a mynd â Tom hefo nhw. Pan ddaethant yn agos at yr Almaenwr, dechreuodd aelodau'r Gwarchodlu saethu'r awyr uwch ei ben, a chuddiodd yr Almaenwr y tu ôl i'r creigiau. Tom Lynes oedd y cyntaf i gyrraedd y guddfan. Pan welodd yr Almaenwr o'n dod, rhedodd at Tom a gafael amdano'n dynn. Ofn cael ei saethu oedd o, ac yn siŵr na fuasai un o'r lleill yn defnyddio'u gynnau ag yntau mor agos at y plismon.

Flynyddoedd maith yn ddiweddarach bu Tom yng nghwmni un neu ddau o'r criw hela a oedd wedi gwasanaethu yn y fyddin. Roedd un wedi cael ei ddal gan yr Almaenwyr a'i roi mewn gwersyll i garcharorion am weddill y rhyfel. Yn rheolaidd, tynnai Tom ei goes:

'Ia, Cael dy ddal wnest ti ynte? Un Almaenwr welais i drwy'r rhyfel i gyd, ac mi nes i ei arestio fo.'

Bydd, mi fydd 'na wastad straeon da am hen blismyn.

Emrys Owen a'i ŵyr, Carl Williams, wedi dal eog bob un. Mae'r traddodiad yn parhau!

Tra bûm i'n ysgrifennu'r llyfr yma, bu farw fy nghyfaill Emrys Owen, y cipar o Lanystumdwy, ac un o'r cymeriadau mwyaf y cefais y pleser o dreulio amser yn ei gwmni. Bydd colled fawr ar ei ôl, nid yn unig i'w deulu ond i bawb a ddaeth ar ei draws, yn enwedig ar yr afon.

Rai blynyddoedd yn ôl es am dro ar hyd glannau afon Dwyfawr gyda Carl, ei ŵyr. Nid oedd Carl yn fwy na chwech oed ar y pryd. Wrth fynd heibio un pwll, dywedodd Carl fel hyn:

'Edrychwch, yn fan 'cw mae'r eog yn gorwedd ar ddiwrnod fel heddiw,' gan bwyntio at y dŵr gwyn ym mhen y pwll. 'Ond pan mae'r afon yn uwch, maen nhw'n symud i waelod y pwll, ac mewn lli, maen nhw reit wrth ochr y lan yn y fan hyn.'

Mae'r traddodiad yn parhau a 'dw i'n siŵr y bydd Carl yn llenwi esgidiau ei daid r

yw dro.

Cymeriadau fel hyn sy'n rhoi sglein ar fywyd, a diolch wir amdanynt.

Hunangofiannau eraill o Wasg Carreg Gwalch

'Mae'r dramodydd Meic Povey wedi creu sawl cymeriad bythgofiadwy ar lwyfan a theledu dros y blynyddoedd, ond ef ei hun yw'r gwrthrych yn ei waith diweddaraf, a gellid dadlau ei fod yn llawer mwy cofiadwy a lliwgar na'r un ohonynt.' – Tudur Huws Jones, *Daily Post Cymraeg*

'... dyma'r agosaf peth i berffeithrwydd i mi ei ganfod erioed o fewn y byd hunangofiannol ... llwyddodd Meic Povey i droi brwydr a marwolaeth ei wraig yn stori am brydferthwch ac urddas.' – Lyn Ebenezer, *Gwales*

'Dwi ddim yn dal yn ôl – yn bersonol nac yn fy ngwaith.' – Meic Povey, *Y Cymro*

'Mae hon yn llawer mwy na chyfrol ar jazz – mae hi'n gofnod hanesyddol hefyd am Dre'r Sosban pan oedd y lle'n brifddinas y diwydiant tun, cyfnod pan oedd cymdogaeth dda yn rhywbeth llawer mwy nac ystrydeb. Mae hi hefyd yn cofnodi brwydr bersonol Wyn dros gyfiawnder i bobl ddu ...' – Lyn Ebenezer, y golygydd

'Mae Wyn Lodwick fel ei gerddoriaeth – yn gwneud ichi deimlo'n hapus, braf. O fewn munud neu ddwy i'w weld eto, bydd eich hwyliau'n well.' – Dylan Iorwerth, *Golwg*

'... hunangofiant eithriadol ddarllenadwy hwn sy' fel petai yn crisialu statws Wyn Lodwick yn y byd diwylliannol Cymraeg, ei gariad at Lanelli a'i gymeriad hoffus ...' – *Gwales*

www.carreg-gwalch.com

Ffarmwr, gwerthwr wyau, actor, canwr, adroddwr, cynhyrchydd dramâu, arweinydd corau, cymanfaoedd a nosweithiau llawen ... prin iawn ydi'r bobl sydd wedi cyfuno cymaint o weithgareddau yn ystod ei oes â Gwilym Griffith, Llwyndyrys.

Mae hiwmor a hynawsedd yr awdur yn pefrio ar bob tudalen, a'r portread cynnes o gymuned fywiog sydd 'yma o hyd' 'er gwaethaf pawb a phopeth' yn ysbrydoliaeth i bob ardal wledig ym mhobman.

Glywsoch chi am yr hogyn bach o Gricieth oedd isho mynd ar y môr?

Cafodd Henry Jones, neu Harri Bach, ei fagu yng Nghricieth, ac yno y mae wedi treulio y rhan helaethaf o'i fywyd, a'i fys mewn sawl briwas! Ar hyd y blynyddoedd, gwisgodd sawl cap – adeiladwr, ymgymerwr, cynghorydd a ffermwr – ond yn fachgen, rhoddodd ei fryd ar gael hwylio'r byd.

Yn y gyfrol ddifyr hon cawn rannu ei anturiaethau, profi ei hiwmor ffraeth a chyfarfod â llu o gymeriadau lliwgar – a darganfod canlyniadau smyglo parotiaid i Gymru!

Artist yn adrodd hanes ei yrfa – sut y trodd ei ddawn yn ffon fara a sut y trodd o fod yn athro i fod yn rhan o stiwdio gydweithredol

Mae gan Anthony Evans arddull arbennig wrth beintio – mae'n creu canfas fflat, dywyll ac yna'n ychwanegu pelydrau'r golau. Mae hynny'n cyd-fynd â'i athroniaeth hefyd, meddai: 'Mae arlunwyr yn gweithio o'r tywyllwch i'r goleuni.'

Mae'n teithio Cymru yn rheolaidd yn braslunio golygfeydd, yn mynd â'i waith i wahanol orielau ac yn trefnu arddangosfeydd. Mae'n rhannu ei brofiadau am grefft a busnes byd celf yn y gyfrol hon.

Ymhlith y miliynau o gerbydau newydd sydd ar y ffordd fawr ym Mhrydain, gallwch fod yn siŵr fod tua un o bob pedwar yn rhedeg ar deiers a werthwyd gan gwmni o Aberystwyth.

Tyfodd y cwmni o fod yn fusnes undyn yn 1971 i fusnes teuluol sydd bellach yn cyflogi tri dwsin o staff, gan gyflenwi tua hanner miliwn o deiers bob blwyddyn.

Dyma un o'r cwmnïau prin hynny sydd wedi cynyddu ei drosiant a'i elw'n ddi-feth o flwyddyn i flwyddyn, Teiers Cledwyn sy'n cadw'r byd i droi.